MICHAEL MORLEY

ÖRÜMCEK

TÜRKÇESİ
PETEK DEMİR

ALTIN KİTAPLAR

Unutamadığım o şahane kadına...

TEŞEKKÜR

Örümcek adlı romanın yayınlanmasında emeği geçen herkese çok teşekkür ederim.

Bir öğle yemeğinde bu romanın tohumlarını atan, İtalya'nın en büyük ve en ünlü drama yapımcılarından biri olan Massimo del Frate'ye, yardımcısı Benedetta'ya ve İtalyan polis bölümleri hakkında bana bilgi veren diğer kişilere de içtenlikle teşekkür ederim.

Bu romanı tekrar tekrar elden geçirip yeniden yazarken, birlikte geçireceğimiz kıymetli zamanlardan büyük bir fedakârlıkla vazgeçen karım ve çocuklarıma da bana verdikleri destekten dolayı minnettarım.

Dorling Kindersley'den Stephanie Jackson'a da beni doğru seçimler yapmaya yönlendirdiği için çok teşekkür ederim. Yapması gerekmediği halde bana fazlasıyla zaman ayırdığın için sana çok teşekkür ederim Steph.

Dünyanın en iyi yazar temsilcisi olan Luigi Bonomi'ye madalya vermek gerekir; rehberliğin, verdiğin esin ve ticari yeteneklerin için çok teşekkür ederim. Bunu senden başka kimse başaramazdı.

Büyük bir açık sözlülükle bana önerilerde bulunan Richenda Todd'a da teşekkür ederim.

Büyük bir titizlikle kılı kırk yararak bana yardımcı olan, gözünden hiçbir şey kaçmayan, harika esprileriyle beni güldüren Beverly Cousins'a minnet borcumu ödeyemem. Bev, senden öğrendiklerim benim için gerçekten çok değerli. Ayrıca Alex Clarke, Rob Williams, Liz Smith, Claire Phillips ve Penguin ekibinin diğer çalışanlarına da çok teşekkür ederim. Uzun saatler verdiğiniz zorlu uğraşlara çok saygı duyuyorum.

Bu romanda soyadını kullanmasına izin veren Moskova'dan Leonid Zagalsky'a ve Rus polisi hakkında verdiği bilgilere, ayrıca Ruslarla neden içki yarışına girmemen gerektiğini anımsattığı için çok teşekkür ederim!

Romanımın uluslararası satışlarında büyük çabalar harcayan Nicki Kennedy ve Sam Edenborough'a özellikle teşekkür ederim. Ayrıca Everett, Baldwin ve Barclay'den Jack Barclay'a da teşekkür ederim.

Uzun yıllardır FBI'dan Roy Hazelwood ve Robert Ressler, İngiltere'den Paul Britton ve Mike Berry gibi ünlü psikolog profilcilere bana verdikleri esinler için çok teşekkür ederim. Seri çocuk katil profilciliğine öncülük eden Dan Dovatson gibi saygıdeğer kıdemli polis memurlarına; pek çoğu medyaya kapılarını kaparken, kapılarını açan Polis Müdürü Dan Crompton'a da derin şükranlarımı sunarım.

Ayrıca İçişleri pataloglarından müteveffa Profesör Stephen Jones'a minnet borcumu asla ödeyemem. Bana ölüm ve cinayet vakaları hakkında çok şey öğretti.

Ve son olarak gerçek hayatta gerçek canavarları kovalayan gerçek kahramanlara çok teşekkür ederim.

Tanrı'ya şükür ki sizler varsınız...

*Canavarlarla savaşan kişi dikkatli olmalıdır ki,
kendisi de bir canavara dönüşmesin.*

Friedrich Nietzsche

ÖNSÖZ

30 Haziran Cumartesi

Georgetown, Güney Carolina

Güney Carolina'da bunaltıcı bir günün sonunda, Black River'ın kıyısında neşeli kahkahalar yankılanırken, barbekülerden kıvılcımlar sıçrıyordu.

Kasabanın diğer ucunda, bir adam Georgetown Mezarlığı'nın sessiz karanlığında çok sevdiği birinin mezarını arıyordu. Buraya gelmek için uzun bir yol kat ederek günlerce yolculuk etmişti ve gerek fiziksel, gerekse duygusal açıdan şimdiden tükenmişti. Kucağında kızın en sevdiği örümcek zambaklarından[*] bir demet vardı. Kızı ilk kez mahalledeki parkta örümcek zambaklarının altındaki bankta otururken görmüştü. Ve bu çiçeğin, her ikisi için de özel bir anlamı vardı.

Kalabalık mezarlığın mezar taşlarındaki isimler neredeyse Amerika kadar eskiydi. Yöredekiler, on altıncı yüzyılın ortalarında, ülkenin ilk İspanyol yerleşimcilerini buraya gömüyorlardı.

Aradığı mezar ünlü birine ait değildi; ne dev bir heykel ne de yerini belli edecek oymalı bir aile kabri vardı. Genç bedeni, Black River'ın kolu olan Tupelo Bataklığı'nda şişmiş ve çürümeye yüz tutmuş halde boy gösterince buraya gömülmüştü. Nehir, bir zamanlar ticari kolonileşmenin olduğu ve Güney Carolina çiftliklerinin ulaşım için kullandıkları yaşlı bir akarsuydu.

_____
(*) Amaryllidaceae ailesinden bir zambak cinsi.

Michael Morley

Sonunda kızın mezar taşını gördü. Kilise cemaati tarafından fakirlere ayrılan özel bağış paralarıyla yaptırılan düz siyah mermerdendi. Yaldızlı harflerle ismi kazınmıştı: Sarah Elizabeth Kearney. Ama o, kızı bu isimle çağırmıyordu. Onun için kızın adı "Şeker"di ve kız da onu "Örümcek" adıyla tanıyordu. En fazla yirmi iki yaşındaki kız, tıpkı onları bir araya getiren çiçekler gibi henüz filizleniyor, güzelliğinin farkına yeni varıyor ve gelecek hayallerinin tohumlarını ekiyordu.

Örümcek, mezarın üstündeki çakıl taşlarının arasında biten otları kopardı ve zambakları bıraktı. Yirmi yıl önce o günkü muhteşem karşılaşmalarını hâlâ hatırlıyordu.

Şeker çok özeldi.

Onun ilkiydi.

İlk kaçırdığı kişiydi.

İlk cinayetiydi.

BİRİNCİ BÖLÜM

1 Temmuz Pazar

1

San Quirico D'Orcia, Toskana

Jack King sıçrayarak uyandı. Yine kâbus görmüştü.

Yatağında doğruldu, nefes nefese kalmış ve aklı karışmış olmasına rağmen, içgüdüsel olarak kılıfındaki tabancasına uzandı. Ama silahı orada değildi, üç yıl önce FBI'daki kişilik profili çıkarma görevinden ayrıldığından beri de yoktu.

Karısı, "Uyan!" diyerek onu sarstı. "Uyan Jack! Bir şeyin yok; yine rüya görüyorsun, sadece bir rüya."

Ama Jack kendini hiç iyi hissetmiyordu. Hatta iyi olmaktan çok uzaktı.

Nefes alıp verişini yavaşlatmaya, nabzını normale döndürmeye çalıştı ama zihnindeki görüntüler silinmiyordu: Black River'da yüzen kansız bembeyaz cesetler, kopmuş genç uzuvların etrafında vızıldayan sinekler ve Black River Katili'nin işlediği son cinayeti haber veren gazete manşetleri gözlerinin önünden gitmiyordu. Sanki defalarca seyrettiği bir korku filmi gibiydi.

Nancy yataktan kalkıp ışıkları açtı.

"Senin şu kâbusların beni çok korkutuyor. Jack, gidip bir doktora görünmelisin."

15

Michael Morley

Zamanın henüz bozmadığı, suçun kol gezmediği Toskana'nın küçük bir köyünde butik bir otel işletiyorlardı. Ama Jack çoğu zaman sanki bir düş dünyasında yaşıyordu. Bazı geceler... evet bazı geceler kendine hâkim olamıyordu. Ve bu kesinlikle o gecelerden biriydi.

Yatak odasının keskin parlak ışıkları gözlerini kamaştırdı. Çıplak göğsünden ve sırtından ter damlıyordu.

"Beni duydun mu *Jack?*"

Görüntüler gitmişti ama şimdi beyninin içinde sesler yankılanıyordu: acıyla çığlık atan kadınlar, hatıralarının karanlık çukurlarından gelen çaresiz imdat feryatları ve insan etini parçalayan keskin çeliğin kuşkuya yer bırakmayan sesi.

Jack yavaşça nefes verdi. "Seni duydum Nancy. Bana iki dakika zaman ver."

Tükenmişlik sendromuna yakalandığından bu yana üç yıl geçmişti. Yaşadıkları kıtayı ve hayat tarzlarını değiştirmelerine rağmen, geçmiş, tüm dehşetiyle hâlâ peşindeydi.

Belki de karısı haklıydı. Belki de artık bir doktora görünmesi gerekiyordu.

2

Georgetown, Güney Carolina

Bazı gecelerde Örümcek'in aklı gizli düşünce ve duygularla dolar, zamanı tersine çevirir ve en sevdiği günlere geri dönerdi.

İlk sefere...

Şu anda başına bunca heyecan verici şey gelirken, geçmişe dönmeye can atıyor, onu olduğu şey haline getiren dakikaları yeniden yaşamayı istiyordu.

Karanlık odasındaki özel yatağında yatarken gözleri hafif aralıktı. Hemen sonra zihni, aylarca, yıllarca geri gidip, yirmi yıl öncesinde durdu.

Georgetown'da, güneşli bir günde, deniz kıyısında Harborwalk'taydı. Genç bir kadın mutlu ve kaygısızca önünden geçip gitmekteydi. İnce yapılı, koyu renk saçlı, düzgün bir görüntüsü vardı. Pembe bir tişört ile, modaya uygun taşlanmış kot ve lastik ayakkabı giyinmişti. O hafta izinliydi, kafasını dinliyordu. Dünyaya ve cezp ettiği bu adama karşı kayıtsızdı.

Örümcek, onun tek başına yemek yiyişini izledi.

Fırının üstündeki apartman dairesine tek başına gidişini izledi.

Ve kızın orada tek başına yaşayışını günlerce izledi.

Yalnız ve savunmasızdı. Tam hayal ettiği gibi.

Michael Morley

Sarah Kearney, onu bu süre boyunca hiç görmedi. Örümcek bu konuda çok dikkatliydi, o kadar dikkatliydi ki neredeyse görünmezdi. Ama kızın hep yakınındaydı. Hep oradaydı. Süpermarketlerde sebze ve meyve alışverişi yaparken ona dokunacak kadar yaklaşıyordu. Sinemada bilet kuyruğunda beklerken, salonda tek kişilik koltuğunu ararken yine peşindeydi. Kitapçıda bakınırken ve sonunda tek kişilik özel yemek tarifleri içeren kitabı bulurken de oradaydı.

Hatıraları çok güzeldi. Örümcek, zihinsel şöleninin her bir saniyesinin tadını çıkardı. Ah ah, eskileri hatırlamak, özellikle de ilkini, yenileri planlamak kadar güzeldi, yani bir sonrakini.

Ama Sarah çok tatlıydı. Şeker kadar tatlıydı.

US-21 Yolu'ndan Richburg'a doğru, dört yüz dönümlük bir eyalet parkı olan Landsford'a giden otobüse binen Şeker'i, eski Chevy'siyle takip ettiğini hatırlarken Örümcek'in kalbi hızlandı. Şeker, on dokuzuncu yüzyıldan kalma kanallar arasında dolaşırken, eski bir kanal bekçisi kulübesi yanında otururken ve en sonunda kalabalıktan uzaklaşıp Catawba Nehri'nin yanında tenha bir yere doğru giderken, Örümcek her zamanki gibi görünmeden onu izliyordu.

Konuştukları her kelimeyi yirmi yıl sonra bile hatırlayabiliyordu.

İnsan ilk cinayetini asla unutmazdı. Tek bir saniyesini bile.

Hava çam ağacı ve çimen kokuyordu, güneş tepedeydi ve sıcaktı. Şeker'se... Şeker'se sivri yapraklı çiçeklerden birini avucunun içine almış incelerken, beyaz çiçeklerden oluşan bir halının üstünde oturuyordu.

Resim gibi bir manzaraydı.

Ardından Örümcek ortaya çıktı. Kendinden emin, sakin, kibar ve ürkütmeden. Tıpkı planladığı gibi... Tıpkı hayal ettiği gibi...

Kendinden emin bir edayla kıza doğru yürürken, "Gerçekten güzeller," dedi. "Bunların adı ne?"

Kız bir an için şaşırdı, sonra tıpkı babasının ona öğrettiği şekilde cevap verdi. "Zambak. Kayalık arazide yetişen örümcek zambakları." Şeker'in

18

Örümcek

tereddütlü sesi sözcükleri belli belirsiz uzatıyordu. Örümcek'in duymaya can attığı bir sesti. Yakında son duyan kişi olacağını bildiği bir sesti.

Oturup konuştular; Örümcek onu güldürdü, iltifatlarıyla gururlandırdı, hatta biraz yanaklarını kızarttı. Mükemmel bir akşamüstüydü. Tıpkı planladığı gibi.

Kalabalık bir kafede kahve içtiler ve Örümcek, ona bir şirkette denetçi olarak çalıştığını, işinden nefret ettiğini anlattı. Biraz hava almak için parka gelmek istemişti.

Şeker, onun ne demek istediğini anlıyordu; o da açık havada dolaşmayı seviyordu.

Ayrılık vakti geldiğinde Örümcek, ona harika vakit geçirdiğini, en son ne zaman bu kadar eğlendiğini hatırlamadığını söyledi. Şeker yeniden kızardı ve o da eğlendiğini söyledi. Gitmek zorunda olması Örümcek'i çok üzüyordu, Georgetown'ın doğusundaki bazı sıkıcı adamlara bazı sıkıcı hesaplar götürmesi gerekiyordu.

Şeker hayal kırıklığına uğramış gibiydi. Örümcek bundan emindi. Kız, onunla daha fazla vakit geçirmek istemişti, bunu çok net hatırlıyordu. Aslında, geçmişi düşünecek olursa, onun Şeker'i seçtiği kadar, Şeker de onu seçmişti.

İnsanlar her zaman seçimi kadınların yaptığını söylemezler miydi?

Parkın kapılarından geçerken neredeyse üç saattir birlikteydiler. Şimdi geçmişi hatırlarken inanılmazdı, ama gerçeği söylemek gerekirse, bir an için vazgeçmeyi düşünmüştü.

Bu, onun gülümsemesine neden oldu.

Vazgeçmek mi? Bunu nasıl düşünmüş olabilirdi? Of, eğer vedalaşıp kendi yoluna gitseydi her şey ne kadar da farklı olurdu.

3

San Quirico D'Orcia, Toskana

Ne Jack ne de Nancy yeniden uyuyabildi. Bu da artık rutin olmuştu. Konuşabildiği tek kişi, ona olanları ve onu ne hale getirdiğini anlamaya başlayan tek kişi karısıydı.

Asıl kâbus, gece yaşadıklarından çok önce başlamıştı. Fazla çalışmak ve kafaya fazla takmak. Los Angeles'teki bir faili meçhul dava dosyası konferansından dönerken, Jack, JFK Havaalanı'nda yere yığılmıştı. Black River Katili soruşturmasının tam ortasında ve oğullarının doğumundan birkaç gün önceydi.

Şimdiyse Jack ve Nancy biraz huzur bulabilmek için her şeyi en başından gözden geçirmeye karar vermişlerdi; Jack'in yoğun bakımda geçen günlerini; doğru düzgün konuşup yürüyemediği zamanları; ölüm ya da hayatı boyunca sakat kalacağı korkularını; işinin, evliliklerini mahvedeceğine dair Nancy'nin korkularını; onu terk etmeyi, Zack'i kendi ailesinin evine götürüp her şeye baştan başlamayı düşünmesini... Her zamanki gibi ayıklanmadık taş bırakmadılar. Ve her zamanki gibi hiçbir ilerleme kaydedemediler.

Nancy King uzun boylu, biçimli ve güçlü bir kadındı. Bir asker çocuğu olarak kriz anlarıyla nasıl başa çıkılacağını iyi biliyordu. Ya da en azından bildiğini sanıyordu. Jack tükenmişlik sendromuna yakalandıktan sonra La Casa Strada'yı internetteki bir açık artırmada görmüşlerdi. Nancy o anda bu oteli satın almaları ve yeni bir ülkede hayata yeniden başlamaları gerektiğine karar vermişti.

Yeni bir başlangıç... Yeni bir hayat tarzı...

Nancy'nin ihtiyaçları olduğunu söylediği ve sahip olmaları gerektiğine karar verdiği şey buydu. Ama şimdi, bu yeni başlangıç beklemeye alınmıştı.

Ve *beklemeye alınmak* Nancy'nin kabul edebileceği bir şey değildi.

Nancy, Jack'in profesyonel yardım alması önerisini yinelerken, güneş panjurlu pencerelerden içeri sızmaya başlamıştı. "Büro, sana Floransa'daki bir psikiyatristin numarasını vermişti, seni istediğin zaman görebileceğini söyleyen iyi bir doktordu. Sabah onu ara."

Jack, "Kadın piskiartist," diye espri yaparak konudan kaçmaya çalıştı. "O ruh doktoruna görünmem gerektiğini mi düşünüyorsun?"

Karısı tek kaşını havaya kaldırdı. "Hayatım bir ruh doktoruna görünmen gerektiğini ikimiz de biliyoruz. Şimdi artık lütfen bu meseleyi hallet, tamam mı?"

Jack kabul etti. "Tamam, hallederim." Sesi yenilgiye uğramış gibiydi, ama bunca zaman sonra yardım alabileceğini yüksek sesle itiraf etmek kendini az da olsa iyi hissettirmişti. Açık pencerenin önünde boxer'ıyla durup, göbeğini okşarken, "Kahvaltı ister misin?" diye sordu.

Nancy, onun arkasında kalan güneşin, kadife yeşili vadinin üzerinde parlayıp yükseldiğini görebiliyordu. Şefin aşağıdaki mutfağa girip, dev buzdolabının kapılarını açarak, ekibi gelmeden önce günlük hazırlıklarını yapan sesini duyabiliyordu. Nancy bu yeri, yeni başlangıcı seviyor, Jack'in de sevmesini istiyordu. "Paolo geldi, bize yumurta pişirir, belki biraz da *pancetta* yapar."

Jack, karısına doğru eğilip onu öptü. "Ben kahve de alacağım, sanırım ikimizin de ihtiyacı var."

Nancy, onun eşofman altıyla, tişörtünü giymesini seyretti. Duygusal zayıflığına rağmen, hâlâ Nancy'nin âşık olduğu üniversiteli sporcu vücuduna sahipti. "On bir yıl Jack King. Birkaç gün sonra on bir yıllık evli olacağız, zaman nasıl da bu kadar çabuk geçti?"

Jack ne söyleyeceğini bilemiyordu. "Herhalde güzel zamanlar çabucak akıp gidiyor ama kötü zamanlar insana yapışıp kalıyor."

Nancy'yi bir kez daha öptü ve ona güven verircesine elini tutup sıktı. "Endişelenme hayatım, yakında her şey düzelecek."

Jack, ona gülümseyip, mutfağa doğru giderken 8 Temmuz'da yani evlilik yıldönümlerinde, Black River Katili'nin altıncı ve en genç kurbanını katlettiği gerçeğini düşünmemeye çalışıyordu.

4

Georgetown, Güney Carolina

Örümcek ilk cinayetini hatırlarken, tıpkı yaşlıların ilk aşkını anımsarken hissettiği huzuru ve heyecanı yaşıyordu. Gözleri kapalı halde, neredeyse uykuya dalacakken, yirmi yıl öncesine gidip, Sarah Kearney ile karşılaşmasının son anlarını hatırladı.

Yaz güneşiyle Güney Carolina Parkı'nın çiçek kokuları duyularına bir kez daha hücum etti; o ve Şeker, birbirlerinden sadece birkaç santim uzakta duruyorlardı, ilk karşılaşmalarının sonunda hoş bir tuhaflık vardı.

Onlara doğru yaklaşan savaş gemisi grisi bulutlara başını kaldırıp bakan Örümcek, "Görünüşe bakılırsa yağmur yağacak," demişti. "Araban var mı?"sŞeker olumsuzca başını sallamıştı. "Hayır, otobüsle geldim."

Elbette öyle yaptın sevgilim, elbette öyle yaptın.

"Nereye gidiyorsun? Seni bırakabileceğim bir yer var mı?"

"Şey, bir sakıncası yoksa beni Georgetown'a bırakabilir misin? Yolunu hiç uzatmayacak. Aslında tam yolunun üstünde, ben sana kestirme yolu da gösterebilirim."

"Elbette sakıncası yok. Büyük bir zevkle."

Arabasına birlikte yürümek son derece heyecan vericiydi. Beklentileri, fırtınada kopan bir elektrik teli gibi damarlarında kıpırdanıyordu. Ama kim olduğunu unutmamıştı. Ah, sonuna kadar tam bir beyefendiydi.

Kapıyı Şeker için açmış ve oturduktan sonra özenle kapatmıştı.

"Teşekkürler, çok kibarsın."

İşin en iyi kısmı bundan sonrasıydı. Bunu onlarca kez zihninde canlandırmış, hatta bir aksilik çıkmasın diye garajında provasını bile yapmıştı.

"Yolların ilk kuralı; sonradan pişman olmamak için her zaman kemerini takmaktır." Bunu gülümseyerek söylerken, kızın emniyet kemerini işaret etmişti.

Şeker, ona gülmüştü.

Ne hoş, Şeker, ona gerçekten de gülmüş, "Sahiden de beyefendisin değil mi?" Hanımlara gerçekten kibar davranıyorsun, bugünlerde pek sık rastlanan bir şey değil."

Pek sık rastlanan bir şey değil. Örümcek bunu hatırlayınca yeniden gülümsedi, Şeker bu konuda kesinlikle haklıydı.

Sonra Şeker, onun söylediğini yapmıştı. Sevimli küçük Şeker, emniyet kemerini takmış ve yeni centilmen arkadaşıyla birlikte rahat bir yolculuk yapmak için arkasına yaslanmıştı.

Zavallı Şeker.

Aslında, asla rahat edememişti.

Saçlarını geriye attığı anda Örümcek hamlesini yapmış, eklem yerinden kıvırdığı iki parmağını nefes borusunun her iki yanına kuvvetle bastırmıştı. Bu şekilde nefes almasına olanak yoktu.

Bunu hatırlamak bile içini gıdıklıyordu. Elini büktü ve kafasını koltuk başlığına daha büyük bir güçle bastırarak nefesini tıkamanın heyecanını yeniden yaşadı.

Şeker mücadele ediyor ama emniyet kemeri onu engelliyordu. Örümcek tam da böyle olacağını tahmin etmişti. Şeker, onun koluna yapışmıştı ama Örümcek bunu da hesaplamıştı; Örümcek'in giydiği yün ceketin kolları, tırnaklarının kırılmasına neden olmuştu.

Örümcek her şeyi düşünmüştü. Her zaman düşünürdü. Hep de düşünecekti.

Peki ya, o son öpücük? Vay! Bunu asla unutmayacaktı.

Bedeninden son nefesi çıkarken ağzıyla onu yakalayıp dudaklarını onunkilere dayamıştı. Adeta Şeker'in ruhunu emiyormuş gibiydi.

Ne kadar da heyecan vericiydi. Hayatının en heyecanlı, en harika anıydı.

Ve sonra Şeker, onun olmuştu. Tamamıyla onun.

Tüm bunlar sahiden de yirmi yıl önce mi olmuştu?... İnanmakta güçlük çekiyordu.

Of, zaman ne kadar da çabuk geçiyordu.

Şeker'in yolcu koltuğundaki cesedine baktığı ve tıpkı bir karıkoca gibi sonsuza dek bağlandıklarını fark ettiği o an, daha dün gibiydi.

Örümcek içinde bulunduğu anın kasvetli ortamına gözlerini açıp gülümsedi. Şeker'in yeniden hayatına girmesi çok güzel bir duyguydu.

5

Georgetown, Güney Carolina

On beş yaşındaki Gerry Blake ile ondan yaşça küçük kuzeni Tommy Heinz gözlerine inanamadılar. Gece gündüz daima mezarlıktan geçerlerdi. Eski mezar taşlarıyla tüyler ürpertici kilise onları hiç korkutmamıştı.

Bugüne dek.

Arkadaşları Chuck'a gitmek ve babasının teknesiyle Black River'da balığa çıkmak için acele ediyorlardı. Kilise bahçesinden geçen taşlı patikanın yarısına geldiklerinde ikisi de aniden durdu. Tommy dizlerinin üstüne çöktü.

Gerry, MTV'deki rapçilerden duyduğu gibi, "Vay canına yandığım," diye feryat ederek durumun iğrençliğini ifade etti.

Tommy ayağa kalkmıştı bile, köpek gibi soluk alıp veriyor, tepelere doğru kaçmaya hazırlanıyordu. Gerry kendine gelip, kıçını toplar toplamaz, fırlayıp oradan gidecekti. Ama bir an içgüdüsel olarak birbirlerine yaklaşıp, sadece baktılar. Gördükleri şey, ömürleri boyunca hafızalarından çıkmayacak şekilde beyinlerine kazınacaktı.

Önlerinde duran mezar açılmıştı.

Örümcek

Ucuz, çam bir tabutun kapağı açılmış, her yanı toprak olmuş beyaz elbise giyen genç bir kadın iskeleti, mezar taşına dayanmış halde dik oturtulmuştu. Kararmış kemikli kollarla bacaklar, kirli elbiseden dışarı fırlıyordu. Ama delikanlıların ölünceye dek hafızalarından silinmeyecek görüntü iskeletin kafatasıydı. Ya da kafatasının olması gereken yerdi.

6

Floransa, Toskana

Floransa'daki psikiyatr, dedikleri kadar iyi biriydi. Jack, onu cep telefonundan aramış, *Dottoressa* Elisabetta Fenella ise şaşırmış olmakla birlikte, onu hemen o gün görmeyi kabul etmişti. FBI'ın gücü gerçekten de kıtaları aşıyordu. Jack bunda, Büro'nun ödemeyi vaat ettiği yüklü miktarın da bir nebze olsun payı olduğunu düşünüyordu.

Floransa'ya trenle yaptığı doksan dakikalık yolculuk, havasız, eski ve kalabalık vagonun tozlu penceresinden geçip giden kırlık alanın güzelliği sayesinde çabuk geçmişti. Dik yamaçlardaki en iyi taraçalar için birbiriyle yarışan, güneşe çıkmış ama kıymetli gölgelere doğru uzanan üzüm bağlarıyla zeytinlikler onu büyülemişti. Bazı bölgelerde güneş, çift sürülmüş toprağı yollar halinde kavurmuş ve tarlaların gri taşlardan yapılmış gibi görünmesine neden olmuştu. Daha sulak vadilerde, traverten kulübeler daha verimli tarlalardan, fırında pişen köy ekmeği gibi yükseliyordu.

Ve Toskana kesinlikle bir fırındı.

Tren Floransa'ya girerken yavaşladığında Jack terden sırılsıklam olduğunu fark etti. Suçu, klima olmamasına atacaktı, ama sebebin başka bir şey olduğunu biliyordu. Düşünceleriyle ilgiliydi.

Örümcek

İçindeki şey her neyse onu uykusundayken bile korkutmaya yetecek kadar güçlü ve karanlık hatıralara göğüs germekle ilgili düşüncelerdi.

Gerçekler aklına gelmeye başladı. *Black River cinayetleri yüzünden yıkılmıştı.*

Bunlar onun sözleri değildi, JFK'de yere yığıldıktan sonra Amerika' daki tüm gazeteler böyle yazmıştı.

En az on altı genç kadını öldüren ve daha fazlasını öldürecek olan bir katili yakalamakta başarısız olmuştu. Başarısız olmuştu!

Bunu da yazmışlardı. O kadar çok yazmışlardı ki artık canını acıtmıyordu. Ya da herkese böyle söylüyordu.

Belki de yıkılmış bir şekilde kalması en iyisiydi. Yıkılmak demek tamamıyla çalışamaz duruma gelmek veya tamamen mahvolmak demek değildi, sadece bir zamanlarki kadar iyi olmadığı anlamına geliyordu. Belki de ruh doktoruna gitmek, her şeyin daha kötü bir hale gelmesine neden olacaktı.

Beyninde kulak çınlamasına benzer tıslayan bir ses yankılanırken birden sesler netleşti; artık tıslama değil, kesme sesiydi. Sesler geri gelmişti: doğrama sesleri... İnsan eti üstünde hareket eden çeliğin sesi. Ellerini kulaklarına götürüp, gözlerini kapattı.

Sesler yavaşça uzaklaştı. Bunları duymuş muydu, yoksa hayal mi ediyordu? Belki de istasyona giren trenin, raylardaki tekerlek sesleriydi.

Ellerini çekip gözlerini açtı.

Sessizlik.

Tren durmuş, vagonlar boşalmıştı.

Karar verme zamanı gelmişti.

7

San Quirico D'Orcia, Toskana

San Quirico D'Orcia, turistlerin Montepulciano'ya gitmek için kat ettikleri olağanüstü güzellikteki yolun üçte birine gelindiğinde, doğudaki büyüleyici bir vadide yer alır. Aksi istikametin bir kilometre ötesinde, San Quirico'dan Pienza'ya giden dolambaçlı yolda, Ridley Scott'ın *Gladyatör* filminde, karısıyla çocuğunun Maximus'un dönmesini beklediği dokunaklı sahnede kullandığı yamaç yer alır.

Kasabanın tarihi duvarları yıkıktır ve güzelliğinden de pek çok şey kaybetmiştir. Ardındaysa, Nancy'ye çocukluğunda bayıldığı bal peteği parçalarını anımsatan travertenden yapılmış binalar yükselir.

Bir zamanlar zeytinyağı üretilen La Casa Strada, kasabanın tam sınırında yer alır. Yetmişli yılların ortalarında, çok sıcak geçen bir yazın ardından Toskana Vadisi'ndeki çiftliklerin çoğu iflas etmişti. Sahipleri Laura ile Sylvio Martinelli bu işten vazgeçip, Cortona'daki ailelerinin yanına taşınmışlardı. Altmış yaşındaki Sylvio taksi şoförlüğüne, altmış beş yaşındaki Laura ise *Torta della Nonna*[*] pişirmeye başlamıştı. O günden sonra eski evleri ve işyerleri yenilenip, tanınmayacak şekilde değiştirilmişti; doku-

---

[*] Büyükanne kekleri.

Örümcek

nulmayan ve dokunulmayacak olan tek şey, Val D'Orcia tepelerinin öbür tarafındaki büyüleyici manzaraydı.

Nancy kendini yavaş yavaş iş gününe hazırlıyordu. Zack'i oyun oynaması için bir arkadaşının evine bırakmıştı, şimdiyse haftalık ve aylık planlarının üstünden geçmeye hazırlanıyordu. Sonunda üç yaşındaki oğlunun günlük düzene alışmasına oldukça seviniyordu. Bir yıl önce onu Pienza'daki kreşe bırakırken, annesinden ayrılmayı kabul etmeyen oğlunun yarattığı korkunç sahnelere tahammül etmek zorunda kalıyordu. Zack ağlayıp çığlık atıyor, yere bırakmasını önlemek için annesini omuzlarından ya da elbisesinden tutuyordu. Ve en kötüsü, annesi dışarı çıktıktan sonra gözyaşları içindeki yüzünü pencereye yapıştırıyor, onu bırakmaması için yalvaran gözlerle annesine bakıyordu. Ama artık şu günlerde Zack "ağabey" olmuştu, "iyi çocuk" olmuştu ve gündüzleri annesiyle babasının çalışması gerektiğini anlıyordu.

Nancy, şeflerin son kahvaltıları hazırladıkları mutfak kapısından başını sokup, "Herkese günaydın!" diye seslendikten sonra kapıyı bırakmadan önce, koro halinde *"Buon giorno,"*[*] diye cevap vermelerini bekledi.

Tamirci Guido'nun, Paolo'nun sekiz gözlü gazlı fırınının bozuk vantilatörünü onarmaya geldiğini gördü. Maymun iştahlı aşçıları bir süredir Nancy'ye, Roma'daki uzaktan akrabasınınki gibi yeni bir fırın alması için baskı yapıyordu. Ama Paolo'nun beklemesi gerekiyordu, şu anda nakit sıkıntısı çekiyorlardı ve Nancy, ona yazlık gelirlerini toparlayana kadar yerel müzayedelerden buldukları ikinci el eşyalarla idare etmesi gerektiğini söylemişti. Nancy kendi kendine gülümsedi. Doğrusu Guido şimdiye dek o kadar çok eşyayı tamir etmişti ki, ne Jack ne de o artık bunları kelepir gibi görüyordu.

Onarılması gereken başka şeyler de vardı. Bahçedeki taraçanın kenar kısmı aylar önce diğer taraçanın üstüne kaymış ve yamaçta şaşırtıcı bir çukur açılmıştı. Carlo burada eski bir su kuyusu olabileceğini söylerken, Pao-

---

(*) Günaydın.

31

lo bu bölgenin eski bir Medici[*] kalesi olabileceğini ileri sürerek daha çarpıcı ihtimaller sıralıyordu. Ama her ne ise göze batıyor, çirkin görünüyor ve hatta tehlike yaratıyordu. Ama birkaç güne kadar Carlo'nun bir arkadaşı gelecek ve söz verdiği şekilde peyzajı düşük bir maliyetle düzeltecekti.

Yirmi yaşındaki resepsiyon görevlisi sonunda masasının başına geçtiğinde Nancy, "Günaydın Maria," dedi.

Maria Fazing, "Günaydın Bayan King," dedi. Amerikalı aksi patronu ona anadili İtalyancayı konuşmayı yasaklamıştı. Nancy, yabancı turistlerin onların hedef müşterileri olduğu ve konuşmaya daima İngilizce başlaması gerektiği konusunda ısrar etmişti. Maria bir gün İtalya güzeli, ardından da dünya güzeli seçileceği ve İngilizce öğrenmeye zorlandığı için patronuna minnettar kalacağı hayaliyle bu kuralı sineye çekiyordu. Ya da kendi kendini bu şekilde ikna ediyordu.

Nancy bilgisayarı ve telefon mesajlarını kontrol edip, oda rezervasyonlarını güncelledi. Bu akşamki yemek rezervasyonuna dört kişiyi daha ilave ettikten sonra, e-postalara bakmak için kendi internet sitelerine girdi. Bazıları mönüyü görmek istemişti, Maria'nın cevaplaması için çıktısını aldığı birkaç İtalyanca mektup ve beşinci evlilik yıldönümünü kutlamak için bir istek gelmişti.

Maria telefonda potansiyel müşterilerle konuştuğundan, Nancy yazdırdığı e-postaları ona vermek için beklemek zorunda kaldı. Bunu yaparken, resepsiyon görevlisinin okuduğu *La Nazione*'ye göz gezdirdi. Baş sayfada kalın harflerle *"Omicidio!"*[**] yazıyordu ve Cristina Barbuggiani adında koyu renk saçlı, güzel bir genç kadının fotoğrafı vardı. Nancy, kızın fotoğraflarını televizyon haberlerinde de görmüş ve otel çalışanlarının kızın cesedinin parçalanıp denize atıldığını konuştuklarını duymuştu. Derin bir iç çekerek arkasını dönerken, burada, şimdiye dek yaşadığı en güzel yerde bile cinayetten kaçış olmadığını fark etmenin üzüntüsünü duydu.

(*) 13. ve 17. yüzyıllar arasında İtalya'da yaşamış güçlü ve etkin bir aile.

(**) Cinayet.

8

Floransa, Toskana

Jack boş trenin sessizliğinden, koşuşturan insanlarla bangır bangır bağıran trafik keşmekeşinin içine daldı. Floransa kulakları sağır edecek kadar güüültülüydü ve sıcaktan cayır cayır yanıyordu. *Dottoressa* Elisabetta Fenella'nın muayenehanesine vardığında hâlâ gördüğü kâbusun etkisi altındaydı. Bina, şehrin en önemli alışveriş bölgesindeki Piazza San Lorenzo'daydı. Medici'ler tarafından onarılan dördüncü yüzyıla ait cephesiz kilise Basilica di San Lorenzo'nun haşmetli taş yapısı, buraya tepeden bakıyordu.

Jack sokaktaki kavurucu güneşten bina girişinin serinliğine geçti. Üçüncü kata küçük, demir kapılı, eski moda bir asansörle çıktı ve ağırbaşlı bir resepsiyon görevlisi tarafından mermer zeminli, yüksek tavanlı görüşme odasına alındı. Başının üstünde, Floransa'dan daha eski görünen ve odanın bir tarafındaki sıcak havayı diğer taraftakiyle karıştırıp, aşağıdaki mekânı soğutacak hiçbir şey yapmayan iki tane pervane zarifçe dönüyordu. Odanın uzak bir köşesinde oymalı kalın bacaklı meşe bir masa, arkasında da duvara asılı bir haç duruyordu. Masanın üstü kâğıtlarla ve büyük bir ailenin fotoğraflarıyla doluydu. Jack, otuzlu yaşlarının sonlarındaki koyu renk saçlı, çekici bir kadının, daha yaşlı bir adamla omuz omuza durduğu fotoğrafı alıp inceledi.

F: 3

Michael Morley

Arkasındaki kapı açıldı ve fotoğraflardaki kadın onu masasının başında bulduğuna şaşırdı.

Etrafı karıştırmasını onaylamadığını belli eden bir sesle, *"Signore King?"* diye sordu.

Yakalandığına mahcup olan Jack, "Evet," diye cevap verdi. "Beni bağışlayın. İnsan eski polis alışkanlıklarından zor kurtuluyor."

Kadın, kare cam sehpanın iki yanına yerleştirilmiş krem rengi kanepeleri işaret ederken, "Lütfen," dedi.

"Beni hemen kabul ettiğiniz için çok teşekkür ederim." Jack, doktorun elini sıkarken parmağında bir FBI memurunun üç aylık maaşına mal olacak, pırlanta taşlı altın bir yüzük olduğunu fark etti.

"Hoş geldiniz. Eğer bugün olmasaydı, sizi birkaç ay daha göremeyecektim. Lütfen oturun." Sonra Elisabetta Fenella sehpanın üstünde kahverengi bir dosya bıraktı. Jack üstünde isminin yazdığını gördü. Dosyalanmıştı.

Dosyayı, FBI'ın gönderdiğine hiç şüphe yoktu. Tükenmişlik sendromuyla, ağır iş yüküyle başa çıkmaktaki beceriksizliğiyle ilgili tüm ürpertici ayrıntıları doktora FedEx'le yollamışlardı ve işte tüm bunlar onun elindeydi. Yılların birikimi Jack'in sonunda ruhsal açıdan yıkılıp yardım isteyeceği o kaçınılmaz an için hazırdı.

Bu düşünce Jack'in nefesini kesti.

Dottoressa Fenella sözü uzatmadan konuya girdi. "Sanırım ofisiniz beni iki yıl kadar önce aramıştı. Söyler misiniz beni neden şimdi görmek istediniz??"

Bu iyi bir soruydu. Ve o da iyi bir cevap vermek istiyordu, açık yüreklilikle doktorun müdahalesine, her gece gelen karabasanını kovacak uzmanlığına ihtiyacı olduğunu söylemek istiyordu. Ama yapamadı. Kelimeler ağzından çıkmadı.

Örümcek

"Size yardım etmeme izin verin." Jack'in gözlerinin yeniden dosyaya takıldığını gördü. "İsterseniz okuyabilirsiniz." Dosyayı ona doğru itti. "Eminim orada zaten bilmediğiniz bir şey yazmıyordur."

Jack gözlerini dosyaya dikti ama dokunmadı. Bu bir güç ve güven sınavıydı. Doktor hiçbir şeyi ondan gizlemeyerek, Jack'i de aynını yapacak kadar güçlü olmaya hazırlıyordu.

Ama Jack o kadar güçlü müydü?

Zihninde morgun fayansları kadar beyaz, bir düzineden fazla ölmüş kadının kanı çekilmiş teni kadar beyaz bir görüntü canlandı.

Jack, "Pekâlâ," dedi. "Artık konuya girelim. Vaktinizi yeterince harcadım."

9

Days Inn Grand Strand, Güney Carolina

Örümcek, mezarlıktan istediğini aldıktan sonra doğruca, Myrtle Beach International'a birkaç dakikalık mesafede bulunan Days Inn Grand Strand'deki kiralık odasına geri döndü.

Mezar soygunculuğu yapmak uykusuz bir gece geçirmesine neden olmamıştı. Tam aksine bu iş ona, akla gelebilecek herhangi bir cinsel fantezi kadar keyif vermiş ve enerjisini tüketmişti, sonrasındaysa kolayca deliksiz bir uykuya dalmıştı.

Örümcek şimdi oteldeki yatağında dönüyor ve kendine gelmek için odada etrafına bakıyordu. Bu köhne yerin, iki yıldız bir yana, bir yıldızı bile nasıl aldığını merak etti. Dışarıda havuza atlayan çocukların bağırıp gülüştüklerini duyabiliyor ve seslerini kesmelerini diliyordu. Yemeğe, içmeye ve daha çok dinlenmeye ihtiyacı vardı, ama bu türden konforlar için biraz beklemesi gerekecekti. Şimdi öncelik kaçmaktı.

Açtığı mezardan kırk beş kilometre uzakta olmasına rağmen, kendini rahat hissedemeyecek kadar yakındı. Civarda kalıp yerel halkın arasına karışmayı ve olanlar hakkında konuşurlarken onları dinlemeyi inanılmaz derecede istediği halde, ayrılması gerektiğini biliyordu. Şimdiye kadar mezarlık polisle dolup taşmış olmalıydı ve bu da haberin televizyonla rad yodan duyurulduğu anlamına geliyordu. Titizlik derecesinde dikkatli davranmıştı ve odadan ayrılırken daha da dikkatli davranacaktı, çünkü tüm önlemlerine rağmen o görmese bile, daima birilerinin onu görebileceği ihtimalinin olduğunu biliyordu.

Örümcek önce tuvaleti kullandı, sonra uzun sıcak bir duş aldı. Banyoda iki tane beyaz havlu vardı. Birini alıp, yarım yamalak kurulandı ve beline dolayıp yatağın üstüne oturdu.

Nefes almakta güçlük çektiğini ve ellerinin titrediğini fark etti. Geçen bunca yıldan, bunca cinayetten sonra bile hâlâ "ertesi gün sarsıntıları" dediği durumu yaşıyordu. Bunun bir iç sıkıntısı olduğunu, panikatak başlangıcı olduğunu biliyordu. Bu gibi zamanlarda yakalanma korkusu en tepede oluyordu ve tecrübeleri ona, cinayet mahallinden ne kadar çabuk uzaklaşırsa, sıkıntısının o kadar çabuk geçtiğini öğretmişti.

Kendini biraz daha iyi hissettiğinde yatağa geri dönüp, uzaktan kumandayla televizyon kanalları arasında gezinerek Georgetown'la ilgili haberleri bulmaya çalıştı. WTMA kanalında tropikal alçak basınç ve fırtına uyarıları bitmek üzereydi, WCSC ise Mount Pleasant'da yaşayan bir kadının Sullivan's Adası açıklarında kayıkla gezerken boğulduğu haberini veriyordu. WCBD'ye geçtiği anda kısa süre önce ayrıldığı mezarlığın görüntülerini hemen tanıdı. Birkaç saniye sonra ekranda endişeli görünen bir muhabir belirdi ve stüdyodaki haber spikeriyle konuşmaya başladı.

"Georgetown'ın birbirine bağlı sakinleri bugün büyük bir şok yaşıyorlar ve yerel halkın çoğu bunun dine aykırı bir hareket olduğunu düşünmekle kalmıyor, aynı zamanda çok korkunç buluyor. Kameramanlar ve gazeteciler mezarlığın dışında tutuldular, ama otoyoldan çektiğimiz görüntülerden de anlayacağınız gibi, kutsallığa büyük bir saygısızlık yapıldığı anlaşılıyor. Bunu, hasta hazine avcılarının ya da özellikle cinayet kurbanlarının mezarlarına gitmek gibi bir tür hastalığı olan, akli dengesi oldukça bozuk birinin yapmış olabileceği söylentileri dolaşıyor. Georgetown emniyet müdürü bugün yaptığı açıklamada, şu aşamada olayı Sarah Elizabeth Kearney'nin ölümünden sorumlu olduğuna inanılan seri katil, Black River Katili ile bağdaştırmaya gerek görmediklerini belirtti."

Örümcek hem eğlenmiş, hem de rahatsız olmuştu. Basın sahiden de bu saçmalıklara inanıyor muydu? Gerçekten neler olduğunu anlayacak zekâya sahip değiller miydi? Polislerin bu kadar aptal olduğunu sanmıyordu. Yapılan şeyin anlamını kesinlikle yanlış yorumlamayacaklardı.

Islak saçlarını yastığına dayayarak sırtüstü uzandı. Yanında, sevdiği nesneye sarılmış diğer banyo havlusu duruyordu. Sarah Kearney'nin yerinden çıkarılmış kafatası. Sol tarafına dönüp, parmaklarını pürüzsüz kemiğin üstünde nazik hareketlerle ileri geri oynattı. *Gerçekten de yirmi yıl mı geçmişti? Onun ölümünün mahremiyetini ve soğuk bedeninin gizli konforunu paylaşalı yirmi yıl mı olmuştu?*

Onu alnının ortasından hafifçe öperek, "Yakında gitmek zorundayız Şekerciğim," dedi. "Biraz daha uyu, ama sonra birlikte gitmek zorundayız. Yapacak çok işimiz var."

10

San Quirico D'Orcia, Toskana

Nancy King, sabah ilk kapuçinosuyla gölgeli terasta keyif yapıyordu. Kucağında Paolo'nun yeni yaz mönüsü vardı. Favori yemeklerinin hâlâ listede olmasına sevinmişti, bunlara ev yapımı *linguini* veya *tagliatelli* üzerine son derece basit bir domates sosuyla sunulan klasik *"La Pasta Fatta in Casa"*[(*)] da dahildi. İtalyanlar bu kadar az malzemeden bunca farklı lezzeti nasıl çıkarıyorlardı? Mönüyü elinden bırakıp, kahvesinden bir yudum aldı ve gözlerini kısarak güneşin kavurduğu vadilere baktı. Toskana'nın kırsal kesimi, görüş alanı dışında kalan bir kıyıya vuran yeşil dalgalar gibi kıpırdıyordu. Masmavi gökyüzünde tek bir bulut yoktu. Nancy kendini, yıllardır olduğundan daha huzurlu ve canlı hissediyordu. Toskana her şeye yeniden başlamak için kesinlikle doğru bir seçimdi.

Öğle yemeği için masalara beyaz örtü seren iki garson kızdan biri olan Jovanna, bahçe karolarının ve tahta verandanın üstünde topuklarını takırdatarak yaklaşırken Nancy'nin meditasyon anını bozdu.

Saygılı bir sesle, *"Scusi Signora,"*[(**)] dedi. "Resepsiyonda sizi bekleyen biri var. Bir polis memuru."

(*) Evin özel makarnası.
(**) Özür dilerim bayan.

Nancy nefesini tuttu. Çıplak ayaklarını arkası açık ayakkabılarına sokup, sıcaktan kavrulmuş terastan otel resepsiyonunun serinliğine doğru acele adımlarla yürüdü. O kısacık anda aklından birçok felaket senaryosu geçti. *Jack yine yığılıp kalmış mıydı? Zack mi yaralanmıştı? Bir İtalyan polis memurunu kapısına habersiz getiren ne olabilirdi ki?*

Nancy, siyah saçlı, beyaz eldivenli bir polis görmeyi bekliyordu. Ama bunun yerine, mükemmel dikilmiş gri bir tayyör giyinmiş, genç ve güzel bir kadın resepsiyon masasının önünde bekliyordu.

"Buon giorno. Signora King?"

"Si." Kalbi tekleyen Nancy duraksadı.

"Buono. Sono Ispettore Orsetta Portinari. Ho bisogno..."

Artık korkusunu saklayamayan Nancy, "İngilizce, İngilizce konuşun lütfen!" dedi.

Kadın polis, "Üzgünüm," dedi. Biraz duraksadıktan sonra konuştuğu dili kolaylıkla değiştirdi. "İsmim Orsetta Portinari ve beni Roma'daki müdürüm Massimo Albonetti gönderdi. Müdürüm ve Bay King bir süre önce birlikte çalışmışlar ve şimdi *Direttore* Albonetti, beni Bay King'in bize yardım edip edemeyeceğini öğrenmem için gönderdi."

Nancy'nin korkuları biraz olsun azalmıştı. "Yani kötü bir şey olmadı mı? Jack'e ya da oğluma bir şey olmadı değil mi?"

Genç polis müfettişi şaşkın görünüyordu. "Üzgünüm. Korkarım sizi anlamıyorum. Oğlunuz mu?"

Nancy yüzüne gelen saçları arkaya attı. "Buraya eşimin ya da oğlumun başına kötü bir şey geldiğini haber vermek için gelmediniz, değil mi? Her ikisi de iyi, değil mi?"

Orsetta başını iki yana sallayıp, güven veren bir ifadeyle gülümsedi. "Evet, her ikisi de iyi."

Nancy siyah granit resepsiyon masasına eğildi ve derin bir nefes aldı. Genç müfettişe dönmeden önce kendini toparladı. "İnsanın polis gördüğü zaman hep en kötüsünü düşünmesi ne tuhaf değil mi? Halbuki o polislerden biriyle evliyim."

Orsetta, *"Si,"* dedi.

"Jack şu an burada değil, bütün gün olmayacak. Tam olarak konu neydi?"

Orsetta'nın yüzünden, Nancy'ye net bir cevap vermeyeceği anlaşılıyordu. "Saygı duyuyorum Bayan King ama bu, polisi ilgilendiren bir mesele ve konuyu eşinizle görüşmeyi tercih ederim."

On yıldır bir polisle evli olmak Nancy'ye kandırıldığını anlamayı öğretmişti. Aynı şekilde, polislerin sadece konu ciddi olduğu zamanlarda sorulardan kaçtığını da biliyordu. Aklına gazetedeki haber geldi. "Öldürülen şu kızla mı ilgili?"

Müfettiş kaşlarını çattı. "Gerçekten de doğrudan eşinizle görüşmeliyim. Onun cep telefonunun numarasını alabilir miyim?"

Nancy'nin gözleri parladı. Görünüşe bakılırsa İtalyan polisleri de Amerikalı meslektaşları kadar ısrarcı ve kabaydı. "Bunu yapmayı pek istemem. Artık polis meseleleriyle ilgilenmiyoruz. Şimdi, eşime mesaj bırakmak istiyor musunuz, istemiyor musunuz?"

Orsetta'nın yüzü kıpkırmızı olmuştu. "Bu benim kartım," diyerek kartı tezgâhın üstüne çarptı. "Acil bir konu. Onu görür görmez beni aramasını söyleyin." Nancy'ye sertçe baktı. "Bu bir rica değil *signora,* talimat!"

Bir an için iki kadının gözleri birbirine kilitlendi. Orsetta elinden geldiğince şirin biçimde gülümseyerek topuklarının üstünde zarifçe döndü ve gitti.

11

Days Inn Grand Strand, Güney Carolina

UMail2Anywhere'de telefonlara bakan hanım sözünde duran biriydi. Aradıktan bir saat sonra, kurye çocuk Stan; baloncuklu naylon, dört karton kutu, üç tane ambalaj kâğıdı ve bir rulo yapışkanlı bant ile çıkageldi. Örümcek, ellerine araba yağı bulaşmış bir halde kapıda belirdi, malzemeleri yatağa bıraktırdı ve ardından çabucak ellerini yıkayıp çocuğa çalışmaları için bahşiş verdi. Kafatasını parmak izlerinden henüz temizlemişti ve Şeker'i eve postalarken yerleştireceği pakette yenilerinin oluşmasını istemiyordu.

Bol bahşiş veren müşterisi o akşamüstü uçak postası ile göndereceği hassas kargoyu özenle sararken, Stan limonlu kola içip, kızlara bakarak havuzun etrafında takılıyordu. İyi bir adama benziyordu, ismini sorup teşekkür etmek şöyle dursun, şu günlerde çoğu müşteri bahşiş bile vermiyordu. Onun gibi gerçek bir beyefendiyi beklemek hiç sorun değildi. Adam, ona başka iş bulabileceğini bile söylemişti, şu an UM2A'da kazandığı ücretten biraz daha fazlasına kendi getir götür işlerine bakmasını önermişti. Hatta ilk önce bu pakete göz kulak olursa ve bunu yaparken iyi bir iş çıkarırsa, o gün ilerleyen saatlerde bile ona başka bir iş verebileceğini söylemişti.

Örümcek, pamuklu eldivenlerini giydi. Bir süre önce polislerin artık plastik eldivenlerinden de bir şekilde parmak izi alabildiğini okumuştu.

Örümcek

Doğruluğundan emin değildi, ama risk almaya niyeti yoktu. İşini bitirince eldivenlerini yanında götürecekti. Baloncuklu naylondan bir şerit kesmek için çok amaçlı çakısını kullandı ve kestiği parçayı Sarah Kearney'nin kafatasının içine tıkıştırdı. Göz çukurundan ve çeneden dışarı çıkan plastik, kafatasında adeta tuhaf bir zar, bir kas oluşturmuş, hatta hayat vermişti. Etrafını da bir kat sardıktan sonra yapışkanlı bantla tutturdu ve hepsini Stan'in bıraktığı küçük kutulardan birine yerleştirdi. Ağzını bantla kapattıktan sonra ambalaj kâğıdına sardı. Biraz daha baloncuklu naylon kesip, kutunun etrafına yapıştırdı ve emniyetli bir şekilde daha büyük kutulardan birine koydu. Yapışkanlı bandı tüm birleşme yerlerinin üzerinden geçirdikten sonra, bu kutuyu iki kat ambalaj kâğıdıyla paketledi. Eline aldığı siyah keçeli kalemle gideceği adresi el yazısı tanınmayacak şekilde büyük harflerle yazdı. Bir an için durup, kalemin kokusunu yavaşça içine çekti. Armutlu şekerleme kokuyordu. Örümcek durumun tuhaflığına güldü. Yirmi yıl önce öldürdüğü bir kadının kafatasını elinde tutarken, çocukluğunda yediği şekerlemelerin masum hatırasının aklına geleceğini kim düşünürdü?

Geriye kalan kutuları düzleştirip, onlarla birlikte baloncuklu naylonu ve yapışkanlı bandı valizinin içine yerleştirdi. Sonra kutuyu dışarıya taşıdı ve kapının tam önüne koydu. Odası, üç katlı motelin ikinci katındaydı ve bulunduğu yerden Stan'i rahatça görebiliyordu. Çocuk, kürdan kadar zayıf, bikinili ergen kızlara bakıyordu.

"Hey Stan!" diye seslendi.

Ergenlik rüyalarından bir anda sıyrılan çocuk, çağrıldığını duyduğunu göstermek için elini havaya kaldırdı. Stan kapının önüne geldiğinde Örümcek eldivenlerini çıkarmış, omzuyla kulağı arasına bir cep telefonu sıkıştırmıştı; sözde birisiyle konuşuyor, motelin not defterine bir şeyler yazmaya çalışıyordu.

"Evet, tabii, işi bir saat önce bitirdim, hesabı sana bu akşamüstü fakslarım. Meraklanma."

Stan, adamın gerçekten meşgul olduğunu görebiliyordu. Yerdeki paketi işaret edip sordu. "Gitmeye hazır mı?"

Örümcek, telefondaki kişiye, "Bir saniye bekle," dedi ve Stan'e cevap verirken ahizeyi eliyle kapattı. "Evet, alabilirsin. Beklediğin için tekrar teşekkürler. Ben diğer iş için seni sonra arayacağım."

Kutuyu yerden alıp, gülümseyen Stan, "Rica ederim," diyerek gitti.

Örümcek konuşuyormuş gibi yapmaya devam etti. Gözden kaybolana dek çocuğu izledi ve sonra yeniden motel odasına girdi. Buraya kadar planı iyi işlemişti. Valizinden bir şişe mürekkep alıp, itinayla çarşafların ve yastıkların üstüne döktü. Sonra temizlemek için odadaki havluları kullandı ve hepsini birden duş kabinine atıp muslukları açtı. Ardından oda servisini arayıp, yanlışlıkla her yere mürekkep döktüğünü ama çıkarmak için suya bastırdığını söyledi. Meksikalı bir hizmetçi, odasına, doping almış yüz metre koşucusundan daha çabuk geldi. Önce ona İspanyolca bağırdı ama Örümcek on dolar verip, ıslak havlularla çarşafları sıkmasına ve arabasına yüklemesine yardım edince sakinleşti. DNA izlerini taşıyan çarşaf, yatak örtüsü, yastık ve havlular on dakika sonra çamaşırhanede kaynama kazanına atılacağı için kendini daha iyi hissediyordu.

Örümcek ardında hiçbir iz bırakmadığından emin olmak için odayı iki kez kontrol etti. Eşyalarını alıp kapıyı kilitledi ve aşağıdaki yirmi dört saat açık resepsiyona giderek hesabını istedi. "Kaza" yüzünden utanmış gibi nazik ve özür diler bir tavırla mahcup davranmaya çalıştı. Temizlik bölümünü aradıktan sonra ona her şeyin yolunda olduğunu ve fazladan ücret talep edilmeyeceğini söylediler. Resepsiyon görevlisine teşekkür edip, hesabı nakit ödedi ve ön tarafta duran kiralık gri Chevy arabasını almaya gitti. Jetport Yolu üstünde, günlüğü seksen dolara araba kiralayıp, yine nakit öderken sahte ehliyet gösterdiği Thrifty Rent-a-Car birkaç dakikalık mesafedeydi. Suçluların eski dostu nakit paranın izi sürülemezdi.

Örümcek

Görevlinin yanına gelmesi asırlar kadar uzun sürdü, sonra herkes gibi, talep edilen fazladan benzin ücreti için numaradan söylendi. Havaalanına giden servis aracına binerken hâlâ kızgın görünüyordu. İlk durağı olan Delta bilet satış masasında, Güney Carolina'dan ayrılan tek yönlü bileti nakit ödedi. Valizini teslim etti, biniş kartını aldı ve bir şeyler yemeye gitti.

Uçağının kalkmasına çok vakit vardı.

Son bir telefon daha açması gerekiyordu. Myrtle'dan ayrılan uçağına binmeden önce yapacak önemli bir işi daha vardı.

12

Floransa, Toskana

Hep aynı kâbusu mu görüyordu? Kâbus gördükten sonra uyumaya korkuyor muydu? Uyanık olduğu saatlerde rüyalarındaki görüntüleri hatırlıyor muydu? Sorular birbiri ardına geliyordu ama Jack hiçbirinden kaçmadı. Hatta Elisabetta Fenella, ona; karamsar, üzüntülü, aşırı duygusal veya güçsüz olup olmadığını sorduğunda bile kaçmadı.

Elisabetta Fenella sonunda onu çocukluğuna götürme konusunda ikna etti. Meslek hayatının tam aksine, geçmiş hayatında ne bir travma, ne taciz, ne de sevgi yoksunluğu yaşamıştı. Genç âşıklar olarak tanışıp evlenen iki ebeveynin yoğun sevgi ve desteğiyle büyümüştü. Beş yıl önce bir trafik kazasında babası can verdiğinde annesiyle otuz yıldır evliydi. Babası Jack New York polisi, annesi Brenda ise Central Park'a yakın Mount Sinai Tıp Merkezi'nde gece hemşiresiydi. Annesi üç yıl önce bir gece yarısı kalp krizi geçirip, uykusunda tek başına ölmüştü. Jack, doktorların damarlarını tıkadığına inandığı yüksek kolesterol kadar üzüntünün de buna sebep olduğunu düşünüyordu.

Fenella, dosyasındaki tarihlere göz gezdirirken, "Acaba, sen yere yığılmadan önce hissettiğin gerginliğin en üst seviyede olduğunu söyleyebilir miyiz?" dedi.

Jack, "Gerginlik mesleğimin bir parçasıydı," dedi. "O sıralar kendimi daha önce hiç bu kadar büyük bir baskı altında hissettiğimi hatırlamıyorum."

"Ama olayların akışına bakarsak, önce annenin öldüğünü görüyoruz ve bundan birkaç hafta sonra da havaalanında kendinden geçiyorsun. Sence birbiriyle hiç bağlantısı yok mu?"

Jack hemen teşhis koyan psikolojiden nefret ederdi. Hayat boktan tesadüflerle doluydu ve bazen bir sürü iyi şey aynı anda olurdu, bazen de bir sürü bela arka arkaya gelirdi. "Annemin ölümünün hastalığımla bir ilgisi olduğu fikrine beni inandıramazsın," derken sesi biraz sinirliydi. Niyet ettiğinden daha sert bir sesle, "Elbette onu severdim, elbette ölümü beni derinden etkiledi ama bununla başa çıktım. Hayatımın o kısmının artık geçmişte kaldığının farkındaydım. Dinle," dedi. "Çalışma hayatım boyunca ölümle her gün burun burunaydım. Her türlü kadın, çocuk, hatta bebek cesedi gördüm. Onları cinayet mahalli fotoğraflarında, şehir morgunda gördüm, otopsi yapılırken kafatası kemiklerini açan vızıltının altında gördüm. Hatta onların hayatına son veren kötü adamların gözlerinde, ruhlarında gördüm. Ölüm bana yabancı bir kavram değil, hayatımın uzun bir bölümünde ölümle birbirimize çok yakın olduk."

Fenella duraksadı. Jack'in bu patlamasından kaynaklanan ısının biraz düşmesini bekledi. Ona biraz zaman tanıması gerektiğini biliyordu. Geçen süre içerisinde Jack de ailesini kaybetmenin üzüntüsünü yaşamak için kendine bir fırsat tanıması gerektiğini fark etmişti. Fenella devam etmeye karar vererek, sehpanın üstündeki dosyayı açtı. Önündekilere bakarken güçlükle yutkunduğunu ve kendine hâkim olmaya çalıştığını fark etti. Black River Katili'nin estirdiği terörün ayrıntıları, bir profesyonel için bile dehşet vericiydi. "Hastalığa yakalandığın sırada üstünde çalıştığın dava buydu. En az yirmi yıl öncesine kadar uzanan on altı, belki de daha fazla kurban vardı değil mi?"

Jack, "Bundan daha fazlası olduğuna şüphe yok," dedi. Dosyadaki kâğıtlara bakarken, hafızasının kapıları ardına kadar açıldı: Kurbanların yüzleri; cesetlerin donuk gözleri; katilin ganimet olarak sakladığı, organları çıkarılmış cesetler; tüm iğrençlikler yeniden aklına geliyordu.

Fenella, "Bana ondan bahset," diyerek onu zorladı.

Jack'in söyleyebileceği o kadar çok şey vardı ki, nereden başlayacağını bilemiyordu. "Gazetelerin kullandığı ismiyle BRK, tıpkı diğerleri gibi başladı. İlk kurbanı ya da en azından bizim ilk kurbanı olduğunu düşündüğümüz kişi, tenha bir bölgede yaşayan genç bir kadındı. Onu bir şekilde kaçırıp öldürdü ve cesedini Black River'a attı, takma ismini de buradan aldı. Bir kez öldürüp paçasını kurtarabildiğini gördükten sonra, öldürmeye olan tutkusu da, kendine duyduğu güven de arttı ve farklı yöntemler denemeye başladı. Sapkınlıkları arttı, fantezileri derinleşti. Artık elimize kadınları öldürmeden önce işkence ettiğine dair deliller geçmeye başlamıştı."

Fenella bir yudum su içip, Jack'in anlattıklarından notlar aldı.

"Cesetleri olabildiğince uzun süre yanında tutmak BRK'nın yöntemlerinden biri haline gelmişti. Sonra çürümeye başlayınca cesetleri Black River'a atarak hemen onlardan kurtuluyordu. Zaman geçip deneyimi arttıkça, cesetleri parçalamaya ve kesilmiş uzuvlara ağırlık bağlayarak plastik torbalar içinde kilometrelerce uzağa atmaya başladı."

"Black River Katili ne sıklıkla aklına geliyor?"

"Çok sık. Onu bir türlü aklımdan çıkaramıyorum."

Fenella notlarındaki bazı tarihlere göz attı. "Bu dava üzerinde çalışalı üç yıldan fazla olmuş, onu hâlâ bu kadar sık düşündüren şey ne?"

Jack omuzlarını silkti.

"Bir cinayet işlendiğinde mi aklına geliyor, yoksa onu herhangi bir sebep olmaksızın mı düşünüyorsun?"

"Ben soruşturmayı bıraktığımdan bu yana bir daha cinayet işlemedi. Ben tükendiğim zaman onun son kurbanının dosyası üzerinde çalışıyordum."

Örümcek

Fenella biraz daha not aldıktan sonra, "Demek onu düşünmene ve kâbuslar görmene sebep olan şey onun hakkında çıkan haberler değil?" diye ekledi.

"Değil. O hep aklımın bir köşesinde, peşimi hiç bırakmıyor, her zaman bir yerlerde benimle."

"Peki, gündüzleri onu hatırladığında ne düşünüyorsun?"

"Onun ne yapacağını düşünüyorum, hayatını kiminle paylaşabileceğini, kendi başına yaşamayı nasıl becerebildiğini. Ne kadar normal olabileceğini ve görünebileceğini."

Fenella, onun, aklına gelen düşünceleri bastırdığını ve sansürleyerek anlattığını biliyordu. "Peki, sence bu işleri yaparken tam olarak neler hissetmiştir?"

"Dava üstünde çalışırken, bu konuyu çok düşünürdüm. Şimdi eskisi kadar düşünmüyorum. Biz böyle düşünmek üzere eğitildik, kendimizi peşinde olduklarımızın yerine koyarız. Onların düşündüğü gibi düşünmemiz, hissettikleri gibi hissetmemiz ve yaptıkları şeyi yapmanın nasıl olduğunu anlamamız gerekir."

"Peki sence bu nasıl bir şey?"

"Onlar için mi? Bu tip şeyler yaptığında BRK gibileri bence nasıl mı hissediyor?"

"Evet."

Jack'in yüzü sertleşti. "Bence, onlara göre şaşırtıcı bir deneyim. Tanrısal. Yaşam ve ölüm yetkisi gerçek anlamda onların elinde oluyor. Ve bu, BRK'ların yaşayabilecekleri en heyecan verici deneyim. Onlar için yeryüzündeki hiçbir şey bununla mukayese edilemez ve bir kez tadını alınca, cinayetin uyuşturucu gibi bağımlısı oluyorlar."

Görüntüler yine gözünün önüne geldi: kan gölleri, nehirde yüzen cesetler, parmak izi araştırmaları... Jack gözünün önünden geçen görüntüleri içinden lanetledi.

Michael Morley

Fenella koltukta öne doğru eğilip, sesini alçalttı. "Yargılıyormuş gibi konuşmuyorsun. Bunu nasıl başarıyorsun?"

"Neyi nasıl başarıyorum?" Jack şaşkın bir ifadeyle ona baktı.

"Nefretini, hissetmen gereken öfkeyi bastırmayı."

Jack bir an için ne diyeceğini bilemedi. Doğru cevap, artık hiçbir şey hissetmediğiydi. Bitmek bilmeyen cinayetlerin dehşeti, hislerini köreltmişti. Ama bunu yüksek sesle söylerse merhametsiz biri gibi görünebilirdi. Kurbanlarla katillerin onun zihninde birer insandan, nesnelere ve bilmecelere, bir vahşet matematiğine dönüştüğünü nasıl itiraf edebilirdi ki? "Güzel bir soru," diyerek yenilgiyi kabul etti. "Yargılayıcı davranmak, soruşturmaya tek bir açıdan bakmama neden olurdu, o yüzden bunu yapamazdım. Sorguladığım herhangi bir katilin ya da tecavüzcünün böyle bir işaret görmesini göze alamam. Ne yapmış olurlarsa olsunlar, bir hayata nasıl son vermiş olurlarsa olsunlar, onları kınamak yerine bunu neden yaptıklarını anlamak için orada olduğumu göstermek zorundayım."

Fenella, onun bir FBI ajanı gibi konuştuğunu not aldı. Bu konuyu daha sonra tekrar açmalıydı, belki başka bir seansta, tabii eğer başka seans olacaksa. "Şimdi kâbuslarının içeriğine gelmek istiyorum. Bunu yapmak seni rahatsız eder mi?"

Jack savunmacı bir tavırla koltuğunda pozisyonunu değiştirdi. "Tüm Freud ve Jung kuramlarını deneyecek misin?"

"Belki biraz. Freud rüyaları 'bilinçaltına giden mükemmel yol' diye tanımlar ve bence bu izlemeye değer bir yol."

"O halde gidelim." Jack ellerini kavuşturup, kendini kucakladığını fark edince şaşırdı. Vücut ısısının arttığını ve nabzının hızlandığını hissetti. Bir an için gözlerini kapatıp, zihninin gri-siyah karanlığına baktı. "Bir otopsideyim. Daha önce hiç gitmediğim sefil bir kasabada ve gece yarısında yapılıyor. Benim davam değil; sorumlu polis son dakikada benim de gelmemi istemiş. Hepimiz aşağıda, bir bodrum katındayız; otopsi odasından çok bir evin mahzenine benziyor. İçerisi soğuk; motor yağı ve rutubet kokuyor. Tuğla duvarlar beyaza boyanmış, yerlerse siyah ve sert; hareket edince ayağının altından sanki kırık camların üstündeymiş gibi sesler geliyor. Tavandan geçen paslı borular, her an kırılıp patlayacakmış gibi ıslık çalıp sarsılıyor."

Fenella, anlattıklarının canlılığından ve kesinliğinden, Jack'in rüyalarında bile nasıl iyi bir gözlem yeteneğine sahip olduğunu; seslerin, kokuların, hatta ayaklarının altındaki göremediği şeylerin bile farkında olduğunu not aldı.

"Adli tıp doktoru telaşla çalışıyor, sanki kadavrayı açmaya çalışan bir patolog gibi değil de, hayat kurtarmaya çalışan bir cerrah gibi. Otopsi masasının etrafında o kadar hızlı dönüyor ki, kim olduğunu göremiyorum. Ben bir şey söylemek için ne zaman yer değiştirsem, adam cesedin başka bir kısmına geçiyor. Otopsi masasının üstündeki kız on altı yaşındaki Lisa Maria Jenkins, BRK'nın bilinen son kurbanı. Kasaplık bir hayvan gibi doğranmıştı. Başı, elleri, bacakları, ayakları hepsi kesilmişti. Sol eli hiç bulunamadı, BRK onu hatıra olarak almıştı. Ama rüyamda Lisa'ya hiç dokunulmamış, uzun kahverengi saçlarını atkuyruğu yaptığı son doğum günü fotoğrafındaki kadar güzel görünüyor."

Jack devam etmekte güçlük çekti. Bilişsel deneyimin onu rahatsız ettiği ortadaydı, ama Fenella sessizliği bozacak ya da ona yol gösterecek hiçbir şey yapmadı. Jack bir saniyeliğine gözlerini kıstıktan sonra devam etti. "Yüzüne bakarken bir şeyin yanlış olduğunu fark ediyorum. Hâlâ nefes alıyor. 'Baksana hâlâ yaşıyor!' diye bağırıyorum ama adli tıp doktoru beni duymuyor ve devam ediyor; onu kesip açıyor, karnındaki dev boşluktan bağırsaklarıyla iç organlarını çıkarıyor. Birden borular duvardan kurtuluyor ve adeta dev damarlardan yere kanlar boşalıyor. Doktora bağırıyorum,

'Dur! Tanrı aşkına, onu kesmeyi bırak, yaşıyor!' Ama bana kulak asmıyor. Onu tutmak için masanın etrafından dolaşıyorum, bu sırada elektrikli testereyi boynuna indiriveriyor ve başını kesiyor. Sonra onu tanıyorum. Neden benden kaçtığını, neden yüzünü görmeme izin vermediğini anlıyorum."

"Onu tanıdığını söylüyorsun. Kim o Jack?"

Jack başını kaldırıp, doğruca onun gözlerine baktı. "Benim. Rüyalarımdaki canavar benim."

Susma sırası, kalemi not kâğıdının üstünde kıpırdamadan duran Fenella'ya geçmişti.

"Lütfen bu kâbusları nasıl kontrol edebileceğimi bana söyle."

Fenella, ona karşı büyük bir sempati duydu. İçinde bulunduğu karanlık ve tehlikeli çıkmazı anlayabiliyordu. "Jack zaten kontrol sende. Yaptığın tasvirler oldukça açık; bu, düşünceleri senin tetiklediğini gösteriyor. Bilinçaltında bu şeyleri görmek *istiyorsun,* uzaklaştığın davayı yeniden tetkik etmeye *ihtiyaç duyuyorsun* ve elinde delil bulunmadığından bunları senin hayal gücün yaratıyor."

Jack gözlerini yere dikmişti. Yavaşça başını salladı. Şimdi anlıyordu ama çıkış yolu neydi? "Bu kâbusları durdurmak için tam olarak ne yapmam gerekiyor?"

Jack başını kaldırıp ona bakana kadar psikiyatrist bir şey söylemeden bekledi. "Bunu zaten biliyorsun, öyle değil mi?"

Biliyordu.

Jack bu kâbusları dilediği zaman durdurabileceğini kesinlikle anlamıştı. Ama bunu ancak Black River Katili'ni yakalama avının sona erdiğini kendine itiraf ettiği zaman başarabilirdi.

13

FBI Bölge Ofisi, New York

Özel Ajan Howie Baumguard masasında, öğle yemeğiyle bilek güreşi yapıyor ve görünüşe bakılırsa fena halde kaybediyordu. Sandviç ekmeğinin bir yanından somon, diğer yanından az yağlı peynir sarkıyordu. Peynirli tarafı yaladı ama somonu ağzına atamadan önündeki kâğıtların üstüne düştü. Kahvaltı yapamamış, öğle yemeği randevusunu iptal etmek zorunda kalmıştı, bu yüzden şu anda sandviç ekmeğiyle dilini yakacak kadar acı Americano, hayattaki öncelikler listesinin en başında geliyordu. Howie'nin yükü hem kendi, hem de botoks müptelası sıfır beden karısı Carrie'nin zevkleri için çok ağırdı. Carrie "aşk her şeyin üstesinden gelir" tavırlarına son vermezse, onun o şişman kıçına nafaka davası açacak, sonra kalan birkaç kuruşla da tek kişilik yemek pişirmeyi öğrenmesi gerekecekti.

Pek çok kişi, Howie'nin masasındakilerle karşılaştıktan sonra yemek yemeyi bile düşünemezdi ama bu FBI ajanı çok daha kötüleriyle karşılaşmış ve çok daha fazlasını yemişti. Georgetown'daki polislerin gönderdikleri fotoğraflar Admin tarafından indirilmiş ve parlak kâğıda basılmıştı. Suç Mahalli Birimi'nin çektiği fotoğraflar, soğuk ve acımasız görünmekle birlikte oldukça bilgi vericiydi. Mezarlığın çevresindeki sokaklardan olay yerini gösteren geniş açıdan çekilmiş fotoğraflar vardı. Bir de havadan, olasılıkla yakınlardaki kiliseden çekilmiş, mezar düzenini gösteren fotoğraflar vardı. Fotoğraflar olay yerine gitgide yakınlaşıyordu. Geniş açıdan, biraz daha yakından, iyice yakından ve son olarak mikroskobik derecede yakından çekilmişlerdi.

Howie'nin tombul parmakları somon parçasını yakalamak için çabaladı. En sonunda yakaladı ve Sarah Kearney'nin başı çıkarılmış cesedine ait fotoğrafın üstündeki yağ lekesini sildi. Howie, zavallı çocuk diye düşündü, katledildiğinde sadece yirmi iki yaşındaydı. Eğer yaşasaydı bugün kırk iki yaşına gelecek, belki bir kızı, hatta torunları olacaktı. Ne tür bir hasta pislik, insanın geleceğini elinden böyle çalabilirdi? Bundan daha da önemlisi, ne tür bir hasta pislik, yirmi yıl sonra mezarını kazıp, iskeletleşmiş cesedinin başını alıp götürürdü? Howie inanamayan bir tavırla başını iki yana salladı. Bildiği kadarıyla, yirmi birinci yüzyıl mezar soygunculuğu alışılmadık lanet bir şeydi. Gerçekleştiği ender durumlarda soyguncu ya iyice dağıtmış bir uyuşturucu bağımlısı, ya şeytana tapan tuhaf bir tip ya da nadir de olsa karısının öldüğünü bir türlü kabul edemeyen sinirleri harap olmuş bir koca oluyordu. Yerel polis genellikle bu tür davaları fazla duyulmadan kapatır, basın ise sinirleri bozuk koca davalarında polisle işbirliği yapardı.

Fakat bunu örtbas etmenin yolu yoktu. Şu an gazetecilerin telefonları, çiftleşme zamanındaki kraliçe arı gibi vızıldıyor olmalıydı. Görünüşe bakılırsa Georgetown'lı bir gazetecinin kendi çektiği fotoğraflarla işi yolunda gitmişti. Küçük çakal, polislerden ya da ambulans ekibinden tüyo almış olmalıydı veya belki de 911 görüşmelerini dinliyordu. Yine de çok ayrıcalıklı bir yerden fotoğraf çekmişti ve bu fotoğraflar şimdi basın dünyasında elden ele dolaşarak ona bir servet kazandırıyordu.

Howie, kendi basın ajansını işleten ve genellikle polislerle küçük iyilik alışverişi yapan Billy Blaine'in ona ilettiği bu fotoğraflardan birine baktı. Gerçekten iyi çekilmiş bir fotoğraftı. Howie yeniden ellerini temizleyip, ofisine fakslanan baskıyı yukarı kaldırdı. Bir telefoto çekimi olmasına rağmen, hiç titrememiş ve hiç bulanık çıkmamıştı. Hiç şüphesiz adam pek çok kişinin kamerasından bile pahalı olan şu yeni sabitleyicilerden kullanmıştı. Howie, Suç Mahalli Birimi'ndeki çocuklara, gazetecilerin daha iyi fotoğraflar çektiğini söyleyerek dalga geçerdi ve bu bir istisna değildi. Mezar taşları arasından alçaktan çekilmiş bir fotoğraftı, başka mezarlar ve fotoğrafçının arkasından vuran güneşin yansıması görünüyordu, ama ne polislerden, ne de fotoğrafı çekmesini güçleştirecek suç mahallini çevrelemesi gereken polis şeridinden eser vardı. Tüm güçlüklere rağmen çekilmiş olan fotoğrafla ilgili asıl önemli olan şey, netliği ve kusursuz odaklanmış olmasıydı. Çerçevenin tam ortasındaysa Sarah Kearney'nin başsız iskeleti tuhaf biçimde mezar taşına yaslanmış duruyordu.

Howie koca kafasını yine iki yana salladı. Fotoğrafın sahiden de şok edici bir etkisi vardı. Fotoğrafa bir kol boyu uzaktan baktı, görme bozukluğu olduğundan değil, bu şekilde kendini suç mahallinde hissedebilmek ve olay yerini daha iyi görmek için birkaç adım geriye gittiğini hayalinde canlandırmak içindi. Howie, ne biçim bir şey diye düşündü; Steven Spielberg korku filmi yapacak olsa, ancak böyle bir fotoğraf çekerdi. Kendine özgü, gerçekten dudak uçuklatan cinstendi ve televizyon haber kanalları için fazlasıyla dehşet vericiydi. Ama internette yayımlarken böyle bir endişe duyulmuyordu; şimdiden virüslerin en başına oturmuş ve Saddam'ın idamından sonra en fazla indirilenler rekorunu kırmıştı.

Howie, Americano'sundan bir yudum alıp, Jack King'i düşünmeye başladı. Konuşalı yaklaşık iki ay olmuştu ama o zaman da bu konudan fazla söz etmemişlerdi. Howie eski yarayı deşecek bir konudan bahsetmemeye dikkat etmişti. "Naber? Nancy ile küçük Zack nasıl? Queens'te enselenen Yankee'nin yıldız oyuncusuyla ilgili haberleri okudun mu?" Bunlar polislik bağlarını ve arkadaşlıklarını canlı tutan erkeklere özgü mevzulardı. Birlikte atılmadıkları tehlike kalmamıştı ve Howie aralarındaki kıta farkıyla altı saatlik zaman diliminin, eski patronuyla aralarını açmasına izin vermeyecekti. Ama şimdi Jack'i arayıp, ona Kearney'nin mezarında yaşanan çılgınlığı anlatması gerekiyordu. Başına gelenlerin ve yaşadığı ruhsal çöküntünün basında yine her an yer alabileceği konusunda onu uyarması gerekiyordu. Cehennem ve lanet! Bu dava acaba hiç kapanmayacak mıydı?

Howie Baumguard fotoğraflara bir kez daha bakarken Jack'in ne diyeceğini biliyordu. Bundan, çiroz karısının onu bir gün daha genç, daha formda ve evde daha fazla vakit geçiren biri için terk edeceğinden emin olduğu kadar emindi. Bu sadece bir kişinin; kendisinin, Jack'in ve FBI'ın en iyi adamlarının yakalayamadığı bir katilin, yani BRK'nın işi olabilirdi.

14

Montepulciano, Toskana

Ispettore Orsetta Portinari arabasını park edip, çoğu kadın müfettiş için ayakkabısının fazlasıyla yüksek ve fazlasıyla sivri topuklarına rağmen, Montepulciano'nun tarihi ana caddesi Corso'nun dik ve taşlı yokuşunu zarafetle tırmandı.

Orsetta'nın arkadaşı Lousia, ona kahve ısmarlayıp, kız kardeşinin yeni bebeğinin fotoğraflarını göstermeye ve on sekiz aydır birikmiş dedikoduları aktarmaya söz vermişti. Lanet olası eski FBI'lı bulunduğu yerden geri dönüp onu arayıncaya dek, vakit geçirmek için iyi bir yol gibi görünüyordu. *Madonna porca!* Karısı sorun çıkarmıştı; adamın zamanını ondan uzakta geçirmek istemesine şaşmamak gerekirdi. Birlikte yaşaması güç biri olmalıydı. Marketten çiçek ve Toskana kirazı alan Orsetta telefonu çaldığında arkadaşının evinden birkaç yüz metre uzaktaydı.

Mesaj sistemi devreye girmeden önce telefonu açıp, *"Pronto,"* dedi.

"Müfettiş Portinari?"

"Si."

"Ben Jack King. Eşim beni görmeye geldiğinizi söyledi."

Yürümeyi bıraktı ve güneşten kaçıp gölgeli bir kapı eşiğinin serinliğine sığındı.

Michael Morley

"Aa, *Signore King*, *grazie*. [*]Aradığınız için teşekkür ederim. Müdürüm Massimo Albonetti, şu an Belçika'da, bir Europol toplantısında ve beni sizi görmeye gönderdi..."

Sesinden şaşırdığı anlaşılan Jack, "Massimo mu?" diye sordu. "Ne istiyormuş yaşlı keçi?"

"Scusi?"[**]

Jack kahkaha attı. "Özür dilerim. Mass'le ben eski arkadaşız. Akademideyken birlikte çok vakit geçirdik, sizler o zamanlar Şiddet Cinayetlerini Anlama Programı ile yeni ilgilenmeye başlamıştınız. Siz, Massimo için mi çalışıyorsunuz?"

Orsetta, *"Si,"* diye onaylarken gözünün önüne etli çıplak kafasını ovuşturup, üst üste sigara içerken onu karanlık odasına çağıran ve yüzüne bile bakmadan dosyaları uzatan, günde on altı saat çalışan işkolik patronu geldi. "Evet, onun için çok çalışıyorum."

Jack bunun doğruluğunu tahmin edebiliyordu. Massimo kararlı ve hırslı biriydi. Hem fiziksel hem zihinsel açıdan güçlü biriydi ve ekibinin canını çıkartacak olsa da, bir işi eline aldı mı asla bırakmazdı. "Siz CID[***], CSU[****] ya da Profil Çıkarma Birimi'nden misiniz?"

Orsetta bakışlarını indirip, yürümekten tozlanmış ve parlatılması gereken yeni ayakkabılarına baktı. "Ben, Şiddet Cinayetleri Analizi Birimi'ne bağlı özel bir bölümde çalışıyorum. Bize genel olarak davranış analisti deniyor ama evet, sizin kişilik profili çıkarma dediğiniz işi yapıyorum."

Jack anlamıştı. Polis Müdürlüğü o an hangi politikacı başı çekiyorsa, onun arzularını yerine getirecek şekilde bölümlerine isim veriyordu. Jack, "Daha kötü isimler de duydum," dedi. "Ama müfettiş, bildiğinize eminim,

---

(*)   Teşekkür.
(**)   Pardon.
(***)   Suç Soruşturma Bölümü.
(****) Suç Mahal Birimi.

58

ben buraya tatile gelmedim. Emekliye ayrıldım, burada bir otel işleten eşime yardım ediyorum ki görünüşe göre siz onu biraz üzmüşsünüz. Ben artık bu işi yapmıyorum, şimdi beni neden aradığınızı söyler misiniz?"

Orsetta içinden Jack'in karısına bir kez daha lanet etti. "Massimo, yani Direttore Albonetti, bana bunu düşünmememi söyledi. Sizin asla emekliye ayrılmayacağınızı söyledi."

Jack tekrar kahkaha attı. "Gerçekten böyle mi söyledi?"

"Şey, hayır, tam olarak değil. Ben ne kadar emekliysem Jack King de o kadar emekli. Jack King emeklilik kelimesini heceleyemez bile dedi."

Jack bir an için donup kaldı. Massimo haklıydı. Artık New York'ta günde on iki saat çalışmıyordu veya gecelerini cinayet raporlarını incelemekle geçirmiyordu belki, ama beynini hâlâ bu konuya yoruyordu. "Ne istiyor?"

İki ergenin bindiği bir moped motosiklet gürültüyle yokuş yukarı çıkarken, sohbetleri bölündü. Tek kulağını kapatan Orsetta, *"Scusi?"* diye bağırdı.

Jack, "Massimo ne istiyor?" diye sordu.

Mopedin sesini bastırmaya çalışan Orsetta, "Elimde bir dosya var," dedi. "Bize yardımcı olabileceğinizi düşündüğü bir seri cinayet dosyası. Otelinize döndünüz mü Bay King? Gelip size gösterebilirim."

Jack saatine baktı. Saat beş olmuştu ve Floransa'dan Siena'ya dönecek trene yetişmesi gerekiyordu. "Hayır, dönmedim. Bu akşam geç vakitte San Quirico'da olurum. Şu an Floransa'dayım, yani sizden birkaç saat uzaktayım."

Orsetta, onu elinden kaçırmamaya kararlıydı. "Bay King, bakmanızı istediğimiz dava Floransa'nın batısında, fazla uzak değil. Eğer orada kalırsanız, gelip sizinle buluşabilirim. Lütfen bu akşam için bir otelde oda ayırtın, ofisim yapacağınız harcamaları memnuniyetle karşılayacaktır."

Jack bir an duraksadı, haberi Nancy'ye nasıl vereceğini düşündü. Deliye dönecekti. Ama Jack bunu yapmaya karar vermişti. Yeniden bir cinayet davasında rol alma isteğine karşı koymak çok güçtü.

"Tamam," dedi. "Yirmi dört saatimi size ayıracağım. Bir otelde yer ayırtınca sizi ararım."

Orsetta yumruğunu havada salladı. "Grazie," dedi.

Jack, "Hoşça kal," derken Orsetta telefonun düğmesine basarak kapattı ve on sekiz aydır görmediği ve belki de bir buçuk yıl daha göremeyeceği arkadaşının evine doğru kederli bir bakış fırlattı. Yine de Orsetta adamını bulmuştu. Montepulciano'nun dik ve dolambaçlı yolunda dikkatle yürürken, omzuna kırmızı şal atmış yaşlı bir kadının açık bir kapının yanındaki sandalyenin üstünde uyukladığını gördü. Orsetta çiçeklerle kirazları onun ayaklarının dibine nazikçe yerleştirdikten sonra yanından uzaklaştı. Bunu yaparken Jack King'in sesi kadar seksi olup olmadığını düşünüyordu.

15

Otel Sofitel, Floransa, Toskana

Jack yıldönümlerinde Nancy'ye hep aynı üç hediyeyi verirdi; giyecek bir şey, yiyecek bir şey ve okuyacak bir şey. Bu üç seçim Nancy'nin görme, dokunma ve tatma duyularına hitap ederdi ve Jack ilginç hediyeler alabilecek hayal gücüne sahip olduğunu düşünmekten hoşlanırdı. Bir defasında *giyecek bir şey*; cebine, İsveç'e uçak biletleri ile Ice Palace'a^(*) yapılmış rezervasyonun gizlendiği romantik bir hediyeye dönüşen pembe bir anoraktı. Bu yıl *giyecek bir şey* kırmızı ve dantelliydi; Jack geçen yılların büyüsünü geri getirmesini umuyordu. *Yiyecek bir şey* geleneksel olarak -amatör oyuncuların *Romeo ve Juliet*'i oynadıkları yıl hariç- yeni bir restoranda yemek yemekti. Doğru yerlerde altın rozetini biraz göstererek, günbatımında teknede kemancılar, pizza ve çeşitli oyunlardan alıntılar yapan iki tiyatro oyuncusu tutmuştu. Belki romantikten daha çok komik olmuştu ama yine de unutulmazlardandı. Bu yıl bu işi, beyaz mantarı ve İtalyan konyağıyla şaheser bir yemek hazırlamayı vaat eden Paolo'ya bırakacaktı. *Okuyacak bir şey* daima en kolayı olurdu. Bu bazen, ilişkilerini özetleyen bir kitap olurdu. *Erkekler Mars'tan Kadınlar Venüs'*ten bu akımın başlan-

---

(*) Buz Sarayı.

gıcı olmuştu ve Nancy bu konuda, Szymborska ve Saint-John Perse gibi Jack'in ismini bile duymadığı yabancı şairlerin kitaplarını isteyip, siparişi kendi verecek kadar yüzsüzleşmişti. Jack bu yılki üçlü hediyesini aceleyle tamamlamış, Dante'nin *İlahi Komedya*'sının İngilizce tercümesiyle Via de Cerratani'de Sofitel'e doğru gidiyordu. Aslında içine bakmamıştı ama bildiği kadarıyla Dante Toskanalı bir ortaçağ şairiydi, bu yüzden bulduğu ganimetin popüler sayılacak kadar uygun olacağını düşünüyordu.

Bir on yedinci yüzyıl sarayından dönüştürülen Otel Sofitel, Jack'in sabah ilk trene yetişip karısına dönmeyi umut ettiği istasyona yakındı. Bir ihtimal Nancy o zamana kadar sakinleşecekti.

Rezervasyonun önünde yarım yamalak İtalyanca konuşan bir grup Alman turistin arasından kendine yol açtı. Sonunda ikinci kattan Duomo Meydanı'na bakan bir oda tutmayı başardı. Ama en iyi tarafı, kendi ülkesinde alışık olduğu türden dondurucu klimalardan bulunmasıydı. Klimayı en yüksek ayara getirip, Bloody Mary hazırlamak için mini bara saldırdı. Ruh doktoruyla randevusu huzurunu kaçırmıştı. Beklediği gibi saçma sapan gittiği için değil, tam tersine mantıklı olduğundan.

Fenella haklıydı. Korkuyordu. Gergindi ve bu konuda bir şey yapması gerekiyordu.

Kendi kendine seansları tamamlayacağına söz verdiği halde, şimdi acı gerçekleri iyi bir Rus votkasıyla zihninden uzaklaştıracaktı.

Birinci kadehin hiç tesiri olmadı.

Parmaklarını bardağın içinde gezdirip, domates suyunu yaladı. Birkaç dakika sonra ikinci kadehi alıp kendini yatağa bıraktı ve ayakkabılarını çıkarıp fırlattı. Nerede olduğunu öğrenmek ve yemek yiyip yememeye karar vermek için Portinari'yi aradı. Telefonu İtalyanca kayıtlı bir mesaja yönlendirildi, anladığı kadarıyla ismiyle numarasını filan bırakmasını söylüyordu. İkinci votkayla domates suyunu da mideye indirdikten sonra CNN'i açıp,

Örümcek

Nancy'nin yeni kitabına göz gezdirmeye karar verdi. Kitabın sol sayfasında İtalyancası, sağ sayfada ise tercümesi yer alıyordu. Jack, Dante'yi anlatan yazıları, onun İtalyan edebiyatının kurucusu olduğunu, kaldığı otelden fazla uzak olmayan bir evden sürgüne gönderilme hikâyesini ve tercümeyi yapan iki yazar hakkındaki notları güçlükle okudu. Sonunda ilk kantoya geldi ve kötü bir İtalyan aksanıyla okudu. *"Nel mezzo del cammin di nostra vita, mi ritrovai per una selva oscura, ché la diritta via era smarrita."* Jack tek kelimesini bile anlamamıştı ama kelimelerin melodisi ağzının içinde kaliteli bir İtalyan konyağı gibi dönüp dolaşıyor ve her bir hecenin tadını çıkarıyordu. Tercümesine baktığında, nefesini kesen özel bir tınısı olduğunu fark etti. *"Hayat yolculuğumuzun yarısında, karanlık bir ormanda buldum kendimi, kaybolmuştu dümdüz giden patika."* Şu anda tam da böyle hissediyordu. FBI'ın psikolojik profil çıkarma birimindeki hayatının birden nasıl değişip de İtalya'da küçük bir otelin işletilmesine yardım eder hale geldiğini düşündü. Buraya kendi seçimiyle mi gelmişti yoksa Amerika'da onu boğan karanlıkla baş edemediği için mi buradaydı?

İçtiği üçüncü kadeh içki hüznünü dağıttı, alkol ve odanın sıcaklığı onu kısa sürede, uykuya sürekledi. İlk defa güzel bir rüya gördü. Nancy'yle birlikte Toskana'daydılar; güneş her zamanki gibi parlıyordu. Bileğine bir doğum günü balonu bağlanmış olan Zack önlerinde koşuyordu. Jack'in gözleri balona takıldığı sırada, balon kalbini yerinden fırlatacak bir gürültüyle patladı. Yatağında doğruldu ve bu sesi kapıyı yumruklayan birinin çıkardığını fark etti. Saatine bakınca yaklaşık üç saattir uyuduğunu anladı. Gözlerini ovuşturup, gardırobun kapağındaki aynada kendine şöyle bir baktıktan sonra kapıya doğru yürüdü. "Bir dakika, geliyorum!" diye seslendi. Alışkanlık sebebiyle, kapının gözetleme deliğinden kim olduğuna baktı.

Gördüğü kadarıyla, resepsiyondan birisi mesaj getirmişti.

Kapıyı açarken koyu renk saçlı bir kız, *"Signore King?"* diye sordu. Aynen tahmin ettiği gibi, yanında evraklarla, üstünde ismi yazılı kalın bir zarf taşıyordu.

Ceplerini yoklarken, uykulu bir sesle, "Merhaba," dedi. "Bir dakika bekleyin, kalem alacağım." Kızı kapıda bekletti. Jack kalem ve bahşiş vermek için bozuk para ararken yaylı kapı kızın suratına kapandı.

Avucunda şıngırdayan paralarla kapıyı yeniden açtığında, "Pardon," dedi.

Kız şaşırmışa benziyordu. Jack, ona yakından bakınca, Keira Knightley'nin İtalyan şubesine benzetti, sadece tüysıklet film yıldızlarından belki biraz daha kaslı ve kısaydı. Kızın elindeki paketi işaret ederek, "Bana bir şey mi getirdiniz?" dedi. "Önce imzalamam mı gerekiyor?"

Kız elini ona doğru uzatarak, *"Signore,* hiçbir yeri imzalamanızı istemiyorum," dedi. "Ben Polis Müfettişi Portinari."

Jack, ona bahşiş vermeyi düşündüğü paraları cebine tıkıştırıp, uzattığı elini sıkarken, "Kahretsin! Üzgünüm," dedi. "Lütfen içeri gelin. Yorucu bir gün oldu, ben de artık geleceğinizden ümidi kesmiştim."

Bu kez kapıyı açarak, geçmesi için tuttu. Portinari yanından geçip içeri girerken, telefonda duyduğu güçlü erkeksi sesle görüntüsünün bağdaştığına karar verdi. Ama hayalinde canlandırdığından daha uzun ve daha yapılıydı.

"Geciktiğim için üzgünüm," dedi. "İtalyan trafiği berbattır, bir de üstüne aşağıda oda ayırtırken sıkıntı yaşadım."

"Misafir fazla, çalışan az," dedi Jack. "Bir içki ister misiniz?"

Jack'in votkaya ulaşabilmek için mini bardan çıkardığı açılmamış *Orvieto* şişesini işaret eden Portinari, "Soğuk mu?" diye sordu.

Şişenin sıcaklığına bakan Jack, "Sayılır," dedi. "Denemek ister misiniz?"

Orsetta yatağın yanındaki koltuğa oturup, odaya göz gezdirirken, "Evet lütfen," dedi.

Örümcek

Jack şişenin mantarını çıkarıp, iki badak şarap doldurdu.

Portinari bardağını onunkine vururken, *"Salute,"* dedi.

"Salute," diye yanıt veren Jack, İtalyan kadın polislerin, kendi ülkesindeki yüz kiloluk silahlı meslektaşlarından ne kadar farklı göründüklerini düşündü.

Orsetta içkisini yudumlarken, kadehinin üstünden hakkında bunca şey duyduğu ve okuduğu adama baktı. Polislerin dünyasında, Jack King'in yayınlanmış teorileri verdiği dersler ve suç davası çalışmaları, geçirdiği ruhsal çöküntü kadar ünlüydü. Uzmanlık alanı seri cinsel suçlardı ve Orsetta onun meslek hayatı süresince on beş tane seri tecavüzcüyle, beş çocuk tacizcisinin yakalanıp, hüküm giyme sürecine müdahil olduğunu okumuştu. Seri cinayet davalarındaki skoru ise çok daha etkileyiciydi: Üstünde çalıştığı otuz davanın yirmi dokuzunu başarıyla çözmüştü. İçlerinden sadece biri onu yenilgiye uğratmıştı ve bu da şimdi Orsetta'nın karşısında oturmasına sebep olan davayla ilgiliydi.

Üstü Floransa'yla ilgili dergilerle dolu olan sehpaya kadehini nazikçe bırakan Orsetta, "Bir cinayet işlendi," dedi. "Black River davasıyla bazı rahatsız edici benzerlikler gösteriyor."

Jack'in yüzünden hiçbir şey anlaşılmasa da, kalbi yerinden oynamıştı. Şarabı kadehin içinde çalkalayıp, "Ne kadar benzer?" diye sordu.

Orsetta, "Çok," diye cevap verdi. "Davanın özetini getirdim." Yanındaki evrak çantasına eliyle hafifçe vurdu. "Ayrıca Massimo Albonetti'nin sizin için hazırladığı özel bir rapor var." Orsetta tam dosyayı çıkarırken, Jack elini havaya kaldırdı.

"Hayır, lütfen, bu akşam olmaz. Çok yorucu bir gün geçirdim ve dürüst olmak gerekirse şu anda bu türden işlerle uğraşacak halde değilim."

Orsetta, onun saat geç olduğu için mi yoksa ruhsal çöküntüyü ve beraberinde gelen duygusal yükü üzerinden atamadığı için mi tereddüt ettiğine

---

(*) Şerefe.

karar veremedi. "O halde sabah kahvaltıya ne dersiniz?" diye sorarken gülümsüyor, bir yandan da onun sıkıntısını anlamaya çalışıyordu. "O sırada konuşuruz."

Kadehleri toplayan Jack, "Bana uyar," dedi. "Zeytin ister misiniz? Buzdolabında bir kavanoz var."

Portinari'nin gülümsemesi kaybolmuştu. "Bay King, gerçekten de bir İtalyan hanıma otel odasındaki kavanozdan zeytin ikram edemeyeceğinizi öğrenmiş olmanız gerekirdi."

Eğer bakışlarla insan ölseydi, Jack'in tabutu çoktan mezara inmiş olurdu. Jack, Orsetta'nın yanındaki yatağın üstüne oda servisi mönüsünü fırlattı. "Yiyecek bir şey seçip, şarabı bitirmeme yardımcı olmak ister misiniz? Ben biftekli bir sandviçle biraz salata alıp, sonra da yatacağım. Yemek yerken konuşabiliriz."

Orsetta'nın bir yanı kendi odasına gidip, banyo yapmak ve erkenden uyumak istiyordu. Ama sorumluluk sahibi olmayan diğer yanı kazandı. Mönüyü geri uzatırken, "Bana uyar," dedi. "Benim bifteğim orta pişmiş olsun lütfen."

Orsetta, onun siparişi vermesini izledi. Simsiyah saçları kısacık kesilmişti ama parmaklarını aralarında gezdirip, avucuyla tutamayacağı kadar kısa değildi. Çıkık elmacık kemiklerinin etrafında, bazı kadınların haşin bulacağı ama Orsetta'ya göre kirli görünen gün sonu sakalını tıraş etmesi gerekiyordu. Üzerinde sade bir kıyafet, beyaz bir gömlekle siyah pantolon vardı. Beyaz renk; sağlıklı ve hafif bronz tenini ortaya çıkarmıştı. Kumsalda havlu üstünde uzun uzadıya yatıp kavrularak değil, doğal sebeplerle yanmış gibi görünüyordu. Omuzlarının şeklinden kaslı bir yapısı olduğunu anlayabiliyordu, ayrıca fiziğini ortaya çıkarmaması Orsetta'nın hoşuna gitmişti. Bol gömleğinin düğmeleri yakaya kadar iliklenmişti, sadece yaka düğmesi açık duruyordu.

Telefonu yerine bırakıp ona dönen Jack, "Yirmi dakika," dedi. Onu incelediğini anlayacağını düşünerek mahcup olan Orsetta başını çevirdi.

Onun ilgisine kayıtsız görünse de Jack hiçbir şeyi kaçırmamıştı. Şarap kadehini bir kez daha eline aldı, onun karşısındaki sandalyeye oturdu ve konuşmaya devam etti. "Sanırım Massimo sizi üç nedenle gönderdi. Birincisi, hiç şüphesiz çok iyi bir polis memurusunuz ve sizin değerlendirmenize saygı duyuyor. İkinci olarak, yardıma ihtiyaç duyduğunuz konuda iş yapabilir miyim, yoksa gerçekten de vakit harcamaya değmeyen bir kabağa mı dönüştüm onu anlamak için."

Orsetta şaşırmışa benziyordu. "Nasıl kabak olabilirsiniz? O bir sebze değil mi?"

Jack kahkaha attı. "Evet, öyle. Bu bir benzetme. Aslında pek de kibar bir deyiş değil; bir insanın zihinsel açıdan bir sebzeden daha fazla yarar sağlamayacağı anlamına geliyor."

O anın neşesine katılmaya karar veren Orsetta, "Aaa," dedi. "O halde evet, sanırım haklısınız. Ama müdürüm aynı zamanda sizin iyiliğinizi de düşünüyor. Bunun gibi bir davanın sizin için fazla rahatsız edici olmayacağını belirtmemi istedi. Neler yaşadığınızı biliyor ve size çok saygı duyuyor."

Jack, onu anladığını belli edecek şekilde tebessüm etti. Massimo'nun yardım isterken dikkatli davranacağını biliyordu, eğer rolleri değişmiş olsalardı o da aynı şekilde temkinli davranırdı. "Ve sanırım üçüncü sebep, eğer bunu yapabileceğimi düşünüyorsanız, beni ikna etmeniz gerektiğini Massimo biliyor olmalı; çünkü itiraf edelim, tedavi görmüş bir alkoliğin bir sandık viskiye ihtiyaç duyduğu kadar teşvik edilmeye ihtiyacım var."

Orsetta, "Peki ikna edilebilir misiniz?" diye sordu.

Jack cevap vermedi. Bir yudum şarap daha alınca, gevşediğini hissetti. Baştan çıkarıcı bir yanı olsa da, bu akşam ona eşlik eden birinin bulunmasına memnundu.

Orsetta, "Belki de değilsinizdir," diye devam etti. "Bu suskunkuk bana önce düşünen, sonra biraz analiz eden ve sonra da konuşan bir kişiliğiniz olduğunu gösteriyor. Kitaptaki anlamıyla içe dönük, tarafsız muhakeme yapıp mantık yürüten biri. Haklı mıyım?"

Jack neredeyse içkisini ağzından püskürtecekti. Duyduklarına inanamıyordu; lanet kadın onun profilini çıkarıyordu. "Bana Myers Briggs Kişilik Testi'ni mi uyguluyorsunuz?" diye neşeyle gülümseyerek sordu.

Orsetta şarabından bir yudum alırken, kalbinin hızlandığını hissetti. "Sanırım MBTI[*] sizi *yargılayanlar* değil de, *kavrayanlar* kategorisine alırdı."

"Nereden anladınız?" Jack özellikle ona yakın olacak şekilde yatağa oturdu, çoğu kadın bu mesafeden rahatsız olur ve biraz çekilmek isterdi. Orsetta bir milim bile kıpırdamadı.

"Planlarınızı son dakikada değiştirip, kalmaya karar verdiniz. Kavrayanlar -bir düşüneyim- eyleme geçmekte rahattırlar, meşgulken plan yapabilirler. Öyle değil mi?"

Bunlar Jack'in alanına giriyordu, o da sohbetin kontrolünü eline aldı. "Kişilik testleri hiçbir zaman tamamıyla kesin değildir. Bazı durumlarda Rorschach faydalı olabilir, Hollanda Kariyer Kodları'nın ve Minnesota Mültifaz Kişilik Envanteri'nin bir anlamı var ama pek eğlenceli değiller ve insanın hayal gücünün sırlarını pek de açıklamıyorlar."

Orsetta cilveli bir sesle, "Hayal gücü," diye tekrar etti. "İşte şimdi hay-.an kaldım. Bana hayalimde ne olduğunu söyleyebilir misiniz?"

Jack kadehini bıraktı. "Kendini bir süreliğine rahat bırak. Gözlerini kapat ve zihnindeki düşünceleri uzaklaştır. Güzel bir yerde yürüyorsun, ormanlık bir yer, tek başınasın..."

Orsetta, "Orada olmazdım," diye sözünü kesti. "Ormanda tek başıma yürümeyecek kadar dava üstünde çalıştım."

"Burası güvenli bir orman. Güven bana, oraya gidebilirsin." Gözlerini kapatmasını bekledi. "Şimdi, ağaçların arasında yürüdüğünü hayal et. Etrafına bak, sence mevsimlerden hangisi?"

(*) Myers Briggs Kişilik Testi.

Örümcek

"Uzun ağaçlar görüyorum," derken, sürekli hareket halindeki elleri havada ağaçların şeklini çiziyordu. "Mevsimlerden yaz, gökyüzüne uzanan yemyeşil ağaçlar var. Yaprakların ve dalların arasından güneş parlıyor, güçlü bir çam kokusu var. Etrafta koşuşturan hayvanların seslerini duyabiliyorum, ağaçtan ağaca uçan bir kuş var. Harika hissediyorum, buradan hoşlandım."

Jack, Orsetta'yı onu inceledi; onu günden güne daha sert biri haline getirdiğine emin olduğu dava dosyalarının dehşetinden uzakta, mutlu bir şekilde rahatladığını gördü. "Bir patikada mı yürüyorsun yoksa ağaçlar patikada yürüyemeyeceğin kadar sık mı?"

Orsetta hemen cevap verdi. "Bir patika var, insanların kullandığı bir yürüyüş yolu ama ben oradan yürümüyorum, uzaklaşıyorum. Bir şey beni çekiyor, sanırım bir şelale sesi duyuyorum ama göremiyorum. Evet, akan suyun sesini duyabiliyorum. Şelaleyi ararken kesilmiş küçük kütüklerin yanında kırmızı benekli mantarlar görüyorum; şu peri masallarındaki mantarlardan."

"Mantarları unut, zehirlidirler ya da en azından halüsinasyon görmene sebep olurlar. Devam edelim. Seni bir şeyin ürküttüğünü hayal et. Etrafına bakınca, senden birkaç adım ötede bir hayvan görüyorsun. Hangi hayvan?"

Hemen, *"Orso,"*[*] dedi ve gözlerini yukarı kaldırıp İngilizcedeki karşılığını bulmaya çalıştı.

"Oyuncak ayı değil. Büyük ve siyah bir ayı, kollarını iki yana açmış, parlak bir burnu ve bembeyaz dişleri var."

"Sen ne yapıyorsun?" O gün psikiyatristle yaptığı görüşmeden sonra, yeniden kontrolü ele almak ve soru cevap görüşmesinin doğru tarafında bulunmak Jack'i rahatlatmıştı.

Orsetta dudaklarını yalayıp, dikkatini verdi. "Çok yavaş hareket ediyorum. Çok yavaş. Gözlerimi ayıdan hiç ayırmıyorum. Eğer bir adım yaklaşırsa, mantarların yanındaki küçük kütüklerden birini alıp, bacağına ya

_____
(*) Ayı.

69

da yüzüne indireceğim, sonra da kaçacağım." Bu düşünce gözlerinin açılmasına neden olmuştu. Odadaki rahatsız edici ışığa alışırken gözlerini kırpıştırdı.

Jack yaptığına pişman olmaya başlamıştı. Zihinsel bir senaryonun sadece bir kısmını uyguladığı halde, şimdi bilmeye hakkı olandan daha fazlasını öğrendiğini düşünüyordu.

Onun rahatsızlığını fark eden Orsetta, "Yani?" diye sordu. "Büyük kavrayıcı, ağaçlarla ve hayvanlarla ilgili sorularından neler öğrendi?"

Şarap muhakeme yeteneğini perdelememiş olsaydı, biftekler gelene kadar küçük bir konuşma yapardı, ama şu anda kendini sansürleyemeyecek kadar rahatlamıştı. Kendini düşüncelerinin akışına bıraktı. "Sen bir iyimser ve romantiksin," dedi. Bu bir iltifat değil, durum değerlendirmesiydi.

Orsetta çekici bir edayla sorgular gibi başını eğdi. "Neden? Bu sonuca nasıl vardın?"

"Ağaçların yeşildi -yemyeşil- ve güneş ışığı gördün. Eğer ormanı siyah ve soğuk hayal etseydin, bu karamsarlığının göstergesi olacaktı. Renkler genellikle ruh halimizin anahtarıdır. Ve hiç unutma, Doğa Ana büyük bir gizli casustur. Onu benim yaptığım gibi kullan, diğer kişinin hayal gücünün derinliklerinde bir göreve gönder, daima o kişinin sırlarıyla birlikte geri dönecektir."

Açıklamalara şaşırtıcı derecede heyecanlanan Orsetta, "Devam et," dedi. Jack adeta onun hayal dünyasında bir röntgenci, iç dünyasında gizli bir yolcuydu.

Jack dikkatle ve neredeyse bir doktor edasıyla, "Çok duygusalsın," dedi. "Sanırım aynı zamanda çok da tutkulusun..."

Orsetta biraz kızarmıştı. *"Scusi?"*

"Sadece yaptığın tasvirlerden, kullandığın lisandan çıkardığım sonucu söylüyorum."

Orsetta hâlâ şaşkın görünüyordu.

"Şöyle açıklayayım: Ben sana hangi mevsim olduğunu sordum, sense sadece 'yaz' demekle yetinmeyip bana gördüklerini de anlattın, nasıl hissettiğini ve neler duyduğunu. Neredeyse tüm duyu organlarının üzerinde yarattığı etkiden bahsettin. Nasıl koku aldığını -ormandaki çamlar- neler duyduğunu -kuşlar ve hayvanlar- ve orman hakkında neler hissettiğini -harika bir yer- anlattın."

Jack kadehleri doldururken, Orsetta, o kadar az şey anlatmama rağmen ne kadar çok şey anlamış diye düşündü. Sanki profil çıkarma bilgisi ve yetenekleriyle onun tüm kişiliğinin röntgenini çekmişti. "Suyun anlamı neydi? Suyun sesini duydum ama göremedim, bu ne anlama geliyordu?"

Jack boğazını temizledi. "Pekâlâ. Bahsettiğin su, şey... su genellikle bizim cinselliğe duyduğumuz ilgiyi temsil eder. Bahsettiğin suyu göremediğin için şu anda bir ilişkin olduğunu sanmıyorum. Ama arıyorsun ve göremediğin halde sesini duyuracak kadar gürültülü, bu da güçlü ve yoğun cinsel yakınlığa duyulan ihtiyacın göstergesi."

Orsetta güçlükle yutkundu. Sorduğuna pişman olmuştu. Hayalinde şelaleleri ve suyun içinde birlikte seks yaptıklarını canlandırıyordu. Zihninden bu düşünceleri atmaya ve kızarmamaya çalıştı. "Bu standart bir test değil, öyle değil mi?" diye espri yaptı. "Zanlılara bunu uyguladığını sanmıyorum."

Jack, "Hayır, pek standart sayılmaz," dedi. "Sadece bazen insanların açılmasını sağlamak için bunu yaparım. Aslında zanlılar üstünde işe yarıyor, savunmalarını kırıyor ve suçla ilgili sorular sormadan önce sana onları yakından tanıma fırsatı sağlıyor."

Kızardığını saklamak için elini yüzünün önünde sallayan Orsetta, "Başka bir şey var mıydı?" diye sordu. "Yoksa artık rahatlayabilir miyim?"

Kendini tutamayan Jack, "Şey," dedi. "Bana anlattıklarından yola çıkacak olursam, sanırım sen aynı zamanda dik kafalı, inatçı, bencil, maceraperest ve fazlasıyla hırslısın."

"Ben *neyim?*"

"Bana ormanda bir patika olduğunu söyledin, bu patika senin hayattaki yolunu temsil eder; ailenin, yetiştirilişinin ve eğitiminin senin için çizdiği yolu. Ama sen özellikle oradan gitmemeyi tercih ettin, 'uzaklaştığını' söyledin. Bu da ya işler senin istediğin gibi olur ya da hiç olmaz anlamına geliyor."

Orsetta kendini tamamıyla korunmasız hissediyordu. Myers Briggs oyununu aradaki soğukluğu yumuşatmak, biraz kur yaparak eğlenmek için başlatmıştı ama bu, bambaşka bir şeydi. Gözleri Jack'in satın aldığı kitaba ilişince, onun gözlemlerinden kurtulmak için bunu bir fırsat olarak değerlendirdi. "Aaa, Dante," dedi. "*İlahi Komedya* en sevdiklerimden biridir."

Jack hızla ve üstüne basarak, "Eşim için," dedi.

Orsetta yeniden kızardığını fark etti. Bir an için onun evli olduğunu unutmuştu.

Elinden geldiğince hoş bir sesle, "Güzel bir seçim, umarım beğenir," diyebildi.

Kısa bir sessizlik oldu. Jack sessizliklerin sohbetler kadar bilgi verici olduğunu düşünürken, bu durum Orsetta için işkence derecesinde sıkıntı vericiydi. Sonunda Orsetta sessizliği bozdu. Cesur bir tonla, "Pekâlâ, şu işi bitirelim," dedi. "Jack, yaptığın analizin geri kalanını bana söylemelisin."

Jack, ona baktı. Film yıldızı gibi görünen akıllı kadın polis, şimdi okullu bir kız gibiydi. Odadaki tüm cinsel kimya kaybolmuştu ve ortam pazartesi sabahındaki boş bir bar kadar heyecansızdı.

Jack yumuşak bir tonla, "Bağlılık," dedi. "Hikâyendeki ayı, seni inciten erkeği, mutlu olduğunda ve en ummadığın anlarda seni içten içe rahatsız eden sorunu temsil ediyor."

Orsetta bakışlarını ellerine indirdi. İşte ortaya çıkmıştı. Bunu saklamıştı, üstüne onu gizleyecek bir yığın şey koymuştu ve şimdi bu yabancı, bu yetenekli yabancı, kolunu bile kıpırdatmadan onu bulmuştu. "Ve benim, kütükle bacağına vurmak yerine bununla başa çıkacak bir yol mu bulmam gerekiyor?" Başını kaldırıp gülümsedi ama Jack, onun tüm cesaretini kaybettiğini anlayabiliyordu.

"Hayır. Kütüğü kullanmanın sakıncası yok. Onunla istediğin gibi mücadele et; ayıya olanca gücünle vur. Orada durmak, ayının gözlerinin içine bakmak ve barış yollarını düşünmek, işte bağlılık bu."

Orsetta başını salladı ve farkına bile varmadan kendini Jack'in elini sıkarken, onun gücü ve yakınlığı ile kendini rahatlatmaya çalışırken buldu.

Kapının vurulması ikisini de şaşırttı ve sessizliği bozdu. Bu seferki sessizlik, sıkıntılı değil ilginçti.

Jack, "Yemek!" dedi. "Harika, açlıktan ölüyorum."

16

FBI Bölge Ofisi, New York

Kız kardeşinin lezbiyen olduğunu öğrendiği günden bu yana Özel Ajan Howie Baumguard'ın hiç böyle ağzı dili tutulmamış, hiç böyle şaşırmamıştı.

Odasındaki klima -yine- bozulmuştu ve içerisi saunadan farksızdı. Bundan sonra ne yapacağını düşünmeye çalışırken, çatık kaşlarındaki teri sol elinin baş ve işaret parmaklarıyla sildi.

Howie, bilgisayarının faresini tıklayıp, az önce gönderilen fotoğrafı açtı. Boş ofiste kendi kendine, "Lanet olsun! Lanet olsun!" diye bağırdı.

Fotoğrafı 180 derece döndürdükten sonra eski haline geri çevirdi. Rengini defalarca değiştirdi, baş aşağı ve arkadan görüntülerini inceledi. Bir kez daha boş odada, "Yüce Tanrım!" diye bağırdı.

Howie, fotoğrafı dörtte bir boyutunda küçültüp, ekranın sol üst köşesine çekti, ardından önceden küçülttüğü iki farklı fotoğrafı daha büyüttü ve döndürüp renklendirerek aynı şekilde incelemeye koyuldu. Yeni 360 derece görüntüleme programı öylesine net ve gerçekçiydi ki, neredeyse ekrandaki nesneleri tutup alabileceğini ve elinde beysbol topu gibi oynayabileceğini hissediyordu.

Sonunda sabrının sınırına gelerek, "Lanet olsun!" diye bağırdı.

Howie, sadece içtiği fazla kahveyi boşaltmak zorunda olduğu için değil, aynı zamanda biraz daha düşünmeye ihtiyacı olduğundan, ayağa kalkıp erkekler tuvaletine yöneldi.

Elini yüzünü yıkadıktan sonra sanki oraya gitmeye korkuyormuş gibi istemeyerek yavaşça masasına döndü. Oturmak yerine döner sandalyesinin arkasında durup, gözlerini masasındaki monitöre dikti ve sosis gibi kalın parmaklarını sandalyenin üst kısmına vurdu.

"Lanet olsun!" Değişen bir şey yoktu. İlk gördüğü andaki kadar rahatsız ediciydi.

Bilgisayarda üç net fotoğraf görünüyordu.

Birinci fotoğraf karton bir kutuya aitti.

İkinci fotoğraf Sarah Kearney'nin yerinden çıkarılmış başıydı.

Ama Howie'nin boş bir odada lanetler yağdırmasına sebep olan üçüncü fotoğraftı. Düz ekrandaki fotoğraf, kutunun üstündeki adresi gösteriyordu, havaalanı güvenliği bu yüzden paketi taramadan geçirmiş ve Howie'nin ofisine ihbar etmişti. Siyah keçeli kalemle, "Kırılabilir. Jack King'in dikkatine, FBI" yazıyordu.

İKİNCİ BÖLÜM

2 Temmuz Pazartesi

17

Brighton Beach, Brooklyn, New York

Polisler her zaman, fahişelerin sokaklarda edindikleri bir yıllık tecrübenin, yüzlerinde on yıl fark ettirdiğini söyler. Bu hesaba göre yirmi beş yaşındaki Ludmila Zagalsky yüz yirmi beş gösteriyordu. Doğrusu Lu tahmini yaşından daha güçlü davranıyordu, ama yine de en çılgın rock yıldızlarını bile utandıracak uyuşturucu sorunuyla pek parlak bir geleceği olmadığı anlaşılıyordu.

Lu, on beş yaşından beri sokaklardaydı. Son satıcısı Beach Bulvarı'ndaki işlerin çoğunu yürüten Oleg adlı bir Rus'tu. Oleg, bir boğanın arka bacakları büyüklüğündeki dövmeli kolları ve tohuma kaçmış balkabağı kadar çekici, yuvarlak, büyük ve tıraşlanmış kafasıyla, hayvan gibi bir adamdı. Ama onu dövmüyordu, en azından kızının güzelliğini kıskanan kır saçlı, sarhoş Moskof annesi gibi dövmüyordu. Ayrıca üvey babasının yaptığı gibi "ona yakın olmak" için yatağına da gelmiyordu. Elbette Moskova'dan kaçıp Oleg için çalışmak yaptığı en akıllıca hareket değildi, ama diğer alternatiften çok daha iyiydi. Lu, Rusya'dan kalkan uçağın biletinin parasını biriktirebilmek için fahişelik yapaya başlamıştı ve o zamandan beri de bunu yapıyordu. Lu her gün kahvaltıda birkaç E[*] alır; bunları insanların kahve

---

[*] Ecstasy (mutluluk hapı).

içip, çörek yediği gibi atıştırırdı. Kira parası ve biraz daha fazlası için, taciz edilip kirletildiği ve ruhunu yok eden bu korkunç işe katlanırken, bu haplar onun aklını kaçırmamasına yardım ediyordu. Öğle yemeği vaktinde ilaç almaya başlıyor ve son *mudak* -hasta, aptal pislik- parasını ödeyip üstünden kalktıktan ve zavallı hayatından çıkıp gittikten sonra bitiriyordu. İlk vardiyası Coney Island Bulvarı 6 ve 7. caddelerdeydi. Bu iş bittikten sonra akşamüstü saat altı gibi Oleg ile buluşur ve ödeşirdi. Günlük hedefinden daha fazla kazandığı zamanlarda Oleg, onun poposuna şaplatıp yeniden sokaklara göndermeden önce bir hamburgerle bira ısmarlardı. İkinci vardiyada ise "kırmızı sivri topuklu" ayakkabılarıyla Beach Bulvarı'nda kıvırtarak yürürdü. 60. Bölge polisleri ona çekip gitmesini söylerlerse doğu tarafından Chambers Meydanı'na doğru Riglemann Sahil Yolu'na inerdi.

Şimdi, saat sabahın birinde kendini bitmiş hissediyordu. Cüzdanındakileri boşaltıp Oleg'e verdikten dakikalar sonra şehirli bir züppe, altın rengi Lexus'unu kenara çekmişti. Lu kendini ona mastürbasyon yapıp, parasını cebine indirirken buldu; *o deri koltuğu temizlemek sapığa bir servete mal olacaktı.* Yine de on dakikalık iş için bir yüzlük almıştı ve bu Lu için bir rekor sayılırdı. Çalışan kızların çoğu onun ucuz, bir *shulha vokzalnaja* -tren istasyonu fahişesi- olduğunu söylerdi ama son zamanlarda Lu büyük oynuyor ve yeniden yükselmeye başladığını hissediyordu. Lexus'lu adam, ona büyüdüğü "mahalleye" gelmekten ne kadar hoşlandığını söylemiş ve buradan çıkıp Manhattan'da nasıl büyük bir servete kavuştuğunu anlatarak böbürlenmişti. Ne pislikti, ne *swoloch!* Lu, onun pisliğini emdikten sonra, Brighton Balık Pazarı'nın arkasında tercih ettiği bir yere götürmüş ve işleri bittikten sonra orada uskumru füme kadar pis bir kokuyla bırakıp gitmişti. Pantolonu bileklerinde, menisi tüm karnına ve o lüks deri koltuklara bulaşmışken hiç de o kadar kodaman görünmüyordu. Adamın etli büyük kulağına fısıldadığı, onu tahrik eden sözlerine hâlâ gülüyordu. Fermuvarını açmaya başladığında, *"U tebia ochen malenki hui, tolko pyat pat centimetrov?"* diye mırıldanmıştı. Eğer ona, "Çok küçük bir aletin var, ne kadar bu... beş santim mi?" diye sorduğunu bilseydi adam bu kadar heyecanlanmayabilirdi. Ayrıca eğer, *"U tebya rozha, kak obezyanya zhopa,"* derken "teşekkür ederim," değil, "suratın maymunun kıçına benziyor," dediğini bilseydi bahşiş vermezdi. Primorski'nin restoranının yanından geçerken kahkaha atıp, *"Mudak, mudak!"* dedi, durup pencereden içeri baktığında temizlikçilerin sandalyeleri masaların üzerine kaldırıp yerleri temizlediklerini gördü. Biri restoranın yerlerini temizleyeceğine haftanın her günü kıçını satmayı tercih ederdi.

İsminin Ramzan olduğunu bildiği genç bir garsonla göz göze geldi. Ramzan, ona el salladı ama yerlerin temizlenmesine yardım ettiği için kapıya gelemedi. Garson çocuk henüz geçen hafta Ocean Yolu'ndaki yeni bir barda gözüne ilişmişti ama gıcık bir müşteriyi başından def ettiği sırada Ramzan gözden kaybolmuştu. Arkadaşı Grazyna, ona Ramzan'dan uzak durmasını, onun bir Çeçen olduğunu ve Oleg'in Çeçenlerden ne kadar nefret ettiğini unutmaması gerektiğini söylemişti. Ama Lu'nun umurunda değildi; Oleg kendi kendini becerebilirdi. Ramzan uzun boylu, ince ve güzel gözlü yakışıklı biriydi. Onunla ilgilenecek, belki de sonsuza dek hayatını değiştirip onu bu cehennemden çıkaracak birine benziyordu. Temizlikçi kadın altını silebilsin diye masayı tutup kaldıran Ramzan'ı burnunu cama dayamış seyrederken birden kıskançlığa kapıldı. Lanet olsun! Lu Zagalsky kimseyi beklemezdi. Çantasını karıştırıp bir kristal amfetamin çıkardı; acısının dinmesine yardımcı olacaktı. Lu kafayı bulurken, müşteri radarı ona Primorski'nin yanındaki ATM'yi kullanmak isteyen bir adamın işaretini verdi.

Lu, ona, "Bozuk," diye seslendi.

"Efendim?"

"Bozuk," diye yinelerken Rus aksanı hiç anlaşılmıyordu. "Her zaman bozuktur."

"Of lanet olsun!" Gözlüklerini çıkarıp, altın rengi kredi kartını cüzdanına geri koydu. "En yakın ATM nerede, biliyor musunuz?"

Michael Morley

Geceyi kolay bir kapanışla noktalayabileceğini hisseden Lu, "Evet. Bulvarın doğu ucunda, yaklaşık üç blok aşağıda," dedi. Ellerini kalçalarının üstüne koymuştu. "Bir kısmını benim için harcamaya söz verirsen sana yerini gösterebilirim."

Adam oldukça şaşırmış ve utanmış görünüyordu. Sanki istiyormuş da ne söyleyeceğini ya da ne yapacağını bilemiyormuş gibi sokağa bakınıp durdu. "Şey... eee... bilmiyorum. Yani, ben... ben böyle bir şey daha önce hiç yapmadım. Emin değilim, yani ben..."

Lu, ona yaklaştı. Bunu ilk yapanlar daima kolay hedef olurdu. Utangaçlıklarını yendikten sonra genellikle müteşekkir olduklarını cömertçe gösterirlerdi, hem de birkaç yönden. Lu, ona biraz daha yaklaşırken, "Endişelenmeyim bayım, ben sizinle ilgilenirim," dedi. "Arabanız var mı?"

Bir adım geriye atıp, gergin bir sesle cevap verdi. "Evet evet, var. Orada." Doksan yaşın altında kimsenin kullanmadığı sıkıcı bir dört kapılı Hyundai'yi işaret etti. Zavallı enayi, karısıyla yirmi yıldır doyurucu bir seks yapmamış olmalıydı. Lu neredeyse onun için üzülmüştü. "Elle rahatlama yirmi dolar, oral elli dolar, park yüz dolar," dedi adeta günün yemeğiyle birlikte mönüyü sayıyormuş gibi.

Adam, "Ama, ama..." diye kekeledi. "Benim hiç param yok. Az önce söylemiştim."

"Hey panik yapma. Bunu biliyorum," dedi adamın eski mavi ceketinin yakasında parmağını gezdirirken. "Bak, sen beni götür, ben sana ATM'yi göstereyim, sonra beni bir daha götürürsün, anladın mı?"

Titrek elleriyle araba anahtarlarını tutup, "E... evet. Anladım," derken neredeyse anahtarları yere düşürüyordu. Hiç konuşmadan arabaya yürüdüler ve adam uzaktan kumandayla kapıları açtı. Arabaya bindiler. Sonra adam kontağı çevirdi, emniyet kemerini taktı ve ona döndü. "Ben kazalardan b... biraz korkarım. Lütfen kemerinizi takar mısınız bayan?" derken uzanıp kemeri onun için çekti. "Yolların ilk kuralı; sonradan pişman olmamak için her zaman kemerini takmaktır."

18

Otel Sofitel, Floransa, Toskana

Jack uyanır uyanmaz zamanla yarışmaya başladı.

Sendeleyerek banyoya yürürken, en kötü akşamdan kalma halini atlatmaya çalışıyordu. Uykuyu fazla kaçırmıştı ve şimdi Orsetta'yla buluşmak, yardım istediği dosyayı öğrenmek ve Siena'ya giden trene yetişmek için iki saati vardı. Biraz zor olacaktı.

Duş alıp, tıraş olmak on beş dakikasını aldı, restorana vardığında cildi tıraş yüzünden hâlâ yanıyordu. Orsetta bir köşede oturmuş, kapuçinosunu yudumlarken gazetesini okuyordu.

Karşısındaki sandalyeye otururken, "Günaydın. İyi bir haber var mı?" diye sordu.

Orsetta başını kaldırmadan, *"Buon giorno,"* diye karşılık verdi. "Malesef İtalyan gazetelerinde hiç iyi bir haber olmaz."

Jack, onun ne demek istediğini biliyordu. Eskiden o da "düşmanın" izini sürebilmek için işlenen suçlara bolca yer veren Amerikan gazetelerini okurdu.

Garson gelince sade kahve, meyve suyu, biraz meyve ve yoğurt sipariş etti. İstediği bu değildi ama artık kahvaltıda hem pişirilmiş şeyler yiyip, hem de belinin etrafındaki kiloların görülmeyeceği yaşta olmadığını biliyordu.

Orsetta gazetesini katlayıp, kenara koyarken, parmaklarına bulaşan baskı mürekkebini fark etti. Ellerini havaya kaldırırken, "Galiba basılıyorum," diye espri yaptı.

"Dosyada birkaç parmak izinin olması her zaman iyidir," dedi Jack.

Orsetta ellerini bir peçeteye silip, ayaklarının dibinde duran siyah deri evrak çantasına elini daldırdı. A4 boyutlarında büyük bir zarfı çıkarıp, üstünde kollarını kavuşturdu ve masanın karşı tarafına dikkatle baktı.

Onun tereddüt ettiğini fark eden Jack, "Ne?" diye sordu.

"Dün bize yardım etmek için ikna edilmen gerektiğini söylemiştin. Hâlâ böyle mi düşünüyorsun?"

Jack'in ağzı kurumuştu, konuşmaya başladığında sesi taş kadar sertti. Akşamki içki hararet yapmıştı, bu yüzden kahvesiyle meyve suyunun bir an önce gelmesini diledi. "Sen de dün benim 'kabak' olmadığımı anlamak için geldiğini itiraf etmiştin. Hâlâ öyle olabileceğimi düşünüyor musun?"

"Kabak" kelimesi Orsetta'yı yeniden güldürdü. *"Touché,"* (*) deyip, zarfı beyaz, keten masa örtüsünün üzerinden ileri doğru kaydırdı.

Eliyle tartan Jack, "Ağırmış," dedi. "Bunu trende okuyup, seni sonra arasam olur mu?"

Orsetta, "Massimo'yu araman gerekiyor," dedi. "Dosyaya senin için özel bir mektup ekledi. Dün akşam söylediğim gibi, gerçekten de kendisi gelmek istedi ama şu an ülke dışında."

Jack'in kahvesi, meyve suyu, yoğurdu ve meyveleri gelmişti. Saniyeler içinde portakal suyunu yarıya indirirken, sohbeti duymasına fırsat vermeden garsonu gönderdi. "BRK'nın kurbanları hep yalnız kadınlar. Genelde yirmili yaşların ortalarında oluyorlar, ayrıca cinayet işleme yöntemi 'oldubitti' şeklinde değil, 'kurnazca' planlanmış. İnan bana, bu adam çekici

---

(*) Alıngan.

bile olabilir. Onu hiç kurbanları kaçırırken veya kaçırmaya çalışırken gören olmadı. Kadınlara kur yaptığını hatta belki de baştan çıkardığını düşünüyoruz. Kendilerini güvende hissedecekleri bir ortama çekip ondan sonra saldırdığından şüpheleniyoruz."

"Önceden planlanmış ve organize."

"Kesinlikle. O organize bir katil, asla gereksiz risklere atılmıyor, asla aptalca hatalar yapmıyor. Adım atmadan önce iki kere düşünen biri. Herhalde cinayet işlemeden önce üç kez düşünüyordur."

Orsetta kapuçinosundan içti. Jack'in doğranmış meyveleri yoğurduna karıştırırken, cinayet sözcüğünün içine daldığını fark etmişti. "Bizim elimizde tek bir kurban var. Tiren Denizi'nin batı kıyısındaki Livorno kasabasından genç bir kadın. Bu davada da kurbanın zorla kaçırıldığına dair bir delil yok. Ayrıca biz de saldırganın organize saldıran biri olduğuna inanıyoruz, ama herhangi bir hata yapmadığını ya da ipucu bırakmadığını söylemek için sorgulamanın henüz erken bir aşamasındayız. Bu durumda umarım bizim saldırgan sizinkiyle aynı değildir."

Jack lokmasını yutup, "BRK son kurbanlarının hepsinin uzuvlarını parçaladı ve martılara ekmek atan bir çocuk gibi denize dağıttı. Balıkların yemediği kısımları bulduğumuz zaman adli tıbbın tetkik edeceği fazla bir şey kalmamıştı; taş, kum ve deniz kabuklulularından başka bir şey bulamadılar."

Orsetta sırıtırken, "Yemeğimi önceden yediğime memnun oldum," dedi. Kol saatine baktı. "Üzgünüm ama Roma'ya dönmem gerekiyor. Aslında çoktan dönmem gerekiyordu. Dün akşam kalmayı planlamamıştım bu yüzden gerçekten gitmeliyim."

Jack, onun emrivaki yapmasına izin vermeyecekti, onun aralarında oluşacak herhangi bir gerginlikten kaçınmaya çalıştığını düşündü.

"Bak, eğer dün akşam gitmek istemediğin yerlere kapıları açtıysam çok üzgünüm. Belki ikimizin de bu türden oyunlar oynamamız gerektiğini bilmemiz gerekirdi, ha?"

Orsetta hafifçe gülümsedi. "Doğrusu bilmemiz gerekirdi. Aslında, söylediklerin... şey, aslında doğruydu. Bağlılıktan kaçıyorum. Ama şu anda buna ihtiyacım var."

Jack, onun açıklama yapmasına gerek olmadığını ifade etmek için ellerini havaya kaldırdı, ama Orsetta'nın yine de anlatmak istediğini anlayabiliyordu.

"Dört yıl süresince bir ilişkim oldu. Cennetteyim sanıyordum. Onu hayatımın büyük aşkı sanıyordum. Şey, sonunda ortaya çıktı ki, o aynı zamanda başka bir kadının daha hayatının büyük aşkıymış ve on yıldır birliktelermiş. Doğrusunu söylemek gerekirse, galiba birden fazla başka kadın vardı."

"Üzgünüm. Bu konuları açtığım için lütfen beni affet; çok acı vermiş olmalı."

Orsetta, "Önemli değil," dedi. "Tamamıyla affedildin, tabii bize yardım edeceğin varsayımıyla."

Jack, "Edeceğim," dedi. Eliyle Orsetta'nın verdiği zarfa hafifçe vurdu. "Bu sabah okuyup Mass'e telefon açacağım ve başlangıç profilini birkaç güne kadar çıkaracağımı söyleyeceğim."

Orsetta hesabı ödemek için bıraktığı paranın içine on avroluk bahşişi katlayıp koydu. Ayağa kalkıp, eşyalarını toplarken, "Bana bir konuda söz vermelisin," dedi.

Peçetesini bırakıp vedalaşmak için ayağa kalkan Jack, "Tabii," dedi. "Nedir?"

Orsetta gülümsedi. "Bizi görmeye Roma'ya gelirsen, bir dahaki sefere akşam yemeğini ben ısmarlayacağım ve akıl oyunlarından uzak duracağız, anlaştık mı?"

Jack, "Sabırsızlıkla bekliyorum," dedi. Orsetta ona doğru eğilirken, omuzlarından nazikçe tuttu ve birbirlerini yanaklarından öptüler.

Orsetta, New York'u aydınlatacak gülümsemesi ve ölen bir kalbi canlandıracak şeftali parfümüyle, *"Ciao,"*[*] diyerek yanından ayrıldı. O gittikten sonra Jack, elini yanağında öptüğü yere götürmekten kendini alamadı.

(*) Hoşça kal.

19

Brighton Beach, Brooklyn, New York

Lu Zagalsky sürücü koltuğunda oturan ürkmüş müşteriye göz gezdirdi ve vaktini boşa harcadığını düşündü. Adam ilk başta ATM'den para çekememişti, şimdi de lanet olası bir gecede lanet olası bomboş bir yolda bir kilometreden az bir mesafe için emniyet kemerini takmasını istiyordu. Herhalde herif sertleşmeyi bile beceremeyecek ve para ödemeyi reddedecekti. Kemeri yuvasına takarken oluruna bırakıp, "Her neyse," dedi. Adam Beach Bulvarı'na doğru sürerken, Lu ağzına bir sakız atıp, şapırdatarak çiğnemeye başladı.

Ona hakaret etmeye başlamadan önce Rusça bilip bilmediğini öğrenmek için, *"Vy goyoreeteh po rusky?"* diye sordu.

Şoför direksiyonu hiç bırakmadan ve gözlerini yoldan hiç ayırmadan, "Affedersin. Bir daha söyler misin?" diye sordu nazikçe.

Lu, "Sadece Rusça biliyor musun diye merak ettim," dedi. "Buradakilerin çoğu biliyor, burası Rus mahallesi sayılır."

Saatte elli kilometre hız limitini aşmadığına emin olmak isteyen adam, göstergeye bakarken, "Evet, anlıyorum," dedi. Vay canına, Lu uzun zamandır bu adam kadar pinpirikli ve ağır kanlı kimseyi görmemişti.

"Hayır hayır, Rusça bilmiyorum," diye ekledi. "Ben muhasebeciyim, şu sıralar işim burada, bu yüzden yolları karıştırıyorum." Müşteri birden çok daha ilginç biri olmuştu. Lu, fakir bir muhasebeci hiç olur mu diye düşündü. Bırak ATM'den bir ton para çeksin, sonra onu pantolonunu indirebileceği bir yere götürüp parasını alıp kaçarım, hatta belki cüzdanını da. Kulağa iyi geliyordu. Aslında pek de alışılmadık değildi, fahişeler bunu yıllardır yapıyordu. Yine de şaşırtıcı olan şuydu ki, bunun gibi salak *ebanat* üzerinde hâlâ işe yarıyordu.

Ön camdan parmağıyla işaret eden Lu, "Bir sonraki soldan," dedi. "Köşedeki elektronik dükkânını görüyor musun?"

Ön cama yaklaşıp, gözlerini kısarak, "Evet evet, görüyorum," dedi.

"Oradan sola, sonra ATM yaklaşık yüz metre aşağıda."

Çok önceden sinyal verip, köşeyi dönmek için neredeyse duracak kadar yavaşlayan ve kaldırıma park etmesi sonsuza kadar süren adama içinden *ebanat* dedi. Bu adamdan daha hızlı araba kullanan nineler vardı.

Para çekme makinesine doğru giderken, "Bir dakika sonra dönerim," diyerek kapıyı arkasından kapattı.

Birkaç saniye sonra Lu torpidoyu açmış, çalınabilir bir şey var mı diye yoklamaya başlamıştı. Kahretsin, adamın almaya değer bir CD'si bile yoktu! Sadece kiralık arabaya ait evraklar ve bir de cam sileceği. Adamın arkasını dönüp, cüzdanını cebine koyduğunu ve arabaya döndüğünü gören Lu torpidoyu kapattı. Adam nazikçe, "Teşekkürler," dedi. Son derece sıkıcı biçimde yeniden emniyet kemerini taktı, el frenini kontrol etti ve kontağı çevirdi.

Lu, "Pekâlâ bayım," dedi. "Cebine paranı koydun, haydi şimdi bir yere gidelim de bunun bir kısmını bana harca. Otelin yakınlarda mı?"

"H... hayır," derken yine paniklediği belli oluyordu. "Kiralık bir dairem var, Fillmore Bulvarı'nda, Marine Park'ın öbür tarafında. B... belki oraya gelirsin?"

Lu yüzsüzce, "Belki gelebilirim," dedi. Şehrin öbür tarafına giden yolu bulmak şöyle dursun, adamın ayakkabılarını bile bağlayabileceğinden emin değildi. "Yolu biliyor musun?" diye ekledi.

"Sa... sanırım," diye kekeledi.

Onu biraz hızlandırmak için, "İyi, haydi başlayalım o zaman," dedi. "Sana unutamayacağın bir akşam yaşatmak için henüz çok geç değil." Oleg'i bile eriten o en seksi tebessümüyle adama baktı ama otomatik vitesi D'ye alırken, yüzünde en ufak bir sıcaklık göremedi.

Brighton Beach'in parlak ışıkları arkalarında zayıflarken, ikisi de konuşmadan oturuyor, Lu camdan dışarı bakıyordu. Yaklaşık on dakika sonra Fillmore ve Gerritsen'ın tabelalarını gördü. Araba farlarının sarı ışığında, kazıklar üstünde sallanan yüzen evleri, boyanması gereken eski püskü şamandıraları seçebiliyordu. Gecenin son müşterisi Gerritsen ile 38. Doğu Sokağı arasında uzamış otlarla, yola sarkan ağaçların bulunduğu sapa bir yola girdi.

İşini daha başka kontrollere, gecikmelere ve engellere gerek kalmadan bitirdiğine şaşıran Lu, "Geldik mi?" diye sordu.

Yukarı doğru katlanan metal bir garaj kapısını açmak için otomatik kumandaya basan sürücü, "Evet, bir dakika bekle lütfen," dedi. Sonra vitesi yeniden D'ye alıp, yavaşça içeri sürdü ve otomatik kapıyı indirdi.

Lu garaj kapısı daha tam kapanmadan koltuğundan fırlayıp, arabadan dışarı çıkmıştı. Bu işi mümkün olduğunca çabuk bitirip, sonra da bir taksiye atlayarak oradan gitmek istiyordu. Ama şu anda her şeyden çok tuvalete gitmek istiyordu. Adam ışık düğmesine basınca gözlerini kırpıştırdı.

"Anahtarım var, sadece hangisi olduğunu bulmam lazım," derken beceriksiz parmakları aynı halkaya takılmış bir sürü pirinç ve çelik anahtarı karıştırdı.

Sonunda, "İşte buldum," dedi ve arabanın ön tarafından, garajı mutfağa bağlayan kapıya doğru yolu gösterdi.

Işıklar yanınca Lu etrafına baktı. Fazla bir şey yoktu: köhne bir mutfak, üçlü koltuk takımı, şömine ve kirli bir halı bulunan pis bir salon... Ama televizyon yoktu. Lu şimdiye kadar hiç televizyonu olmayan bir eve girmemişti; doğrusu bu tür yerlerin olduğunu bile sanmıyordu. Garaja giden kapıyı kilitleyen adama, "Hey, tuvaletini kullanabilir miyim?" diye seslendi.

Michael Morley

"Ön girişin yanında, bir tane de yukarıda var," derken salonun diğer köşesinden yukarı çıkan ahşap merdivenleri işaret etti.

Lu aşağıdaki tuvaleti kullandı. Oradayken adamın ne kadar parası olabileceğini hesap etmeye çalıştı. Evi hayal kırıklığı yaratmıştı, etrafta bir karısının olduğuna dair işaret yoktu ve bu da mücevher olmadığı anlamına geliyordu. Adam nakit çekmek için durmuştu, demek ki komodininde bozukluktan fazlası yoktu; eğer şansı varsa, öyle pahalı giyinen bir tipe benzemese de belki bir saat, altın yüzük ya da kolye bulabilirdi. Tuvaletini bitirdiğinde, en iyisi evine geldiği için ona özel bir "gecelik" fiyat çekmek olduğuna karar verdi. Bütün gece için ondan beş yüz dolar isteyecekti. Ya da başlangıç fiyatı bu olacaktı. Eğer bir muhasebeciyse, rakamlarla arası iyi olmalıydı, bu yüzden mutlaka onunla pazarlık yapmak isteyecekti. Evet, beş yüz dolardan başla Lu; eğer şanslıysan iki yüz elliyle üç yüz arasında anlaşırsın.

Bitirince sifonu çekti ve lavabonun musluğunu açtı. Pis bir cam rafın üstündeki aynaya bakarken, göz farıyla sürmesinin dağıldığını ve gözlerinin beyazına kan oturmaya başladığını gördü. Güzellik abidesi olmaktan çok uzaktı, her neyse işte, Hollywood seçmesinde değildi zaten ve şu sertleşmiş *mudak* onun teklif ettiği şeye hayır diyemezdi. Her şey yolunda giderse, yarın kendisine tatil ilan edip, dinlenecek ve sanki normal bir günde çalışmış gibi paranın bir kısmını Oleg'e verecekti.

Lu burnunun kemerindeki parlaklığa pudra sürdü, yeni ruj sürdüğü dudaklarını açıp kapattı. Artık beş yüz papeli talep etmeye ve şu işe yaramaz küçük sürüngenin istediklerini yapmaya hazırdı. Yeniden salona giderek, "Pekâlâ bayım, oyun zamanı!" diye bağırdı.

Arkasından gelip başının üstünden geçen ip, onu sertçe geriye doğru çekti. Ludmila Zagalsky'nin ayakları yerden kesildi ve tepe üstü yere düştü. Boynunu sıkan ve ciğerlerindeki havayı boğan ipi parmaklarıyla tutmaya çalışıyordu.

Tepesinden gelen soğuk ve ölçülü bir ses, "Örümcek'in ağına hoş geldin," dedi.

20

Floransa, Toskana

Floransa'daki tren istasyonu adeta Avrupalı yolculardan etli İtalyan çorbası pişirilen sıcak bir kazandı. Yönünü arayan insanlar peronlarını buluyor, nefes almadan oturdukları fırın kadar sıcak trenlere doluşmadan önce de birbirlerine çarptıkça sıcaklığın derecesi artıyordu.

Jack, Siena treninin en arka tarafında boş bir vagon bulduğu için şanslıydı ama rahatsız edici derecede sıcaktı ve binlerce yabancının kokusu sinmişti. Sofitel'deki buzdolabından aldığı yarım şişe suyu başına dikti ve gömleğini yapış yapış vücudundan silkeleyerek ayırdı.

Pencerelerden birini açmaya çalıştı ama bozulmuştu. Tozlu koltuğun kırık yayları üstüne otururken, Polizia Stradale denilen birkaç ulaşım polisinin rutin hale gelen bomba kontrolünden sonra gölgede bir sigara yaktıklarını gördü. Başlarının üstündeki robot CCTV kameraları rayları tarıyordu. Jack bunların sanat şaheseri IMAS kameraları olduklarını fark etti. Bill Gates burada, tarihi Floransa'da bile vardı. Microsoft kökenli Entegre Multimedia Arşiv Sistemi, İtalyan demiryollarındaki üç binden fazla kamerayı çalıştırıyordu ve video görüntüleme ile bilgi analizinde küresel standartların belirleyicisi olmuştu.

Michael Morley

Jack'in önündeki yapışkan masada, Orsetta'nın Massimo Albonetti adına ona verdiği açılmamış zarf duruyordu. O ve Mass uzun zaman önce Roma'da düzenlenen bir Interpol Değişim Programı'nda tanışmışlardı. Bir yıl sonra, New York'taki İtalyan yeraltı dünyası kapılarını polislere kapatıp, meseleyi mafyanın geleneksel işkence ve cinayet yöntemlerine göre çözmeye çalıştığı sırada, Massimo, Jack'in küçük İtalya'da pedofili zincirini kırmasına yardım etmişti. Albonetti kesinlikle mantıksız bir polis değildi. Jack gibi o da psikoloji eğitimi almıştı ve profil çıkarma işini, katilin isminin belireceği kristal bir küre olarak değil, detektiflerin ipuçları üzerine yoğunlaşmasına yardımcı olan güçlü bir araç olarak görüyordu.

Jack şişe suyunu bitirdikten sonra zarfın kapağını parmağıyla yırtıp açtı. Massimo'nun el yazısıyla yazılmış pahalı krem rengi kâğıdı çıkardı.

Sevgili Jack,

Bunu okuduğuna memnunum. Demek ki emekliye ayrıldığınla ilgili duyduklarım doğru değilmiş, demek ki kalbinde ve beyninde hâlâ bir polis yaşıyormuş. Bunun böyle olduğuna çok sevindim!

Umarım kusuruma bakmamışsındır eski dostum, ama Brüksel'deki bu sıkıcı Europol toplantısını bırakamadım, o yüzden bu korkunç cinayet davasında bize uzman danışman olarak yardım etmen konusunda seni ikna etmesi için Müfettiş Portinari'yi gönderdim.

Jack eğer dosyayı inceledikten sonra bu davayla ilgilenmenin seni zorlayacağını düşünürsen, o zaman reddetmeni kesinlikle saygıyla karşılarım.

Arkadaşlarımızın pek çoğu gibi ben de bir an önce sağlığına kavuşman için dua ediyorum ve eğer bu özel davada bize gerçekten yardım edebilecek tek kişinin sen olduğunu düşünmeseydim, inan seni hiç sıkıntıya sokmazdım.

Örümcek

Bu zarfın içinde davayla ilgili bilgi verecek kısa fakat çok gizli belgeler bulacaksın ve yardımını istememe ne gibi durumların sebep olduğunu anlayacaksın.

Kararını verdiğin zaman beni ofisten ya da cep telefonumdan ararsın değil mi?

Dostun Massimo

Jack yavaşça iç çekti. Ruhsal çöküntü yaşadığından bu yana Massimo'dan haber almamıştı ama bu seferki, arkadaşının o zaman gönderdiği nazik ve destekleyici nottan çok farklıydı. Kendini gerçekten de BRK'yı çağrıştıran bu davaya bulaştırmak istiyor muydu? Böylesi bir sınava hazır mıydı? Polislik mesleğine geri dönmenin onun için en iyisi olduğuna Nancy'yi ikna edebilecek miydi? Aklında sorular dönüp dolaşıyor, fakat cevaplar ulaşılmaz bir yerde bekliyordu.

Jack zarfı bir kez daha açtı ve içinden gizli damgası vurulmuş, ön kısmında isminin yazılı olduğu, mühürlü bir başka zarf çıktı. Geçmişte masum kurbanların ölümüyle, ailelerinin ömür boyu sürecek ıstırabını birtakım katı gerçeklerle rakamlara indirgeyen böyle pek çok belge ve özet eline ulaşmıştı.

Aşağıdaki platformda, uzun ve tiz bir ıslık boğucu havayı yardı. Trenin kapıları gümbürtüyle kapanırken, lokomotif metal yılanı çekerek parlak gün ışığına doğru yavaşça ilerlemeye başladı. Yalnız ve gergin cinayet dünyasına yolculuk etmeyeli uzun zaman olmuştu ve aslında oraya gitmeye hazır olup olmadığından emin değildi.

21

Marine Park, Brooklyn, New York

Ludmila Zagalsky bir an için öldüğünü sandı, sonra gözlerini açar açmaz ölmüş olmayı diledi. Zihni tam anlamıyla karmakarışık olduğu halde, bir anda içinde bulunduğu çıkmazın ciddiyetini hatırladı. Şu işe yaramaz *mudak*, hız sınırının üstünde süremeyecek kadar sıkıcı olan şu sürüngen ona aniden saldırmış ve kendi elleriyle hazırladığı ölüm ipliğiyle onu boğmaya kalkmıştı. İçinden Lu, dedi, insanlara kaç kez kimseye güvenmemelerini söyledin. Şimdi bunun kendi başına gelmesine izin veriyorsun. Unutma kızım, hayat boktan sürprizlerle doludur ve bunlar daima insanı beklemediği anda vurur.

Vücudu ağır darbe almıştı ve yavaş yavaş bilinci açılıyordu. Sırtüstü yerde yatıyor ve tavana bakıyordu ama artık salonda değil, başka bir yerdeydi.

Nerede?

Gözlerini acıtan bir ışık yanıyordu ama oda bir şekilde karanlık görünüyordu. Lu olup biteni anlamak için başını yana çevirmeye çalıştı ama ip hâlâ boynunda duruyor, nefes borusuna bastırıyordu.

İp mi? Burada ne halt oluyordu böyle?

Aslında basınç yukarıdan değil, aşağıdan geliyordu. Bir anda el ve ayak bileklerinin deri kelepçelerle bağlandığını fark etti. Asıldığı zaman aşağıdan zincir sesleri geldiğini duydu ve içine büyük bir korku yayıldı.

Örümcek

Bulmacanın parçaları yavaşça yerine oturuyordu. Üşüyordu. Tüm bedeni üşüyordu. Bir tür işkence masasının üstünde kollarıyla bacakları açılmış ve çıplak bir halde yatıyordu. Boynundaki ip masanın altında bir yere bağlanmıştı, bu yüzden başını kaldırmaya çalıştığında boğuluyordu. Bağıracaktı, bir nefes alabilse var gücüyle bağıracaktı.

Boğuluyorum! Aman Tanrım, boğuluyorum!

Ağzına bir bez tıkıştırılmış ve başının etrafına sarılan yapışkanlı bantla tutturulmuştu.

Panik onu ele geçirmeye başlamıştı. Kalbi tehlikeli derecede hızlı atıyordu, sakinleşmezse soluğunun tıkanacağını biliyordu.

Haydi kızım, topla kendini. Topla kendini yoksa ölü bir fahişe olacaksın.

Burnundan yavaş yavaş nefes alıp vermeye çalıştı, sonra nabzını düşürüp, kendini kontrol etmeyi başardı.

Sonra, garip siyah tavana bakarken onu yeniden gördü. Üstüne eğilmişti.

Yüzü o kadar büyük ve o kadar yakındı ki, cildindeki gözenekleri görebiliyordu. Burnunun üstündeki kılları görebiliyor ve nefesinin sıcaklığını hissedebiliyordu.

Şimdi o kadar da zararsız görünmüyor, değil mi kızım?

Yumuşak bir sesle, "Merhaba küçük Şeker'im," derken teninin kokusunu burnuna çekip, yeni gelen misafiri koklayan bir köpek gibi yüzünü onunkine sürtüyordu. "Endişelenme küçük sevgilim, Örümcek burada. Örümcek yanında."

Örümcek kendi kendine, *Öbür Şekerler kadar sevimli değil,* diye düşündü ama onlarla aynı olduğunu anlayabiliyordu. Hepsi de güçlü olduklarını ve kimseye ihtiyaç duymadıklarını, oyunu kendi kurallarıyla oynayabileceklerini, insanların hayatlarına istedikleri zaman girip çıkabileceklerini sanıyorlardı. Demek ki hepsi yanılıyordu. Yanılıyorlardı. Kimse Örümcek'i terk etmezdi. Hiç kimse! Hiçbir zaman!

Deri sırtlı, tahta bir sandalye çekip, yüzünü görecek şekilde kızın karşısına oturdu. "Ne kadar 'hayatta' kalacağın ne kadar iyi dinlediğine bağlı," dedi.

Örümcek sol elinde bir fotoğraf destesi tutuyordu.

Acırmış gibi, "Zavallı Şeker. Yalanlar dünyasında yaşadığını biliyorum," dedi. "Ama merak etme, ben seni kandırmayacağım. Bence ikili ilişkiler dürüstlük üzerine kurulmalı ve şimdi, ilişkimizin başında sana söz veriyorum, ben sana karşı hep dürüst olacağım."

Bir an durduktan sonra, Lu'nun terli kaşlarına yapışmış ve gözlerine gelen siyah saçlarını şefkatle geriye attı. "Sana bazı fotoğraflar göstereceğim, aile fotoğrafları," dedi. "Bu şekilde sana söyleyeceğim her şeyin doğru olduğunu anlayacaksın. Bu hoşuna gider mi? Fotoğraflarımı görmek ister misin?"

Lu delirmeye başladığını düşündü. Çırılçıplak bir halde bağlanmıştı ve sapık herifin biri ona aile fotoğraflarını göstermek istiyordu. Bu adamlar her gün biraz daha tuhaflaşıyordu.

Fotoğrafları arka tarafını çevirerek Lu'nun göğsüne seren Örümcek, alaycı bir sesle, "Oo, çok üzgünüm," dedi. "Boynundaki ipi gevşetmeliydim; çok kötü canını yakıyor olmalı."

Lu, onun iple oynadığını duydu ve boynundaki gerginliğin azaldığını hissetti. Ah, işte bu iyi gelmişti. Hayattaki en güzel şeylerden birinin, boynunun etrafında bir iple boğulmamak olduğunu hiç fark etmemişti.

Örümcek, "Daha iyi mi?" diye sordu.

Lu güçlükle başını salladı.

Fotoğrafları dümdüz yatan bedenin üzerinde tutarken, adeta elinde oyun kâğıtları varmış gibi onları bir tür sıraya dizmişti. "Sana göstereceğim fotoğraflar, senin şimdiki durumuna düşmüş olan diğer kadınlara ait. Eğer gazetelerde okuduysan içlerinden bir ikisini hatırlayabilirsin."

Ona doğru biraz eğildi. "Gazete okur musun Şeker? Elbette okuyormuş gibi bir halin yok. Belki en fazla çizgi romanlar, ama hepsi o kadar."

Örümcek

Lu, onun küstah suratına tükürdüğünü, geveze bir *savok* olduğu için hayalarını tekmelediğini ve güzel Rus poposunu kıvırtarak giderken onu da kaldırımda acılar içinde kıvranırken bıraktığını hayal etti.

Fotoğrafları karıştırıp, içlerinden birini Lu'nun yüzünün önünde tutan Örümcek, "Haydi şimdi 'Öncesi Sonrası' oynunu oynayalım," dedi. "Bu 'Öncesi.'"

Lu gözlerini güneş gözlüğü takmış olan kızıl saçlı kıza sabitledi; üstünde çiçek desenli uçuşan bir elbiseyle bantlı sandaletler vardı. Bir alışveriş merkezinde çekilmişti; kız cep telefonuyla konuşuyor ve arka plandaki insanlar üst kata çıkan asansöre biniyorlardı.

Bunu kızın başka bir fotoğrafıyla değiştiren Örümcek, "Ve 'Sonrası'," dedi.

Bu kez kadın çıplaktı ve ölmüştü. Elleri göğsünün üstünde çaprazlama kavuşmuş bir halde sırtüstü yatıyordu ve saçı bembeyaz teniyle tezat oluşturacak şekilde fazlasıyla kızıl görünüyordu.

Lu başka bir şey daha fark etti.

Kız, onun bağlandığı masaya benzer bir masanın üstünde yatıyordu. Hatta belki de aynı masanın!

Örümcek fotoğrafları geri çekip, gülümsedi. "Endişelenme Şeker. Ne düşündüğünü biliyorum ama yanılıyorsun, ah çok yanılıyorsun. Sana cinsel anlamda bir şey yapacağım için çıplak değilsin. Bir ara yakınlaşabiliriz. Ama şimdi değil. Bu hayatta değil."

Lu Zagalsky'nin beyni kelimeleri algılamıyordu. *Şimdi değil,* ne demek istemişti? *Bu hayatta değil.* Pek çok sapığın heyecanla bahsettiği pek çok saçmalık duymuştu. Üstüme işe, bana kauçuk kıyafet giydir, beni köpek gibi dolaştır... ama hiç böyle bir şey duymamıştı. Böyle bir halt hiç olmamıştı.

Örümcek onun arkasına geldi. Parmaklarıyla, Lu'nun işkence masasının ucundan aşağı sarkan saçlarını taradı. Bu, ona küçük bir çocukken, kuaförde başını arkaya vermiş annesinin saçlarının yıkanmasını beklediği günü hatırlattı. Garip bir adam durmadan kahkahalar atarak annesinin saçlarını hararetli bir şekilde köpürterek yıkarken, yere düşen sihirli baloncuklarla oynamayı çok istemişti. Ama o garip adam bunu yapmasına izin vermemiş, biraz annesini rahat bırakarak oturmasını söyleyip onu uzaklaştırmıştı.

Örümcek tıpkı adamın annesine yaptığı gibi parmak uçlarını Lu'nun saçlarında gezdirdikten sonra köpükleri silmek için avucunu kadının yüzünde ve alnında gezdirdi. "Güzel saçların var Şeker, ama daha iyi bakmalısın. Bu kadar çok sprey kullanma bence, bir de daha kaliteli bir model kestir, eminim arada bir kendini şımartmaya yetecek paran vardır." Nazikçe şakaklarıyla alnına masaj yaptı ve sonra sandalyesine geri döndü, böylece otururken yine yüzünü görüyordu. Aklından karanlık düşünceler geçiyordu. Öldükten sonra onun vücudunu nasıl keşfedeceğine dair düşünceler... Kendini onun ağzının serinliğinde nasıl rahatlatacağını ve tüm enerjisi içine akarken kızın gevşek vücudunu nasıl tutacağını düşündü.

Bir kez daha yüzüne dokundu. "Çiçekleri sever misin?" diye sordu.

Ne halt diyor be? Çiçekleri seviyormuş muyum?

Başını eğip yine ona bakıyor, azgın bakışlarıyla onu delip geçiyor ve o deli sesiyle akıl almaz laflar ediyordu.

"Sen hiç örümcek zambakları gördün mü?" diye devam etti. "O kadar güzeller ki, o kadar beyaz, o kadar narin."

Lu, Bay Deli'nin bahsettiği örümcek zambakları bir yana, hayatında normal zambak bile görmemişti.

"Bir gün tüm vücudunun üstüne onlardan sereceğim. Seni onlarla örteceğim. Ve başkaları seni unuttuğunda ben sana hep örümcek zambaklarından getireceğim."

Örümcek dönüp, ondan uzaklaştı. İçindeki arzunun yükseldiğini, tahrik olduğunu ve heyecanlandığını hissediyordu.

Onu şimdi istiyordu.

Örümcek

Ona sahip olmanın büyüsünü hissetmek istiyordu.

Onun efendisi olmak...

Onu tüketmek...

Onu öldürmek...

Ama Örümcek şehvetin kendisine hâkim olmasına, içindeki ateşin tüm planlarını mahvetmesine izin vermeyecekti.

Arzusuna teslim olmayacaktı.

Bunu yapmamayı öğrenmişti.

Örümcek, damarlarında dolaşan adrenalinini ve gözü dönmüş bir anında kendini kontrol etmeyi öğrenmişti.

Lu Zagalsky soğuk terler döküyordu. Boynundaki ipten kurtulduğu için ilk defa başını çevirip, arkası dönük hasta *mudak*'ın odanın köşesinde ne yaptığını görmeye çalıştı. Gördüğü şey, içinde yeniden bir panik dalgasının kabarmasına neden oldu. Birden, hiç faydası olmamasına karşın tekmelemeye ve bileklerini tutan ipleri çekiştirmeye başladı.

Siyah plastikle kaplanan sadece tavan değildi. Odanın her bir santimi, tüm duvarlar ve hatta yer bile kaplanmıştı.

Adeta dev bir ceset torbasının içindeydi.

Ve torbanın fermuvarı çekilmek üzereydi.

22

Floransa, Toskana

Jack, Massimo Albonetti'nin dosyasının üstünde çalışmaya başlamadan önce kondüktörün biletini kontrol edip, vagondan çıkmasını bekledi. Belgelere şöyle bir göz atmak sinirlerini germeye yetmişti.

İki kalın belge vardı. Bunlardan ilki İtalyancaydı ve diğerinin de bunun İngilizce kopyası olduğunu tahmin ediyordu. Hemen İtalyanca olanı bir kenara bırakıp, İngilizce olana yoğunlaştı. Belge, Massimo tarafından kaleme alınmış olabilecek iyi yazılmış bir özetle başlıyordu. Orsetta'nın ona anlattıklarının özetiydi, İtalyan polisi halka yönelik ciddi bir tehlike oluşturduğuna inandığı seri bir katili arıyordu.

Jack belgenin üst tarafına bakınca, haziranın son haftasının tarihini taşıdığını gördü; bu kesinlikle devam eden bir davaydı. Tekrar İtalyanca kopyayı eline alıp ikisini karşılaştırdı ve İtalya başbakanının özel ofisine gönderilen gizli bir notun tercümesi olduğunu fark etti. Jack bu ilk sayfadan, rapordaki bilgiyi görme ayrıcalığına sahip az sayıdaki insandan biri olduğunu anladı.

Kurbanın bir fotoğrafı sayfaya iliştirilmişti. Yirmili yaşlarının başında, koyu kahve uzun saçları ve daha da koyu gözleri olan güzel bir genç kızdı.

Pahalı olmayan, yuvarlak gözlükler takıyordu, ama ona yakışmıştı. Metinde ismi Cristina Barbuggiani olarak geçiyordu, kendi halinde yaşayan yirmi altı yaşında Livorno'lu bir kütüphaneciydi; zeki, sessiz ve muhafazakâr biri olarak tanımlanmıştı. Yaşı BRK'nın kurban profiline uyuyordu. Cristina tarih mezunuydu ve Roma harabelerinin arkeolojik kazısına yardım etmek için boş vakitlerinin büyük kısmını Floransa yakınlarındaki Montelupo Fiorentino'da geçiriyordu. Bölgede çiftlikler, villalar, hatta şarap ve zeytinyağı üretilen fabrikalar gün ışığına çıkarılmıştı.

Jack seri katillerin neden hiç hak etmeyen kurbanları seçtiklerini merak etti. Neden uluslararası uyuşturucu kaçakçıları, pedofili eğilimi olanlar veya tecavüzcüler asla kurban olmuyorlardı?

Raporun en başındaki özette, bu cinayetin Orsetta'nın da anlattığı gibi, BRK ile olan benzerliğinden söz ediliyordu. Cristina'nın cesedinin parçaları batı sahil şeridinde, kilometrelerce bir alana yayılmış halde bulunmuştu. Her bir parça, ki anlaşıldığı kadarıyla toplam on üç parça vardı, siyah plastik torbalara sarılmış ve ağırlık eklenerek suya atılmıştı. Bu da BRK'nın imha etme yöntemine uyuyordu. Okumaya devam eden Jack, bulundukları yere bakılacak olursa, parçaların bir sahilden -kumsaldan, tepeden ya da yakınlardaki kayalıklardan- atıldığı sonucuna vardı. Tekne kullanılmamıştı. Kurbanın ayakları, incik kemiği, kalçaları, gövdesi, omuzlarından ve dirseklerinden kesilmiş kolları farklı yerlerde bulunmuştu. Jack sayfayı çevirince, ciğerlerindeki havanın donduğunu hissetti. Cesedin tüm parçaları bulunmuş, torbalanmış, etiketlenmiş ve otopsi referans numarası verilmişti. Sol el hariç, hepsi. Jack bunun anlamını hemen fark etti. Meslek hayatı boyunca, böylesi bir hatırayı saklayan tek bir suçluyla karşılaşmıştı: Black River Katili. Dört yıl sonra sessizlik sona ermiş, BRK geri dönmüştü.

23

Marine Park, Brooklyn, New York

Lu'nun ağzındaki tıkacı ve bağları kontrol eden Örümcek, bodrumun kapısını kilitleyip, dinlenmek için yukarı çıktı.

Yatak odasından içeri girerken, başını kaldırıp tavanı kaplayan aynalara baktı. Özel yapım yatağında yatarken kendini seyredebilmek için aynalar oraya takılmıştı. Aynaların, onun "Cennete Açılan Penceresi" olduğunu düşünüyordu.

Ceplerindekileri komodinin üstüne boşaltıp, sedef kapaklı cep telefonunu açtı ve mönüde gezinmeye başladı. "Fotoğraf arşivi" bölümünden "görüntüle" seçeneğine bastı ve telefonun iki megapiksel kamerasıyla çekilmiş dijital fotoğraflara baktı. İki gece boyunca, küçük Odessa'da dolaşan arabaların yanında salınarak, Brooklyn Beach'te iş tutan Lu Zagalsky'nin fotoğraflarını gizlice çekmişti. Müşteriden müşteriye geçip, onları boş testisler ve boş cüzdanlarla bırakırken, Lu'nun her bir hareketini öğrenmek ve fotoğraflamak zorundaydı. O da tipik bir kadındı: paranı alıp seni terk edenlerden. Aradaki tek fark, bu kızın bu işi yirmi yıl yerine yirmi dakikada yapmasıydı. Ama sonuç aynıydı, sonunda hepsi terk ediyordu.

Ama senin dünyanda öyle olmuyor, değil mi Örümcek? Örümcek'in dünyasından kimse ayrılamaz. Onlara ne söylüyorsun? Senin bu ölümlü bedenin yok olduğunda bile benim içimde yaşayacaksın; hâlâ benim bir parçam olacaksın. Ruhun ve ruhum sonsuza dek birlikte yaşayacak.

Örümcek küçük dijital fotoğrafa bakarken, tüm diğerleri gibi bu kızdaki bir şeyin de, ona nasıl olup da annesini hatırlattığını düşündü. Saç rengi, gözlerinin biçimi ve teninin rengi neredeyse aynıydı. Ama benzerlikler burada sona eriyordu. Bu kız bir sürtük, bir fahişeydi; hatta onun için tasarladıklarını hak etmeyen biriydi. Çünkü bu sıradan bir cinayet olmayacaktı. Bu, onu önceki kurbanlardan çok daha ünlü yapacak, benzersiz bir cinayet olacaktı. Onun nasıl öleceğini, onunla işi bittiğinde soğuk ve ölü bedeninin neye benzeyeceğini düşününce Örümcek içinde sancılı bir tutku, şehvetli bir ıstırap hissetti. Kıyafetlerini çıkarıp, tuvaleti kullanmak için odanın içindeki banyoya gitti ve dişlerini fırçalayıp temizledi. Dişlerini günde iki değil üç kez fırçalıyordu. Bu alışkanlığını annesi sayesinde edinmişti. Temizlik şarttı. Bir zamanlar mutlu günlerinde, yani annesi onu terk etmeden önceki günlerinde durum böyleydi.

Hoşça kal bile demeden gitmişti.

Bir gün okuldan eve döndüğünde ona, annesinin gittiği söylenmişti. Annesi ölmüştü ama o endişelenmemeli, üzülmemeliydi çünkü annesi şimdi "Daha İyi Bir Yer"e gitmişti; meleklerle birlikte cennetteydi.

Bu nasıl olurdu? Annesi nasıl olur da o kadar iyi bir yere gider ve onu beraberinde götürmezdi?

Bunlar olduğunda daha dokuz yaşındaydı. Ve o zamanlar herkese her konuda güvenmeyecek kadar akıllıydı. Annesiyle babasına güveniyordu; ona böyle söylemişlerdi, bu dünyada güvenebileceğin, sana her zaman doğruyu söyleyecek ve her zaman sana bakacak olan kişiler onlardır.

Her zaman. Sonsuza kadar ve ondan da sonra.

Ama bunlar yalandı, öyle değil mi?

Haftalarca hastanede kalan annesini çok özlemişti. Onu her gün özlemiş ve ondan uzakta kalmaya dayanamamıştı.

"Uyuyamıyorum baba. Annem ne zaman eve dönecek? Annem ne zaman geri gelecek?"

Tüm o haftalar boyunca onu annesini ziyarete hastaneye götürmüşlerdi ve annesi ona her gün biraz daha üzgün, biraz daha zayıf ve biraz daha solgun görünmüştü. Annesinin kanser denilen bir hastalıkla savaştığını söylemişlerdi. Şu kanser denilen şey annesini yeniyor gibi görünüyordu; ama hayır, annen savaşçı biridir, iyileşecektir, sonunda iyi olacaktır demişlerdi.

Yalancılar!... Hepsi, lanet olası yalancılar!

Her yerinden borular çıkarken bile babası ona sarılmış ve korkmaması gerektiğini, annesinin tekrar iyi olması için bunların takıldığını söylemişti.

Tekrar iyi olmak! O günün gelmesini nasıl da beklemişti.

Annesi doğrulup ona sarılamayacak kadar güçsüz olduğu için, bazen sert hastane yatağına tırmanırdı. Onun yanına yatar ve yastığında ağlardı. Annesi de plaster yapıştırılmış, damarlarından borular sallanan, kemikleri çıkmış elini kaldırır, onun yüzünü okşardı. Sesi ince ve zayıftı, bahçedeyken içeri girip, yemeğini yemesini söyleyen sesine hiç benzemiyordu. Onu duymak zor olsa da, hep aynı kelimeleri söylüyordu. "Ağlama bebeğim, yakında iyileşeceğim. Sil o gözyaşlarını, annen çok yakında eve dönecek."

Ve sonra, birden gitmişti. Cennete gitmişti. Onu yanına almadan Daha İyi Bir Yer'e gitmişti.

Neredesin anne? Bekliyorum. Hâlâ bekliyorum.

Geçen zaman içinde Örümcek'in annesini kaybetmenin sarsıntısını atlatmış olması gerekirdi, ama kader bazen acımasız olabilir ve bazen bu acımasızlık hayat boyu sürecek ağır sonuçlara sebep olur. Annesinin ölümünden yalnızca haftalar sonra, Örümcek'in bu hassas matem döneminde tek sığındığı liman babasıydı. Kırmızılı mavili ışıklarını seyretmek isteyen mahalleli çocukların asılsız bir 911 ihbarından dönen devriye arabasının çarpıp babasını öldürmesiyle tüm dünyası yıkılmıştı.

Örümcek'in çam ağacından yatağı, çocukluğundaki gibi yüksek kenarlıydı. Ölen babasının aletlerini kullanarak yatağını kendisi yapmıştı. Yalnız bu tabut şeklindeydi. Yatağın alt kısmında mekândan kazandıran, derin bir çekmece vardı. Örümcek bunun içinde ailesine ait fotoğrafları, babasının ölümünden bahseden gazete kupürlerini ve kurbanlarına ait kıymetli hatıraları saklıyordu. Etlerinden ve kaslarından sıyrılmış parmaklar; kaynatılmış, ovalanmıştı ve pırıl pırıl kemikli eklemleri bir dizi yemek çubuğu gibi sıralanmıştı. Onların ellerini saklamak gibi bir arzusu hiç olmamıştı. Elleri sadece istediği parmağa daha çabuk ve daha kolay ulaşmak için kesmişti, yüzük parmağına. Bunu yaparken kıymetli ödülüne zarar vermemek için çok dikkatli davranıyordu. Çekmecenin arkasında ucuz veya pahalı evlilik ve nişan yüzükleri bir mendile sarılmış duruyordu.

Örümcek yatağın kırmızı örtüsünün üstünde çıplak bir halde oturuyor ve boynuna taktığı altın zincirle alışkanlıktan oynuyordu. Zincire annesinin nişan ve evlilik üzükleri takılıydı. Yüzükleri dudağına götürüp öptü. Bir süre annesini düşündükten sonra yüzükleri bıraktı. Yatağın yan tarafından plastik bir kutu alıp, kapağını açtı ve sallayarak içindekileri avucuna döktü. Her tarafı bembeyaz oluncaya dek, talk pudrasını yavaşça tüm vücuduna sürdü.

Ölü kadar beyaz...

Annesinin Ebedi İstirahat Şapeli'ndeki yüzü kadar beyaz...

Örümcek yatağa uzanıp Cennete Açılan Penceresi'ne baktı. Diğer tarafta, Daha İyi Bir Yer'den ona sarılmak için ölü beyaz kollarını uzatan annesini gördüğüne emindi.

24

West Village, SoHo, New York

Howie Baumguard'ın uyuyamamasının iki sebebi vardı: biri yemek, diğeri cinayet. Şu anda tabağının bunlardan biriyle fazlasıyla dolu, diğerininse yok denecek kadar az olduğunu düşünüyordu. Üst kısmı çıplaktı ve belinden iple bağlanan mavi pijamasının üstünden guruldayan midesi sarkıyordu. Ailenin diğer fertlerini uyandırmamak için parmak uçlarına basarak aşağıya indi. Bir müddet Tony Soprano'ya benzediği konusunda kendini kandırmayı başarmıştı. Belki üst tarafı fazlasıyla ince, orta kısmı da fazlasıyla kalındı ama yine de zorlayınca olacaktı. İyi bir tıraş, biraz koku ve gösterişli bir gömlekle kendini harika hissediyordu. Ta ki çiroz karısı ona, iri olduğu halde çok seksi bulduğunu itiraf ettiği James Gandolfini'ye değil de, *Hayalet Avcıları*'ndaki canavar Doughboy'a benzediğini söyleyene kadar. Bir önceki akşam eve geldiğinde akşam yemeği olarak karidesli salatayla az yağlı süt bulmuştu. Bu hayatta eğlenceli bir şey kalmamış mıydı acaba? Aman, karımın canı cehenneme, kalorilerin canı cehenneme, şimdi atıştırma zamanı.

Çift kapılı dolabı açarken kendi kendine, "Dikkat et buzdolabı, Howie geliyor," dedi. Buzdolabının içindeki ışık yanınca yüzü de aydınlandı.

Örümcek

Folyoya sarılı tavukla, bir kavanoz kızılcık reçelini kaptığı gibi mutfak masasının üstüne koydu. Kapağı yukarı doğru açılan paslanmaz çelik ekmek kutusunda daha büyük bir hazine vardı; muhteşem beyaz ekmek dilimleri ve reçelli çörek (küçük Howie dörtlü paketin içinden üçünü yemişti bile).

Howie fazladan bir kutu bira açtı ve mutfağın serinliğine yerleşmeden önce büyük bir yudum aldı. Tavuğun bir bacağını koparıp, lezzetli beyaz eti kemirdi. Kalbiniz için zararlı tuzu da üstüne serpince yemek muhteşemden harikuladeye dönüşmüştü. Howie rahatlamak için yediğini biliyordu ve işe yarıyordu da. Biradan bir büyük yudum daha alınca, kendini uykusuz geçen son iki saatten çok daha iyi hissetti. Bir yandan açlığını hissedip bir yandan açacağı telefon için endişelenirken, yan tarafa doğru eğildi.

Howie, siyah granit mutfak tezgâhının üstündeki şarj cihazına takılı cep telefonunu fişten çıkardı ve Jack King'in hızlı arama tuşuna bastı. Bağlanması bir asır sürdü. Sonunda İtalyan bir zil sesi duyuldu ve bir kadın cevap verdi.

"*Buon giorno,* merhaba, La Casa Strada. Ben Maria, size nasıl yardımcı olabilirim?"

Howie bir anda böylesine seksi ses tonu olan bir kızın kendisine yardımcı olabileceği birkaç yol düşündü, ki bu yolların her biri boşanmasına neden olurdu, bu yüzden aramasının asıl sebebini söyledi. "Merhaba, ben Amerika'dan arıyorum ve Jack King'le görüşmek istiyorum, beni ona bağlayabilir misiniz?"

Howie kendini kötü hissetti çünkü Jack, Toskana'da güzel bir sabah yaşıyor olmalıydı, ama şimdi eski dostu olarak bunu berbat etmek üzereydi.

"Üzgünüm *Signore* King şu an burada değil. *Signora* King ile görüşmek ister misiniz?"

Seçim yapabilecek olsaydı, zehir zemberek konuşan Nancy'den azar işiteceğine kendi gözlerini oymayı tercih ederdi.

"Evet, lütfer bağlayın," deyip beklerken biraz ürkmüştü. Geçmişte Nancy, onu birkaç kez haşlamıştı. İşin doğrusu şuydu ki, Howie ile

Nancy'nin yıldızı hiç barışmamıştı. İlk başlarda onun Jack ile birlikte çok vakit geçirmesine içerlemiş olmalıydı. Sonlara doğru ise, bunu hiç dile getirmemiş olsa da, Jack'in yaşadığı ruhsal bunalım için Nancy'nin onu suçladığını biliyordu.

Nancy biraz şüpheli bir sesle, "Merhaba Howie," dedi. "Bu saatte aramanın sebebi ne?"

İşte böyle sorular onu güç durumda bırakıyordu. Ne diyebilirdi ki? Şey Nancy, birisi kocana postayla yirmi yaşında bir kurbanının başını kesip yollamış, ben de gelip ne zaman alabilir diye merak ediyordum. Hayır, böyle olmayacaktı.

Howie sözcüklerini seçerek konuştu. "Selam Nancy, yataktan kalkıp buzdolabına saldırmıştım, ama birden Jack'le konuşmam gerektiğini anladım, bir şey hakkında görüşecektim."

Nancy, New Jersey sustalı bıçağından bile hızlı davranıp, "Hangi konuda?" diye sordu.

"Eski bir dava. Bazı yeni kanıtlar bulundu. Ona ne zaman ulaşabilirim, fikrin var mı?"

Nancy kandırıldığını anlardı. Şu İtalyan kadın müfettiş neden kocasıyla görüşmesi gerektiğini söylemediği zaman da anlamıştı. Ayrıca bağlantısı olsun olmasın Jack'in dostluğuna başvurmasına gerek olmadığını çok iyi biliyordu.

"Howie bu bize zararı dokunabilecek bir şey mi? Jack hâlâ iyileşme sürecinde, anlarsın işte, fazladan sıkıntıya pek ihtiyacımız yok." Boynunu kaşıdığını fark etti, kendini baskı altında hissettiğinde bunu yapmayı huy edinmişti. "Bana dürüstçe söyler misin, bu onu başa mı döndürecek?"

Ona cevap vermeden önce Howie kutuda kalan birayı bitirdi. "Gerçek şu ki Nancy, BRK dosyalarını yeniden açacağız ve büyük ihtimalle basın Jack'le ilgili eski mevzuları ortaya dökecek."

"Aman Tanrım!"

"Gerçekten üzgünüm," diyen Howie telefon hattının diğer ucunda onun derin derin nefes aldığını duyabiliyordu. "İyi misin?"

Yüksek sesle nefes verdi. "Hayır değilim Howie. Gerçekten de hiç iyi değilim."

Birayla tavuğun yarattığı o güzel duygu şimdi kaybolmuştu. Bu konuda kendini kötü hissetmemesi için çatlayana kadar yemesi gerektiğini biliyordu. "Nancy, en azından ilk önce Jack'le konuşmamın en iyisi olduğunu kabul eder misin? Haberleri televizyonda veya gazetelerde görmeden önce ona bilgi vermem daha iyi olur."

"Howie, bilemiyorum. Şu anda doğru düzgün düşünemiyorum bile. Jack, Floransa'da, döndüğü zaman seni aramasını söyleyeceğim."

Howie tavuk tabağını iteleyerek, "Teşekkürler," dedi.

Sesi acıyla çınlayan Nancy, "Önemli değil," dedi. "Bu arada Carrie haklıymış; sen, FBI'ı, senin için önemli olması gereken her şeyden daha fazla düşünen şişman bencil bir domuzsun."

Howie düzgün bir cevap bile veremeden telefon yüzüne kapanmıştı. Saat henüz sabahın dördüydü ama şimdi yapılacak tek bir şey vardı, o da bir kutu bira daha açmaktı.

25

Floransa - Siena, Toskana

Jack dava dosyasını iki kez okudu. Sonra el yazısı mektubu aldı ve Massimo Albonetti'nin cep telefonu numarasını çevirmeye başladı. Tren Siena'ya doğru tangır tungur ilerlerken Floransa gerilerde kalıyordu. Güçlü bir İtalyan erkek sesi, opera eğitimi almış bir baritonun ağzından çıkmış kadar vurgulu bir "r" sesi çıkartarak *"Pronto,"* dedi.

"Massimo, benim Jack... Jack King."

Massimo, "Aa Jack," diye cevap verirken, eski arkadaşından yardım istemekle canını fazla sıkmamış olmayı diliyordu. "Dostum nasılsın?"

Jack, "İyiyim, Mass," derken "yaşlı keçiyi" masasının başında, yanında muhakkak bir fincan espresso ve diğer yanında kül tablasında tüten bir sigarayla hayal etti. "Eminim genç müfettişin sana rapor vermiştir."

Massimo boğazını temizleyerek, kibarca öksürürken eliyle ağzını kapattı. "Lütfen kusuruma bakma. Orada olup bunu senden şahsen isteyemediğim için çok üzgünüm. Jack dosyayı gördün, neden bu kadar acil bakmanı istediğimi anlamışsındır."

"Evet anlıyorum Mass, gücenmedim, biz bunlara alınmayacak kadar eski dostuz." Jack o an birlikte geçirdikleri uzun gecelerden birini hatırladı.

Örümcek

İtalyan kırmızı şaraplarıyla başlar Amerikan burbonuyla bitirirlerdi. "Sanırım ben de aynını yapardım."

Massimo, onun trende olduğunu duyabiliyordu. Jack bir kez daha arkasını dönmek zorunda kalacağı ailesinin yanına gidiyordu. "Jack bu davayı sensiz çözebileceğimize inansaydım asla senden bunu istemezdim. Bu adamı, bu katili senden daha iyi tanıyan kimse yok."

Jack kaşlarını çattı. Soruşturmaya katılmanın kendisine neye mal olabileceğini düşünürken abartmıyordu. "Zor bir iş Massimo. Bu pisliği avlamaya çalışırken sahip olduğum her şeyi kaybediyordum."

Massimo bu sözler üzerine kendini berbat hissetmişti. *"Si.* Bunu biliyorum dostum. Bir polis olmasaydım sana bir daha bulaşmamanı söylerdim. Bir dostun olarak uzak durmanı, sadece kendini ve aileni düşünmeni söylerdim. Ama ben bir polisim Jack, sen de öylesin. Ve sadece senin bir fark yaratabileceğini biliyorum. Senin neler yapabileceğini biliyorum Jack ve yardım edersen bu adamı yakalama şansımız olacak."

Önünde uzanan yeşil kırlar güneş ışığında parlıyordu. Jack ağaçların çizdiği ufuk çizgisine baktı. BRK sahiden de oraya gelmiş miydi? Deliliğini başka bir kıtaya taşıyarak bu harika topraklara kan ve vahşet mi getirmişti?

"Barbuggiani davasında, kritik ayrıntılar hakkında bir hata olabilir mi?"

Massimo hiç tereddüt etmeden, "Hayır," dedi. "Hata yok," diye ekledi espressosunu içerken. "Sen bulunamayan ellerden bahsediyorsun, değil mi Jack?"

Zihninden onlarca sahne geçti; kadın yüzleri, beyaz morg çarşafları üzerindeki ceset parçaları, katilin elini kendine ödül olarak aldığı genç bir kıza ait bir kol; ama daima sol el, nikâh yüzüğü parmağının olduğu el.

Massimo sigarasının dumanını içine çekti. Jack'le yüz yüze olmayı, önlerinde şöyle kuvvetli birer içki durmasını, Jack'in girdiğine emin olduğu şoku giderecek bir şey, onlara eski günleri hatırlatacak bir şeyler olmasını çok istiyordu. Dumanı üfledi ve sözlerinin fazla sert çıkmamasına gayret ederek konuşmasını sürdürdü. "Jack hata yok. Bu adam, tıpkı senin diğer davandaki gibi eli aldı."

"Nereden?" Sesi profesyonel konuşan bir polis gibi çıkmıştı. "Bu notlarda tam olarak nereden kestiği belirtilmemiş."

"Bileğe yakın kesilmiş." Massimo dilinden bir tütün parçasını aldı. "Bilek kemiği, dirsek kemiği ve önkol kemikleri arasında diyagonal bir kesik açmış."

Jack terlemeye başlamıştı. Aklına hücum eden hatıralar bu kez kurbanlara değil, katile aitti. Adamın yapacağı işe titizlikle hazırlanırken yavaşça ve dikkatle hareket ettiğini görebiliyordu. Canavarın, kurbanının kolunu istediği pozisyona getirdiğini hayalinde canlandırabiliyordu. Peki kadın o sırada canlı mıydı? İlk kurbanlarda rastlanan kesikler kaba ve fazlasıyla acemiceydi; kemiğin üstünde keski, testere izleri, çentikler ve oyuklar vardı. Ganimetini koparıp almak için çekiç kullandığına dair izlere rastlamışlardı. Ama bu kısa bir süre sonra tarih oldu; BRK iş için gerekli aletleri hemen tedarik etmiş, en iyi kesebileceği yerleri araştırıp öğrenmişti.

Massimo, Jack'in düşüncelerini bölerek, "Orada mısın Jack?" diye sordu. "Seni duyamıyorum."

Jack, "Hattandır," dedi. "Söylesene Mass, bu adam ganimetini kesip alırken hangi aleti kullanmış?" Jack kendini cevaba hazırladı.

Massimo, "Bir tür testere. Çentiklerden anlaşıldığı kadarıyla kemik kesmek için tasarlanmış özel bir testere, otopsi testeresi veya kasap testeresi olabilir," dedi.

Jack, "Kahretsin!" dedi. "Testerenin dişleri temiz miydi, yoksa aralarında kırık var mı?"

Massimo, "Temiz değil," diye doğruladı. "Eski bir testereydi. Daha önce kullanılmış. Adli tıptakiler iki kırık dişi olan 35-40 santimlik bir testere olduğunu düşünüyorlar."

"35-40 santim, ne yapıyor bu, 15-16 inç mi?"

Massimo ölçü dönüşümünü teyit etti. "Evet, o kadar."

Jack, "Dur tahmin edeyim," dedi. "İlk kırıklar üçlü gruplar halinde. Yaklaşık 7 inç boyunca dişlerde hiç hasar yok, bu da kabaca 17 santim eder, sonra sola doğru eğimli bir kırık diş daha var."

Massimo, "Bunu söylemek güç," dedi. "Kırık dişlere dair deliller var. Jack, korkarım aynı adam. Buna hiç şüphe yok."

Jack konuşamıyordu. Şimdi iyice anlamaya başlamıştı. Daha yirmi dört saat önce Floransa'ya, Nancy'nin "son vermek" dediği şeyi yapmak için gelmişti. Ama şimdi her şey yeniden başlıyordu. Hem de iyileşmeyi reddeden enfeksiyon kapmış bir yara gibi.

Massimo sabırla bekliyordu. Hattın diğer ucundan sessizliği ve geçen treninin sesini duyabiliyordu. Arkadaşının duyduklarını kabul etmeye çalıştığını biliyordu.

Jack kararlı bir sesle, "Tamam, varım," dedi. "Size yardım edeceğim. Başka seçenek sahiden de yok. Buna bir daha bakmalıyım. San Quirico'ya vardığımda seni daha iyi bir hattan ararım, lojistiği oradan çalışırız."

Massimo nazikçe, "*Va bene. Molte bene grazie,*"[*] dedi. Başka bir şey daha ekleyecekti ama telefon kapandı; Jack konuşmayı çoktan bitirmişti.

Massimo bir eliyle telefonunun ahizesini tutup diğer eliyle ahizeye birkaç kez vurduktan sonra yerine koydu. Hâlâ Jack'e, Cristina Barbuggiani'nin cinayetiyle ilgili söylemediği bir şeyler vardı; sadece onunla yüz yüze görüştüğü zaman söyleyebileceği rahatsız edici gerçekler.

(*) Çok iyi. Çok teşekkürler.

26

West Village, SoHo, New York

Howie çalışma odasındaki pencerenin yanında duran masasına yerleşirken, şafağın ilk fırça darbeleri New York semasını boyamaya başlamıştı. Bazen, ofise adımını atar atmaz başlayan keşmekeşten uzakta, sabahın erken saatlerinde daha iyi çalışıyordu.

Virginia'daki kodamanlar ondan BRK dosyasını yeniden açmasını resmen istemişlerdi, soruşturmayı sağlamlaştırmaya başlamak için günün her saniyesine ihtiyacı vardı. Georgetown'daki polislerle birlikte çalışmak için ona küçük bir ekip kurma görevini vermişlerdi (bütçeyi aşmayacak şekilde). Böylece delilleri yeniden inceleyip, Sarah Kearney'nin mezarının açılmasının yeni bir durum yaratıp yaratmadığını görebileceklerdi.

Howie ofisten eve taşıdığı eski evrak yığınını gözden geçirmeye hazırlanırken, bir fincan sade kahve içiyordu. FBI'ın iki önemli seri katil bilgisayar programı olan PROFILER[*] ve VICAP'ın[**] hazırladığı istatistiksel ve psikolojik profilleri incelemeye başladı. BRK milyarlarca veri demekti, çalışmanın derinliği işini kolaylaştırmıyor, aksine zorlaştırıyordu. Günün

(*) Profilci.
(**) Şiddet Cinayetlerini Anlama Programı.

114

Örümcek

hangi saatinde olursa olsun istatistikleri okumak korkunç bir şeydi ama kahvaltıdan önce dayanılmazdı. Yirmi yıla ve kırk şehre yayılmış otuz binden fazla tanık ifadesi, seksen binden fazla araç kontrol girdisi, iki binden fazla suçlu dosyası... Howie yaşama isteğinin azaldığını hissetti. Parmak izi dosyaları bile tek başına insanı gözyaşlarına boğmaya yeterdi. IAFIS, FBI'ın otomatik parmak izi tanımlama sistemi, suçlu dosyasındaki kırk milyondan fazla örnekle karşılaştırarak veri tabanından yedi binden fazla parmak izi örneği geçirmiş ve on binden fazla gizli parmak izi raporu çıkarmıştı. Bundan da önemlisi, bu parmak izlerinden DNA örneği almak için bilimin en son buluşlarından faydalanılmıştı. Büro'nun birleştirilmiş DNA veri tabanı dizinindeki araştırmacılar veritabanlarını incelemişlerdi ama çıkardıkları genetik profiller herhangi bir suçluyla eşleşmemişti. Eskiden bilimin önemli delilleri toplayacak kadar gelişmemiş olması sorun yaratırdı, şimdiyse tam tersi bir güçlük yaşanıyordu. Çok fazla delil vardı; hangisinin kurbana, hangisinin saldırgana ve hangisinin masum insanlara ait olduğunu bulmak fazlasıyla yorucuydu. Öyleyse teknoloji ve bilim, onları suçluyu bulmaya ne kadar yaklaştırıyordu?

Bir santim bile fark etmemişti.

Evet parmak izleri, genetik profiller, istatistiksel profiller, şüpheli araç tanımlamaları ve benzeri ipuçları vardı. Ama onları asıl şüpheliye götüren hiçbir şey yoktu. Ve ellerinde bir şüpheli yoksa, aslında hiçbir şey yok demekti. Eğer zanlı hüküm giymiş biriyse verilerin çok faydası oluyordu, ama eğer daha önce hiç kayıtlara geçmemişse, bu ipuçlarının beş kuruşluk değeri yoktu.

Howie bunları aklının bir köşesinde tutarak, temel öğelere bakmaya karar verdi. Elindekilere kuşbakışı bakmaya, bilgi ormanından uzak durmaya ve tüm dikkatini hepsinin merkezine, fırtınanın devirdiği meşeler gibi duran büyük siyah ağaçlara vermeye kararlıydı. Bunu yapmak için de en başından başlaması gerektiğini, delillere ilk defa görüyormuş gibi bakması gerektiğini biliyordu.

Michael Morley

Bazı şeyler çok netti. Katilin kayıtlara giren ilk cinayetiyle sonuncusu arasındaki yirmi yıl onun şu an en az orta yaşlarda olduğunu gösteriyordu. Daha da ilginç olanı, bu süre katilin cinsel açıdan en aktif olduğu yıllarda öldürdüğünü ve öldürmeye devam ettiğini gösteriyordu. Bu da cinsel güdülerin harekete geçirdiği bir katilden çok daha fazlası olduğunun ve asla durmayacağının işaretini veriyordu. Cinayetler sadece yakalandığında ya da öldüğünde sona erecekti.

Cinayet kurbanlarının hepsi beyaz kadınlardı ve istatistiklere göre bu onun da beyaz olduğunu gösteriyordu. Cesetlerin yayıldığı alan çok genişti ve basına söylenenden çok daha fazla bölgeyi kapsıyordu. BRK, Güney Carolina'daki Black River civarında işlediği cinayetlerden ötürü bu ismi almıştı ama gerçek şuydu ki, bu adam tüm Atlantik kıyı şeridinde cinayet işliyordu. Jacksonville, Swan Quarter, Hertford, hatta Hampton'dan bile ceset parçaları toplanmıştı. Kanada sınırından Miami sahillerine, hatta Meksika sınırına kadar kanıtlar ele geçirmişti. Kaçırmalar ve cinayetler o kadar geniş bir alana yayılmıştı ki, detektifler onun hiç kimseye hesap vermeden istediği zaman istediği yere gidebilen, işsiz ya da çok zengin bekâr bir erkek olduğu sonucuna varmışlardı.

Howie ana hatları ortaya çıkarmıştı:

Beyaz
Orta yaşlı
Sabıka kaydı yok
Ehliyet
İyi bir coğrafi bilgi
İşsiz/Yeterli maddi imkâna sahip
Seyahat engeli yok
Bekâr
Bakmakla yükümlü olduğu kimse yok

Örümcek

"Harika!" dedi kollarını yapmacık bir coşkuyla havaya doğru açarak. "Bu şekilde şüphelileri altmış milyon beyaz Amerikalı erkeğe indirmiş olduk."

Howie geçmişe ait işlenen suçları biliyordu ve bunları hatırlayınca kendini daha kötü hissediyordu. Amerika'da her yıl yaklaşık on yedi bin kişi öldürülüyordu, bu da tüm nüfusun yüz binde altısının cinayete kurban gitmesi demekti. Ama çoğu cinayet kolay çözülüyordu, aile içinde işlerin ters gitmesi, uyuşturucu dünyasındaki anlaşmazlıklar, çetelerin futbol maçından daha fazla seyircisi bulunan sokak çatışmaları. Çoğu cinayet, öldürdükten sonra paniğe kapılıp kaçan "amatörlerin" işi oluyordu. Kurbanı olduğu yerde bırakıp, mümkün olan en kısa sürede mümkün olduğunca uzağa kaçmaya çalışıyorlardı. Onlar BRK'ya benzemiyordu.

Bu saldırgan, Howie'nin deyimiyle "hasta beyinli kafadan çatlak pislik" cesetleri mümkün olduğunca uzun süre yanında tutmak istiyordu. Bunun pek çok nedeni olabilirdi. BRK detektiflerinin bazıları onun çok zeki olduğunu ve cesedi, kurbanının kaçırıldığı yerden uzaklaştırarak soruşturmayı iki kat zora soktuğunu bildiğini tahmin ediyorlardı. Her şeyden önce, ceset bulunmadan önce soruşturma başlamıyordu. Kayıp insan soruşturmaları polis gücünün sadece bir kısmını ilgilendiriyordu ve basının ilgisini cinayet avı kadar çekmiyordu. Cesedi, kurbanın kaçırıldığı yerden uzaklaştırınca cinayet mahalline yağmur yağıyor, insanların ayağı altında eziliyor ve üstüne köpekler işiyordu. Kısacası önemli deliller zarar görüyordu. Başka bir zorluksa yargılama alanıydı. İyi yerleştirilmiş bir ceset hem FBI'a, hem şehir polislerine, hem de şerife soruşturma başlatmak için kolları sıvatıyordu (ya da Howie'nin bildiği kadarıyla bazı durumlarda, soruşturma açmaktan kaçınıyorlardı). Ve en sonuncusu, olağanüstü sebep; eğer bir seri katil avını uzaklaştırıp onu kapalı ve kanıt teşkil edecek bir hata yapmayacağı bir ortamda öldürürse ve ardından temizliğini kendisi yaparsa, CSI[*] ekiplerinin soruşturma yapacağı bir cinayet mahalli bile olmuyordu.

(*) Cinayet Mahalli Soruşturma.

Michael Morley

Pek çok profilci, BRK'nın cesetleri bu yüzden tuttuğunu tahmin ediyordu. Ama Jack öyle düşünmüyordu. Jack genellikle herkesin düşündüğünün tam tersini düşünürdü. O çok daha basit başka sebepler olduğuna inanıyordu. Howie kahvesini bir kez daha eline alırken, eski dostunun sözleri aklına geldi: "Onları bırakmaya dayanamıyor. Onları sonsuza kadar yanında tutmak istiyor. Cesetler seni terk edemezler. Onları kendisine eşlik etmeleri için öldürüyor."

Howie acı kahveden biraz daha aldıktan sonra, yanında bir çörekle ne kadar iyi gideceğini düşündü, özellikle de çikolatalısıyla. Şu anda düşüncelerine yemek yiyerek yardımcı olabiliyordu.

Bu adamın verdiği tek gerçek ipucu, cesetlerden nasıl kurtulduğu.

Onları parçalıyor ve geniş bir bölgeye dağıtıyor.

Nehirlere, bataklıklara, koylara, suyun derin olduğu yerlere gidip ceset parçalarını atıyor.

Tüm bunlar bize ne anlatıyor?

Jack aynı soruları defalarca sormuş ve onlarca teori türetmişti. Su onu çekiyordu; balıkçıydı; nehir kenarında büyümüştü; belki de babasının nehri çöp gibi kullandığını görmüştü. Belki de bir denizciydi, iskeleleri biliyor ve bunları, cinayetlerden önce ve sonra gidip gelirken kullanıyor olabilirdi. FBI tüm bu olasılıkları kontrol etmişti, hatta içlerinden bazılarını iki kere kontrol etmişti. Belki de Jack'in basit açıklaması en başından beri doğruydu.

"Ben sana ne olduğunu söyleyeyim Howie; ateşten başka, bir cesetten kurtulmanın en iyi yolu sudur. Gezegenimizin dörtte üçü sularla kaplı, bu da cesedi saklayacak çok yer var demek. Bir cesedi gömersen, toprağın kurcalandığı her zaman etraftan görülür; insanlar geçer, hayvanlar eşeler, sen daha neler olduğunu anlayamadan birileri 911'i arar. Ama ceset parçalarına ağırlık koyup derin suya atarsan, uzun süre Davy Jones'tan[*] başkası

(*) Denizin kişileştirilmesi.

bulamaz. Sonunda bir şey su yüzeyine çıktığında etleri yenmiş tavuk budundan daha fazla sıyrılmış olur. İnan bana Howie, bu adamın suya olan bağımlılığı kendisine yardım eden bir araç olmaktan başka bir şey değil. Daha iyi bir araç bulursa, sudan hiç tereddüt etmeden vazgeçer."

Howie çıkardığı profile geri dönüp, eklemeler yaptı:

Organize
Dikkatli
Zeki
Acımasız
Titiz

Neredeyse ekmek, jambon ve taze kahve de yazacaktı; çünkü şişman bel bölgesindeki kahvaltı öncesi gurultularıyla mücadele ederken aklında bunlar vardı.

Katili hemen tanımlaması gerekse, ortalama zekâ seviyesinde, daha önce hiç sabıka kaydı olmayan, maddi açıdan bağımsız, sıradan bir araç kullanan ve muhtemelen adına kesilmiş bir trafik cezası bile bulunmayan, kırk beş yaşlarında beyaz bir erkek olduğunu söylerdi. Risk alan biri değildi; duruma göre hareket eden ve toplumda göze batmayan biriydi. Bekârdı, büyük ihtimalle hiç evlenmemişti, peki bu... bu şey mi demekti? Howie, onun cinsel kimliğini düşünürken duraksadı. Homoseksüel miydi? Bunlar güzel heteroseksüel kadınlara yapılmış homoseksüel saldırılar mıydı? Öyle olduğunu sanmıyordu. Neden öyle olsun? Howie bu düşünceyi mantık listesinden çıkarttı. Peki, heteroseksüel şehvet cinayetleri miydi? Belki. Belki de başka birinin öğrenmesini istemediği, yaptığı ahlaksızca bir şeyi saklamak için cesetleri parçalıyordu. İhtimal dahilindeydi. Ancak bunu destekleyecek gerçek bir kanıt yoktu. Cesetlerde meni bulunmamıştı, cinsel organlarına herhangi bir şey sıkıştırıldığına, sokulduğuna veya vurulduğuna dair bir işaret yoktu. Bileklerde ve incik kemiğinde muhtemelen fetişist bağlara ait bazı izler vardı, belki de mahkûmunun kaçmasını engelleyen dikkatli bir gardiyandı. Bir kez daha Jack'in yanında olup kendisine yardım etmesini diledi. Seri seks cinayetleri, dostunun uzmanlık alanıydı. Bu işte ondan daha iyisi yoktu.

"Unutma Howie, kadın ve erkeğin birincil cinsel organı jenital bölge değil, beyindir. Fanteziler pantolonda değil beyinde yaşanır. Bu ahmakların sergiledikleri davranış, beyinlerinin şiddetle arzu ettiği şeyi temsil eder."

Howie hâlâ homoseksüel mi yoksa heteroseksüel mi yazacağına karar verememişti. Bu kaçığı tahrik eden şeyin ne olduğuna karar veremiyordu. Sonra aradığı kelimeyi buldu. Zeki, acımasız ve titizin altına daha önce hiç yazmadığı bir kelimeyi yazdı:

Nekrofili

Ölüm, katilin duyduğu heyecanın sadece başlangıcıydı.

27

Siena, Toskana

Tren, Siena'ya vardığında Jack tüm cesaretini yitirmişti. İstasyon turist kaynıyordu, ancak sonra nedenini hatırlayabildi: *Palio* günüydü.

Jack ile Nancy duymuş olmalarına karşın, daha önce hiç şehrin sokaklarında yapılan at yarışı *Palio alla Tonda*'ya gitmemişlerdi. Paolo, onları gitmeleri için heveslendirmiş, sessiz ve muhafazakâr otel müdürleri Carlo ise gitmemeleri için yalvarmıştı. Carlo ile Paolo'nun farklı dünya görüşleri, İtalya'nın bu tehlikeli at yarışına olan bakış açılarıyla ortaya çıkıyordu. Bazı insanlar gelenekselliği seviyordu. At yarışının geçmişi, on yedinci yüzyılın ortalarına kadar uzanıyor ve eski Roma'nın okçuluk, savaş ve yarış gibi tarihi yansımalarını taşıyordu. Kimileriyse atların bu uğurda ciddi şekilde yaralanmasından ve bazen öldürülmek zorunda kalınmasından nefret ediyordu. Carlo, onlara birkaç yıl önce her biri bir bölgeyi temsil eden on attan birinin düştüğünü ve yarış devam ederken ayaklar altında ezilerek öldüğünü anlatmıştı. Bunu barbarca bulmuş ve ailesinin bir daha *Palio* izlemesine izin vermeyeceğine yemin etmişti.

Jack istasyonun dışından pek çok Carabinieri[*] geçerken atların ayak seslerini duyabiliyordu. Campo Meydanı'ndaki yarışların açılışında ser-

---

[*] İtalyan jandarması.

gilenecek ünlü kılıç düellosunun provalarına gidiyor olmalıydılar. Jack büyük olay yaklaşırken avuç dolusu avroyu cebe indiren kaldırımlardaki bahisçileri de görebiliyordu.

Pek çok yolun trafiğe kapatıldığı şehirde taksi bulmak her zamankinden çok daha güç ve pahalıydı. Jack sonunda, arka süspansiyondan ve açılan bir pencere gibi bazı lükslerden yoksun olduğu aşikâr eski bir Renault Megane'ın arka koltuğuna kendini attı. Sienna'nın sınırındaki mahalleleri geçerken uyuyakaldı ve taksi, San Quirico'daki La Casa Strada'nın önündeki çakıllarda gürültüyle dururken uyanıp şaşırdı.

Onlar otelin etrafından dolaşırken, küçük Zack üç tekerlekli bisikletinden inip kollarını açarak ona doğru koşmaya başladı, neşesi bir anda yerine gelmişti. "Baba, baba!"

"Merhaba ufaklık, gel buraya babaya bir öpücük ver," diyen Jack küçük oğlunu kollarına alıp kaldırdı ve pürüzsüz yanaklarından öptü. "Anneni üzmedin değil mi?" derken, terastaki masada etrafı kâğıtlarla çevrili oturan Nancy'ye doğru yürüdü.

Nancy sandalyesinden, "Selam yabancı," derken aniden çıkan rüzgârda uçmasınlar diye kâğıtları aşağı indirdi.

Jack, onu öpmek için eğilerek, "Selam tatlım," dedi. Hâlâ kolunun altında duran Zack'i futbol topu kadar rahat taşıyordu.

Ufaklık, "İndir, baba indir!" diye ısrar etti.

Ona daha yakından bakmak için gözlüklerini çıkaran Nancy, "Yolculuk nasıldı?" diye sordu.

Jack, oğlunu yere bırakıp, onun üç tekerlekli bisikletinin yanına gidişini izlerken bir sıcaklık hissetti. Karısının karşısındaki sandalyeye oturup, aldığı hediyelerin bulunduğu torbayı gizlice sandalyenin altına itti. "Siena'da *Palio* günü. Orası bir felaketti; taksi bulmak için kilometrelerce yürümek zorunda kaldım." Masanın üstündeki yuvarlak, beyaz tabaktan bir zeytin aldı. "Carlo'nun ne dediğini biliyorum ama gidip bir gün görmek istiyorum."

Nancy kararsız bir tonla, "Olabilir," dedi. Aklı başka yerdeydi. "Dava ne oldu? Kapattın mı? Her şey bitti mi? Yoksa bu kadarını ümit etmek çok mu fazla?"

Jack iç çekmeyle kahkaha arası bir ses çıkarttı. "Vay canına Nancy, beni okumak bu kadar kolay mı?"

Karısı "evet" anlamında başını salladı.

"Gerçekten ilgilenmemi istedikleri bir durum var."

Nancy kaşlarını çattı. "Şu kız, Olivetta ya da adı her neyse o mu?"

Nancy'nin hassasiyetini fark eden Jack, "Orsetta," dedi. "Hayır, o değil, Massimo."

Nancy'nin gözleri parlamıştı. "Mass'le mi konuştun? Benny ile çocukların nasıl olduğunu söyledi mi?"

Nancy ile Benny'nin Roma'da karşılaştıklarında ne kadar iyi geçindiklerini hatırlayan Jack, "Hayır bundan konuşmaya vaktimiz olmadı," dedi. Jack ile Massimo birlikte uzun saatler çalışırken, Massimo'nun karısı, Nancy'ye tüm turistik yerleri gezdirmişti. "Birazdan onu tekrar arayacağım, bir duşla kahveden sonra."

"Mutfaktakilere sana kahve göndermelerini söylerim. Yiyecek bir şey ister misin?"

"Evet, *panini* gibi bir şey yapabilirler mi?" diye sorarken, torbalarını eline alıp, gitmeye hazırlandı.

"Onlar şef hayatım; eğer istersen sana altı çeşit öğle yemeği hazırlarlar."

"Mozerella ve biraz salata harika olur." Jack sandalyesini masanın altına doğru itti. Karısının yüz ifadesini fark ettiğinde gitmek üzereydi. "Patlamak üzereymiş gibi görünüyorsun Nancy. İçini kemiren şeyin ne olduğunu bana söylemek ister misin?"

Nancy derin bir nefes aldı. Bu konuşmayı daha sonra yapmayı tercih ederdi, duygularını kontrol edebileceği ve onları hiçbir şeyin rahatsız

123

etmeyeceği akşam serinliğinde. "Bunu yapmanı istemiyorum. Haberlerde gösterilen şu genç kadının cinayetiyle ilgili yardım istediklerini biliyorum, sen de müdahale etmen gerektiğini düşünüyorsun ama yapmamalısın, bu senin için iyi olmayacak."

"Tüm bunları bir daha söyle," derken Jack'in sesi tahmin ettiğinden daha soğuk çıkmıştı.

Gününün berbat olmak üzere olduğunu bilen Nancy, "Her şey yeniden başlıyor, değil mi?" diye sordu.

Jack çileden çıktığını ve Nancy'nin olayı büyüttüğünü anlatmaya çalıştığı her seferinde yaptığı gibi, omuz silkti. "Tatlım, birkaç kâğıtla fotoğrafa bakacağım, bazı haritalarla raporları gözden geçireceğim ve biraz tavsiyede bulunacağım, hepsi bu."

Nancy, ona ikna olmamış gözlerle bakarken, dudaklarını büzdü. Jack bu hareketi ondan bir şey sakladığı zamanlarda yaptığını biliyordu. Sorgu odasında şüphelilerle konuştuğu ses tonuyla, "Başka ne var?" diye sordu.

"New York'tan Howie aradı." Vereceği tepkiyi görmek için yüzünü biraz inceledikten sonra, pes ederek ekledi. "Orada bir şey olmuş. Bana fazla bir şey söylemedi ama BRK'dan bahsetti, davayı yeniden açıyorlarmış."

Kalbi hızlanan Jack, "Nedenini söyledi mi?" diye sordu.

"Dediğim gibi, bana fazla bir şey anlatmadı. Sadece basının yeniden konuyla ve seninle ilgili yazmaya başlayacağını söyledi." Jack'in elini tuttu. "Tatlım, buna ihtiyacımız yok." Sesi sertleşmişti. "Aslında biz buraya tüm bunlardan uzaklaşmak için geldik." Etrafa bakınarak, bahçenin huzuruyla karşı tepelerin güzelliğini içine çekti. "Lütfen her şeyi tehlikeye atma Jack, olayların seni içine çekmesine izin verme."

Jack bir bağlantı kurmaya çalışarak, masanın üzerinden eğildi. Yüzünden ne kadar kararlı olduğu anlaşılıyordu ama savunmasızlığı karısının gözünden kaçmadı. "Nancy, bu adam yeniden öldürmeye başlamış olabilir. En azından bir genç kadının daha hayatını almış olabilir, hem de burada İtalya'da, belki de bahsettiğin kadındır ve söylediklerine bakılırsa, ülkemizde de yeniden faaliyete geçmiş olabilir." Jack uzanıp onun elini tuttu. "Kaçmaya devam edemem. Hiçbir şey yapmamanın acizliği beni delirtiyor. Onu durdurmaya çalışmam lazım."

Nancy, "Sana zarar verecek olsa da mı?" dedi. Bu konuşmayı daha önce defalarca yapmışlardı. "Bize zarar verecek olsa da mı?"

Jack hiçbir şey söylemedi ama Nancy cevabı onun yüzünde görebiliyordu. Ellerini onunkilerden çekti. "Gidip mutfakta Paolo'yu görmeliyim. Sana yiyecek bir şeyler göndermesini söylerim."

Nancy sandalyeyi gürültüyle yere düşürecek kadar kuvvetle iterken, Jack kıpırdamadan durdu. Eğilip sandalyeyi kaldırdı ve Nancy'nin hızlı adımlarla restorana yürümesini seyretti. Sırtının şeklinden elleriyle yüzünü kapatıp ağladığını anlayabiliyordu. Ve bunu durdurmak için yapacak hiçbir şey olmadığını da biliyordu.

28

Marine Park, Brooklyn, New York

Lu Zagalsky uykuyla uykusuzluk arasında bocalarken, örümcek onun ağzındaki tıkacı çıkararak, boğazına çamaşır suyu enjekte etti. Kimyasal madde ses tellerini yakacak, çığlık atmak bir yana ciyaklamasına bile imkân kalmayacaktı. Ağız tıkacını çıkarmamak, onun kendi kusmuğunda boğulması riskini göze almak demekti, ama Örümcek onun ölmesini istemiyordu. En azından şimdilik.

İğneyi bırakıp, onun omuzlarına bastıran Örümcek, "Şş, şş, karşı koyma," dedi.

Sağ kolunu tutan zincirler biraz gevşeyince Lu içgüdüsel olarak ona yumruk atmaya çalıştı. Metal halkalar gerildiğinde neredeyse kolu yerinden çıkacaktı.

Örümcek, "Dur! Dur!" diye bağırırken, hemen sağ elini onun boynuna dayadı. Parmakları çelik kadar güçlüydü, boğazına bıçak gibi batıyorlardı. Örümcek öfkelendiğini ve heyecanlandığını hissediyordu. Çamaşır suyu Lu'nun gırtlağındaki hassas dokular üzerinde etkisini göstermeye başlamış ve baskıyı daha da arttırmıştı.

Örümcek

Lu öleceğini zannediyordu. Vakti geldi! Seni şimdi öldürecek! Ramzan'ı bir daha göremeyeceksin, Beach'in dışında bir hayat yaşama şansın kalmadı, bundan fazlası olmayacak.

Kıvrandıran acıya rağmen boynunu çevirip, Örümcek'in elini ısırmaya yetecek kadar ağzını hareket ettirmeyi başardı.

Örümcek, onun dişlerinin, sol elinin etine geçtiğini hissetti.

Lu'nun ağzı, vahşi bir sokak köpeğinin yırtıcı ısırığı gibi etine kenetlenmişti. Sükûnetini yitirmemeye çalıştı ama bu kadının çenesi olağanüstü kuvvetliydi. Keskin dişleri eline batıyor, derisinden geçiyor, başparmağının etrafındaki kemiklere kadar işliyordu. Sağ elini boğazından çekip ona yumruk attı.

Lu yumruğu pek fazla hissetmedi. Annesi onu, bu *ebanat*'ın attığından yüz kat daha kuvvetli dayak atarak büyütmüştü. Sol yanağına inen darbeyi umursamayıp, ağzındaki parmağı daha da kuvvetli ısırdı. Adamın derisinin yarıldığını, onun pis *vonuchaya* kanının ağzının içine aktığını hissedebiliyordu.

Örümcek, "Lanet olsun!" diye bağırdı.

Ona bir yumruk daha attı ama yeterince kuvvetli vurabilecek kadar elini kaldıramıyordu. Küçük fahişe dişlerini, sinirlerine ve tendonlarına öyle bir geçirmişti ki, acı dirseğine kadar yayılmıştı. Örümcek kendini onun üstüne bırakıp, vücut ağırlığıyla onu boğmaya, elini onun o küçük kötü boğazından iyice içeriye sokmaya çalıştı. Elinin acısıyla, olanca ağırlığıyla bastırırken, küçük fahişe ya bırakacak ya da boğularak ölecek diye geçti aklından.

Lu çenesini gevşetmedi. Ağırlığı üstüne düştüğü anda bile arka dişleriyle ısırıyordu.

Lu artık göremiyor, sadece nefes almak için mücadele ediyordu. Örümcek'in vücut ısısı ve ağırlığı boğucuydu, soluyacak hava kalmamıştı.

Örümcek bir kez daha sağ avucuyla Lu'nun yüzüne bastırıp, tüm ağırlığıyla yüklenirken, Lu'nun gözleri kararmaya ve bulanıklaşmaya başladı. Sol başparmağını boğazından iyice içeri iterken, Lu öğürmeye başladı. Örümcek'in ne yaptığını biliyordu; ciddi bir yara almadan elini kurtaramayacağını, bu yüzden onu boğmaya çalıştığını biliyordu. Elinden geleni yap bakalım, Lu Zagalsky'yi boğmak öyle kolay iş değil; bu ağzın içine çok daha büyük şeyler girdi ve bu bedenin üstünde senin gibi pisliklerden çok daha ağır insanlar çıktı.

Lu çocukluk anılarına daldı; taciz kâbusları aklına geliyor, öfke içinde kaynıyordu. Öylesine kuvvetli ısırdı ki, dişlerinden birinin çatlayıp ayrıldığını hissetti. Son acı dalgası o kadar kuvvetliydi ki Örümcek, onun üstünden yere düştü.

Lu, onun kanıyla kırık dişini tükürdü. İyi gelmişti, harika gelmişti! Apollo Creed'i yenen Rocky gibi hissediyordu kendini. Kanlar içinde hırpalanmıştı, ama galip gelmişti. Ama bu zaferin bedelinin ağır olacağını biliyordu. Aklına yine Moskova'daki odası ve bir adamı en son böyle ısırdığı anı geldi.

Bu pisliği çekmek zorunda değilsin.

Ne olursa olsun, bu boku çekmek zorunda değilsin.

Hayatın için mücadele et Lu, nefes alabildiğin her saniye için mücadele et. Her ne olursa olsun, ruhunu senden alamaz.

Örümcek sol elini, sağ avucunun içine aldı. Yüce Tanrım, bunu nasıl yaptı? Eti yarılmıştı ve kendi elinin içini görebiliyordu. Kemikleri, damarları, kanı ve keskin dişlerinin açtığı yaradan dışarı sarkan dokuları görebiliyordu.

Sağ koluyla başındaki terleri sildi ve tampon yapacak bir sargı bulmak için bodruma bakındı. Gözleri karşı taraftaki lavaboyla, işini görecek olan pamuk bezlere takıldı.

Örümcek

Musluğu açtı ve soğuk suyu yaralı elinin üstünden seramik tekneye akıttı. Su onun kanıyla kırmızıya dönüşmüştü ama soğuk acısını dindiriyordu. Ağız tıkamak için ya da gözbağı olarak kullandığı bezlerden birini ıslatıp, elinden geldiğince sıktı. Islak pamuklu bezi yaranın etrafına sardı ve bir ilmek atıp, daha sıkı tutması için bezin bir ucuna dişiyle asıldı. Kolunun daha üst kısmına, yaraya gittiğinden şüphelendiği damarların üstüne ikinci bir tampon daha yaptı.

Lu, işkence masasından çaresizce onu izliyordu. Çocukluğunda, ailesinin kiralık evinin penceresinden düşen kar tanelerini ilk defa seyrettiği, özgür ve masum olduğu, Gorky Park'ın çimlerinde koşturduğu zamanları düşündü.

Ramzan'la birlikte geçecek bir hayatın nasıl olacağını düşündü.

Ona biraz sonra olacaklardan başka her şeyi düşündü.

Örümcek sol elini pantolonuna sürerek kuruladıktan sonra ona baktı.

Başını sallarken, "Kötü Şeker," dedi. "Kötü, kötü Şeker."

Lu gözlerini onun eline dikmişti. Isırdığı eline değil, yaralanmamış diğer eline. Bu eliyle, kemik testeresine benzeyen büyük bir şeyi sımsıkı tutuyordu.

29

San Quirico D'Orcia, Toskana

Jack, La Casa Strada'nın yeşil pancurlu bir odasından elma, erik ve armut ağaçlarıyla dolu aşağıdaki bahçeye baktı. Nancy'le yaptığı tartışma onu biraz tüketmiş biraz da kendini sorgulamasına neden olmuştu, ama artık geri dönülmeyecek çizgiyi geçtiğini biliyordu. Karısı her ne derse veya her ne yaparsa yapsın, Massimo'ya yardım edecekti. Ve eğer gerekirse Howie'ye de yardım edecekti. Kendine karşı dürüst davrandığı şu anda, aslında BRK'yı aklından hiç çıkaramadığını kabul ediyordu. İşin aslı, davadan bu kadar uzaklaştığı için BRK, zihnini her zamankinden fazla ele geçirmişti. Şimdi en azından bu davada çalışınca yaşadığı zihinsel işkence bir işe yarayacaktı.

Jack bir kez daha pencereden dışarı baktı. Bahçede yürüyen tek konuk yaşlı bir çiftti; herhalde annesiyle babası hayatta olsalardı onların yaşında olacaklardı. El ele tutuşarak taş patikadan yürüyorlar, birbirlerine çeşitli meyvelerle bitkileri göstermek için sık sık duruyorlardı. Jack, onların ismini hatırlamaya çalıştı. Gigg veya Grigg gibi bir şeydi. Her neyse Nancy onların, aralarında beş gün bulunan adamın yetmişinci, kadının ise altmışıncı doğum günlerini kutlamak için geldiklerini söylemişti. O yaşa gelip de hâlâ

Örümcek

birbirini böyle sevmek ne kadar güzel bir şeydi. Jack, adamın yüzüne dikkatle baktı, güneş yanığı yüzü, krem rengi Panama şapkasının altından gülümsüyordu. Yaşlı adam hayatından son derece hoşnut, bahçede ruh eşiyle el ele yavaş adımlar attığı için oldukça memnun görünüyordu. Bir kiraz ağacının gölgesinde duran çift, bacaklarının etrafından zıplayarak geçtikten sonra orkidenin arkasına kaçan Zack'in tavşanına hayranlıkla baktılar. Yaşlı adam yakındaki bir şezlongun üstündeki yaprakları savurduktan sonra karısını yerleştirip, yanındakine de kendisi oturdu. Yerleşir yerleşmez, el ele tutuşmak için yaşlı kolunu uzattı.

Jack kendi annesiyle babasının burada her yaz bir iki ay kalmalarını ve torunlarının büyüdüğünü izlemelerini çok isterdi. Şu an bu pencereden kendi annesiyle babasına bakıyor olmak için her şeyini verirdi. Amerika şöyle dursun, New York'tan bile dışarı çıkmamışlardı, ama İtalya onların görmek istedikleri yerler listesindeydi ve burayı çok seveceklerine emindi. La Casa Strada'yı ev kredisi kullanmadan onların bıraktığı para sayesinde almış olmaları hem üzücü hem de ironikti. Jack bir an için üç King neslini kasaba merkezinden uzun taş basamaklarına oturacakları Liberta Meydanı'na yürürken hayal etti. Zack ile onu hiç görmemiş olan büyükbabası yandaki *gelateria'*dan dondurma seçeceklerdi. Ardından, Horti Leonini'nin Rönesans bahçesinde yürüyecekler ve Zack minyatür labirentte saklambaç oynarken Nancy ile annesi onları bekleyeceklerdi. Nancy ile yaptıkları tartışma ve aralarının açılması, bir şekilde onun tekrar annesiyle babasının acısını hissetmesine neden olmuştu.

Jack pencereden ve tüm keşke olsaydı düşüncelerinden uzaklaştı. Toska-na'yla, ailesiyle, karısıyla ve çocuğuyla ilgili tüm düşünceleri geri plana itmesi gerekiyordu.

Yapılması gereken işler vardı.

Massimo Albonetti'nin numarasını çevirdi.

30

Marine Park, Brooklyn, New York

Örümcek kemik testeresini elinde tutmuş, işkence masasında debelenerek ümitsizce zincirlerinden kurtulmaya çalışan Lu Zagalsky'ye bakıyordu. Elinde tuttuğu kırk santimlik çelik, bir zamanlar babasına aitti ve yıllarca toptan aldıkları dana ve domuz etlerini kesmek için kullanmışlardı. Takip eden yıllarda Örümcek daha ilginç kullanım alanları bulmuştu. Ve şu anda Lu'nun kendisine yaptığının bedelini ödetmek için onu canlıyken lime lime kesmeyi düşünüyordu.

Ama planın bu değil Örümcek. Plana bağlı kal. Onun için harika şeyler düşündün; küçük bir aksilik yaşandı diye büyük planı bozma.

Örümcek sargılı eline baktı. Lu'nun dişlerini yumuşak etine geçirdiği yer hâlâ kanıyordu. Başparmağının etrafındaki kemikler hâlâ acıyla zonkluyordu.

Lu Zagalsky gözlerindeki korkuyu saklayamadı. Ona bir şeyler söylemeye, hayatı için yalvarmaya çalıştı ama sesi çıkmıyordu.

Ses telleri çamaşır suyuyla kısılmıştı.

"Seni orospu!" diye çığlığı basıp, testerenin tahta sapını burnunun kemerine hızla indirdi. "Bana verdiğin zarar yanına kalır mı sandın?" diye homurdandı. "Seni kahrolası, kibirli küçük orospu!"

Örümcek

Testerenin sapıyla ona ikinci kez vurduğunda, acı öylesine şiddetliydi ki, Lu burnunun kırıldığına emindi. Gözleri acıdan yaşarmıştı ama bakışlarını testereden hiç ayırmadı.

Örümcek tiksintiyle, "Şu haline bak!" dedi. "Ne kadar pis ve değersiz olduğuna bak!" Geriye doğru çekilip, kahakaha attı.

Kindar, zorba ve aşağılayıcı bir kahkahaydı. Lu Zagalsky o anda kendini büyük bir pisliğe bulaştırdığını anladı. Hayatı boyunca asla, en kötü kâbuslarında bile başına böyle bir şey geleceğini tahmin etmemişti. Adam haklıydı. Lanet olası kaçık ruh hastası haklıydı, mücadelenin en hararetli noktasında, son beş dakika içinde kendini kontrol etmeyi başaramamıştı.

Örümcek onunla alay etti. "İğrençsin. Diğerlerinden hiç farkın yok."

Lu başını çevirmeye çalıştı. Bu hayvanın ona ve işkence edip öldürdüğü diğer kadınlara yaptıklarını düşünerek, yaşadığı gereksiz utanç duygularını bastırıyordu.

Örümcek'in dudakları ince bir çizgi halinde gülümsüyordu. "Hepsi bunu yaptılar. Bütün fahişeler er ya da geç kendinizi böyle kirletiyorsunuz. Seni neden soyduğumu sandın?"

Lu hıçkırarak ağlamak istiyordu. *Bunu* da mı planlamıştı? Artık hiç ümit yok muydu? Başını çevirdi ve bir kez daha kendini, aşağılandığını düşünmesine gerek olmadığına ikna etmeye çalıştı. O aptal gururunu bırak, bu adam seni balık gibi temizleyecek; o testereyi elinde eğlence olsun diye tutmuyor, her an boğazını kesip, o zavallı kıçını parçalara ayırabilir.

Örümcek artık sakinleşmişti. Her şey tekrar kontrol altındaydı. Kötü bir şey olmayacaktı. Güç dengesini yeniden kurunca kendini iyi hissetmişti.

Lu'nun arkasına geçip çömeldi ve sağ bileğinin zincirini iyice sıktı.

Lu'nun kalbi hızla atmaya başlamıştı. Bir şey yapıyor -zincirleri sıkılaştırıyor- neden? Beni şimdi mi öldürecek?

Örümcek, onun korktuğunu anlamıştı. "Seni öldüreceğim Şeker." Kemik testeresini ona doğru tutarken, derisine bastırdığı tırtıklı dişler canını acıtıyordu. "Ama bununla değil ve şimdi değil." Testereyi, derisini sıyıracak kadar bir güçle, fakat kesmeden usulca boğazına indirdi. "Ah hayır, seni bundan çok daha eğlenceli bir şeyle öldüreceğim."

31

Roma

Benedetta Albonetti, Massimo'nun hayattaki tek aşkı değildi. Hayatında karısından başka bir tutkusu daha vardı: çok seksi genç bir model. 97 model mavi Maserati Ghibli coupé, onun için sürpriz bir hediye olmuştu. Yaklaşık yirmi yıl önce kanlı bir şekilde sona eren ve basında oldukça ses yaratan silahlı soygun sırasında kurtardığı Romalı bir bankacının vasiyetiyle ona kalmıştı. Mass bu klasik arabayı ellinci doğum gününden yalnızca altı gün sonra almıştı ve ölene kadar da kullanmayı düşünüyordu, ki Benedetta arabayı kullanma şeklinden dolayı o günün sandığından daha çabuk geleceği konusunda espriler yapıyordu.

Bugün ofisten erken ayrılmasına rağmen Roma merkezinden çıkması yaklaşık bir saat, vitesi altıya atıp ikiz turboyu çalıştırmasıysa bir yirmi dakika daha almıştı. Massimo, onu eve otuz dakikadan kısa süre içinde götürecek sıkıcı metroya binmek yerine, saatte 100 kilometreye altı saniyeden kısa süre içinde çıkabilen bir arabayla iki saat yollarda oyalandığını bilse de, hiç mi hiç umursamıyordu. Maserati'de geçirdiği her dakikayı seviyordu ve ona göre deniz kenarındaki Ostia köyünden geçerek eve gitmek eziyet değil "terapi"ydi. İşinin gerilimini üzerinden bu şekilde atıyordu.

Örümcek

Üç odalı mütevazı evinin önüne park ettiğinde, kan gölleri, vücut sıvısı testleri ve kurşun yaraları dünyasına dalmış *Direttore*'den tamamen farklı biri oluyordu.

Ostia'yı geçtikten beş dakika sonra araba telefonu çaldı. Telefonu açınca Jack King'in sesini duyunca hemen yavaşladı.

Maserati altıncı vitesten dörde geçerken motordan çıkan memnuniyetsiz sesi duyan Jack, "Neredesin?" diye sordu.

"Eve gidiyorum!" diye bağıran Mass, takmaktan nefret ettiği kulaklıkla uğraşıyordu. "Benedetta, çocuklarla birlikte kız kardeşinin yanına Nice'e gidecekler. Onları havaalanına götürmeye söz vermiştim, o yüzden ofisten erken çıktım."

Jack, "Umarım iyidirler," dedi. "Nancy, onları soruyordu."

Massimo, *"Grazie,"* dedi. "Doğru mu anlıyorum, çekici eşine sohbetimizden bahsettin mi?"

Jack, "Çoğu kısmını anlattım," dedi. "Elbette bazı ayrıntılardan ona bahsetmedim. Çok fazla şey bilmesine gerek yok, ne kadar endişelenirler bilirsin."

Massimo, "Gerçekten de öyle," dedi. "Peki, onunla konuştuktan sonra hâlâ yardım etmek istiyor musun?"

"İstemeseydim arar mıydım? Bana ne zaman nerede ihtiyacın var?"

"Roma'da. Mümkün olan en kısa zamanda."

"Tamam. Peki."

"Ne zaman geleceksin Jack?"

Biraz düşündü. "Yarın olmaz. İşleri yola koymak için evde bir güne ihtiyacım var, Nancy'nin benim yokluğumda otelin idaresiyle başa çıkacağından emin olmalıyım. Sence bana ne kadar süre ihtiyacın olacak?"

Massimo, İtalyanca küfredip, önüne geçtikten sonra yavaşlamaktan keyif aldığı anlaşılan büyük ve eski Ford'a korna çaldı. *"Scusi,* yolda salaklar var," diye açıkladıktan sonra ekledi. "Seni otel işletmecisi olarak düşünmek hayli güç Jack. Bir hafta dönmeyecekmişsin gibi düşünsen iyi olur. Roma'da birkaç gün geçirdikten sonra sanırım Livorno'da suç mahalline gitmek istersin."

Jack tarihleri zihninden geçirdi. "Haklısın ama fazla zamanım yok, ayın sekizinde geri dönmem lazım, evlilik yıldönümümüz. O gün burada olmazsam işim bitmiş demektir."

"Non c'é problema,"(*) diyen Massimo, eski Ford'u takip etme, kaportasını egzoz dumanına boğma, sonra da adamı kenara çekip rozetini gösterme dürtüsüyle başa çıkmaya çalışıyordu.

"Benim için çeviri yapacak biri var mı? Biliyorsun İtalyancam yok gibi."

"Orsetta seninle gelecek. İngilizcesi yeterli değil mi?"

Jack tereddüt etti. Aslında Orsetta'nın hiç olmamasını tercih ederdi ama sebebini açıklamak imkânsızdı. "Tabii, İngilizcesi yeterli."

Massimo yaramazca, *"Bellissima*(**) değil mi?" diye sordu. *"Una bella donna."*(***)

"Bırak bunları Mass, beni tanırsın. Ben tek eşli bir adamım, hep öyle oldum, umarım hep öyle kalırım."

Massimo, *"Perfetto,"*(****) diyerek cevap verdi. "Ben de öyle ama Orsetta, Papa'yı bile günaha sokar."

Jack, "Şey, benim hayatımda öyle bir sıkıntıya ihtiyacım yok," dedi. "Bana verdiği belgeler çok faydalı oldu, ama ayrıntıları görmek daha çok işime yarar."

"Geldiğin zaman senin için tam bir rapor hazırlanmış olur."

(*)   Sorun değil.
(**)   Güzel.
(***)   Güzel bir kadın.
(****) Mükemmel.

Örümcek

"Harika, yalnız tam otopsi raporuna da ihtiyacım olacak. Saygısızlık ettiğimi düşünme ama sizin adli tıp, Amerika standartlarında değil. Cristina Barbuggiani'nin otopsisini yapan kişi belki bir yere ayrılmasa iyi olur. Sen lütfen izinde olmamasını ve benimle görüşmesini sağlar mısın?"

Mass, "Sen buradayken seninle görüşmesini sağlayacağım," dedi ve sonra tereddütle ekledi. "Sana gönderdiğim raporda bulunmayan başka -nasıl desem- ölüm sonrası bulgular var."

Jack gördüğü kâğıtların Başbakanlık özel ofisine gönderilen gizlilik derecesi yüksek bir rapor olduğunu hatırladı. "Mass, gördüğüm belgeler başbakanın kendisine gönderilmiş. Ondan sakladığınız bir şey olduğunu mu söylüyorsun, yoksa sadece benden mi saklıyorsunuz?"

Massimo Albonetti'nin yüzü asıldı. "Korkarım ikinizden de saklamam gereken bir şey. Neden bahsettiğimi sadece birkaç kişi biliyor ve üzgünüm bunu böyle bir telefon hattından anlatamayacağım. Ama söz veriyorum sen buraya gelir gelmez anlatırım."

Jack ısrar etmeye fırsat bulamadan Massimo, *"Ciao,"* deyip kapatmıştı. Ve Jack o sırada, bir vites düşen Maserati'nin homurdanıp, hızlanırken gürültüyle kükrediğini duyduğuna emindi.

32

Marine Park, Brooklyn, New York

Örümcek bodrumdan ayrılıp, yaralı eline pansuman yapmak için yatak odasına döndü. Odadaki lavabonun altında, pek çok eczanenin kıskanacağı kadar zengin bir ilaç dolabı vardı.

Lokal anestezi ilaçlarına bir baktı; Procaine, Lidocaine, Novocaine ve Prilocaine. Bunları kendi kurduğu sahte bir tıp şirketi aracılığıyla elde etmişti. Bu şirket sayesinde, ellerinde kalan ilaçlarla tıbbi cihazları internette açık arttırmada satan, tasfiye olan bir dizi firmayla sürekli temas halindeydi. Onun internetten verdiği siparişleri memnuniyetle karşılayıp, tıbbi ruhsat sormadan gönderecek çok fazla satıcı bulmuştu.

En sevdiği anestezi ilacı Lidocaine'den 50 ml. hazırladı. Tampon olarak kullandığı bezleri çözüp, yıkamak için değil yakmak için küvete attı. Kıyafetleri kurbanla temas etmişti, bu yüzden zaten giymiş olduğu kıyafetlerden de kurtulması gerekiyordu. Örümcek ısırılan bölgeyi steril bir bezle temizleyip, ısırığın etrafındaki dokuya ilacı şırınga etti. Sinirlerle kaslar gevşemeye başladığında yarayı kontrol etti. Fahişenin dişleri, kendi kendine iyileşmeyecek kadar derin bir yara açmıştı.

Örümcek

İlaç dolabına bir kez daha bakan Örümcek, yarayı kapatmak için bir kutu steril yara bandı çıkarttı. Tek elle zor oluyordu ama acele etmedi ve sonunda yapışkanlı bantla yarayı düzgün biçimde kapatmayı başardı. Üstünü de elastik bir bandajla sarıp, plasterle tutturdu.

İlaç dolabını kilitledikten sonra yatak odasına dönüp, tabuta benzeyen yatağının kenarına oturdu. Eline bakıp, bandajı kontrol ettikten sonra yanında duran küçük televizyonu açtı. Televizyon açılmıştı ama ekranda gri statik çizgilerden başka bir görüntü yoktu.

Açtığı ilk kanalda evinin dışındaki yolun siyah beyaz görüntüsü vardı. Ekran dörde bölünmüştü. Üstteki iki karede doğu ve batı yönlerinden eve gelen yolların geniş açılı görüntüsü vardı. Aşağıdaki iki karede, garajla ön kapının daha dar bir açıdan görüntüsü vardı. Kameralar, gelen kişinin özellikle başını ve omuzlarını çekecek şekilde ayarlanmıştı ve herhangi bir hareketi izlemek için uzaktan kumandayla yakınlaşıp dönebiliyorlardı. Örümcek uzaktan kumandaya yeniden basınca, ekranda bir kez daha dörde ayrılmış kareler ve siyah beyaz resimler belirdi. Birinci kamera, hayli geniş bir açıdan bodrum katı gösteriyordu. Duvarları, tavanı ve yeri kaplayan siyah plastik, ışık seviyesini öylesine düşürüyordu ki, bir yüzeyin nerede bitip diğerinin nerede başladığını ayırt etmek oldukça güçtü. Bu yüzden Lu Zagalsky'nin bitkin vücudu uzayın ortasında yüzüyor gibiydi. Tüm kamera görüntüleri arasında Örümcek'in en sevdiği buydu. Onun, ölümden sonraki hayatın hiç bitmeyen karanlığında, sonsuza dek orada kendisine ait olarak kalacağını hayal ediyordu. Diğer görüntü tepedeki bir kameradan geliyordu. Kamera 360 derece hareket edebilmesini sağlayan bir cihaza bağlanmıştı. Üçüncü ve dördüncü kameralar daha aşağıdaki açılara yerleştirilmişti. Üçüncü kamera Lu'nun başının arkasına sabitlenmişti ve vücudunu gösteriyordu. Dördüncü kamera ise üçüncüyle aynı hizadaydı fakat karşı tarafa yerleştirilmişti ve Lu'nun sol ayağının olduğu yerden vücudunu gösteriyordu. Örümcek uzaktan kumandasıyla, kendi ölümcül filmini yönetebilir, ekrana istediği görüntüleri bir arada getirebilir, kamerayı kurbanına yaklaştırabilir, döndürebilir, yandan bakabilirdi.

Lu'nun yüzüne yakınlaştı.

Kameranın otomatik odaklanma sistemi devreye girip, birkaç saniye içinde istenilen mesafeyi ve poz hızını ayarlarken, görüntü bulanıklaştı. Uzaktan kumandanın ayrıca, resimleri dondurabilme ve istendiği takdirde saklamak ya da dijital çıktılarını almak için bilgisayara indirebilme özelliği vardı.

Örümcek, onu bir iki dakika izledikten sonra, gözlerini kızın gözlerine sabitledi. Onun zihninin içine girmeye, zifiri karanlıkta çıplak ve savunmasız bir halde yatarken kafasının içinde neler döndüğünü tahmin etmeye çalışıyordu. Örümcek, onun gözlerini kırpmadığını, artık korkuyla çırpınmadığını fark etti. Yaşadıklarının gerçekliğinden kaçmak için Lu'nun bir tür meditasyon yaparak, kendisini bulunduğu ortamdan soyutladığını düşündü.

Veya ona olacakların gerçekliğinden kaçmak için...

Daha sonradan hoşuna gideceğini ve işine yarayacağını düşündüğü birkaç dijital görüntü aldıktan sonra, ekrandaki görüntüyü, birinci kameradaki en sevdiği kareye getirdi.

Lidocaine onu sersemletmişti. Etkisinin iki üç saat süreceğini biliyordu. Yaralı elini avucunun içine alarak, tabut yatağında yan yattı. Yatağı rahattı, dinlenmek için hazırlanmıştı. Sağlam elini uzatıp, yanındaki televizyonun ekranını okşadı.

Orada çok güzel görünüyordu.

Muhteşem bir huzur içinde.

Neredeyse bir ölü kadar.

33

West Village, SoHo, New York

Howie Baumguard'ın en sevdiği film sahnesi *Pulp Fiction'*daydı.[*] Bu sahnede Vincent, kaçak boksör Butch'ın evini gözetlerken tuvalete gidiyor, sonra Butch aniden kapıda bir Mac-10'la beliriyor ve pantolonu hâlâ ayak bileklerinde duran kiralık katili havaya uçuruyordu. Pek çok erkek gibi, hatta otuzlu yaşlarının ortalarında olanlar da dahil, Howie tuvalet esprilerine deli oluyordu. Ama insanlara bu sahnede asıl bayıldığı şeyin gerçekçiliği olduğunu söylerdi. İnsanları (bir uyuşturucu bağımlısıyla kalp hastası bir mafya üyesini) ölü bulan bir polis olarak, Tarantino'nun gerçekleri "olduğu gibi anlatacak cesarete" sahip olmasını seviyordu. Kahvesini hep aynı saatte içen Howie, telefonu çaldığında sabah mahmurluğu yaşıyordu. Normalde arayan numaraya şöyle bir göz atar ve konuşmak için daha uygun bir zamanı beklerdi. Ama bu numaranın başında İtalya'nın kodunu görünce hemen ahizeyi kaldırdı.

"Baumguard Konağı, sizin için nasıl bir bok yapabilirim?"

Telefonda Jack'in cevabından önce kahkahası duyuldu. "Şey Bay B, sabah keyiflerinizin yerinde olduğunu görmek ne hoş. Nasılsınız?"

(*) Ucuz Roman.

"Erken kalkan yol alır, beni tanırsın patron."

Jack, patron lakabına fazla takılmadı. Koca adam o kadar uzun zaman bu kelimeyi kullanmıştı ki, hâlâ alışkanlığından kurtulmamıştı. "Tamam o zaman yol almayı ve Cheerios'larını bitirdiğinde sanırım sevgili karımı neden aradığını anlatabilirsin. Yoksa onunla aranızda bir şeyler mi var? Belki de sonunda kalbine girmenin bir yolunu bulmuştur."

"Senin karın benim kalbime ancak kaburgalarımın arasından girer."

Her ikisi de kahkaha attı. Ardından Jack daha ciddi bir tonla konuştu. "Meseleye gelelim dostum. Aramanın sebebini Nancy bana biraz anlattı, ciddi olduğunu söyledi."

Howie son kahkahasını yuttu. "Evet, öyle. Biz seninle beraber bir sürü garip şeyle uğraştık, ama anlatacağım hikâye seni bile şok edecek."

Nancy odaya keten bir örtü serilmiş gümüş yemek tepsiyle girince Jack, "Biraz bekle," dedi. Başını kaldırıp bakarken içgüdüsel olarak, telefonun ahizesini eliyle kapattı. "Teşekkürler," derken aklına tartışmaları geldi.

Nancy hiçbir şey söylemedi, ama tepsiyi yatağa bırakıp çıkarken yüzünde hafif bir tebessüm vardı.

Howie binlerce kilometre öteden, "Jack hâlâ orada mısın?" diye bağırıyordu.

Jack, "Evet," dedi. "Kusura bakma; Nancy bana sandviç getirdi. Nerede kalmıştık?"

"Sarah Kearney'yi hatırlıyor musun, Georgetown'da defnedilen BRK kurbanı?"

"Evet, tabii," diyen Jack örtüyü kaldırdığında, yeşil salata, dilimlenmiş domates ve Paolo'nun birkaç saat önce hazırladığı lezzetli *mozzarella fior di latte*'yi gördü. "Orada yaşayan bir kızdı değil mi? Ailesi yoktu ama galiba çevre halkı onun cenazesi kaldırıp defnetmişti."

Howie, "Bu doğru," dedi. "Ve görünüşe bakılırsa paralarını boşa harcamışlar. Hasta bir manyak, belki de BRK geri gelip mezarını açtı."

Örümcek

Jack'in kanı donmuştu. "Emin misin? Belki de o civarda yaşayan esrarkeşin biridir?"

"Hayır. Ne kadar çekersen çek bu derece hastalıklı bir şey yapmazsın. Tabutu açmış, zavallı kızın kemiklerini çıkarmış, sonra da onu mezar taşına yaslayıp oturtmuş."

"Oturtmuş mu?" Jack, basının fotoğraf çekmek için üşüşeceğini bildiğinden BRK'nın iskeleti bu pozisyonda bırakarak FBI'la alay ettiğinden şüphelendi.

"Evet. Balığa giden çocuklar bulmuşlar."

Jack elindeki çatalla küçük domateslerden birini tabağın içinde döndürdü ama iştahı kaçmaya başlamıştı bile. "Ne bok yemeye böyle bir şey yapmak istedi ki?"

Howie omuzlarını silkti. Aynı soruyu kendine o da sormuştu. "Aklım ermedi. Bu üşütüklerin cinayet mahalline geri döndüklerini, mezarlarına gittiklerini biliyoruz ama kemiklerini çıkarmak, şey bu benim alıştığımdan çok farklı bir durum."

Jack bu işin cinsel amaçlar için yapıldığına ikna olmamıştı. "Belki de dikkatimizi çekmeye çalışıyordur."

Howie, "O zaman işini çok iyi yapıyor," diye homurdandı.

"Massimo Albonetti'yi hatırlıyor musun?" diye sordu Jack. Yardımının istendiği İtalya'daki davadan bahsetmesi gerektiğini düşünüyordu.

Howie'nin biraz düşünmesi gerekti. "Evet, hatırladım. Roma'daki polis, kendi profil çıkarma birimlerine öncülük etmişti. Bir zamanlar aranız çok sıkıydı değil mi?"

"Öyleydik. Onu severim, iyi bir adamdır, BRK'nın işine çok benzer bir davaya yardım etmemi istedi."

"Umarım şaka yapıyorsundur," diyen Howie, Jack'in böyle bir konuda şaka yapmayacağını biliyordu.

Jack, "Keşke yapsaydım," dedi. "Batı kıyısı boyunca bir kadın cesedine ait parçalar bulunmuş, gördüğüm özet raporda BRK'yı da hesaba katmayı gerektirecek yeterince benzerliğe rastladım."

"El mi?"

Jack, "El," diyerek onayladı. "Sol el kayıp ve kemiklerdeki kesik izleri aynı. Ama dahası var. Kurban tanımı da bizim seri katile uyuyor; yirmili yaşlarında, koyu renk saçlı, ortalama boyun biraz altında, her şey tamı tamına uyuyor."

BRK'nın başka bir kıtada cinayet işlediğini anlamaya çalışan Howie yüzünü ekşitmişti. "BRK ne diye Amerika'da eski bir kurbanın cesedini darmadağın ederken İtalya'da da öldürsün?"

Jack, "Sence İtalya'daki bir kopyacının işi mi?" diye sorarken gözlerini salata tabağına indirmiş, mozzarellayı yemeyi düşünüyordu. O sırada *mozzare* kelimesinin "kesmek" anlamına geldiğini hatırladı.

Howie, "Zor bir olasılık," dedi. "Güney Carolina'daki mezarlık olayıyla, İtalya'daki davanın aynı zamanda meydana gelen birbirinden bağımsız birer tesadüf olduğuna inanmak gerekir."

Jack, "Ya da tam tersi," dedi. "BRK'nın şimdi iki kıtada birden çalıştığını kabul edeceğiz."

Birden Howie'nin banyo kapısında güçlü bir yumruklama sesi duyuldu. Carrie, "Howie bütün gün orada mı kalacaksın?" diye bağırdı. "Pilates dersine gitmeden önce girmem gerekiyor."

Jack, "Banyoda mısın?" diye sordu. "Yaptığını düşündüğüm şeyi yapmadığını söyle."

"Sen aradığında tam ortasındaydım."

Jack çıkarabildiği en tiksinti dolu sesle, "Ah, ayrıntılara girme!" dedi.

"Sen sordun. Ve bilirsin sana asla yalan söyleyemem."

"İnan bana Howie, bu gibi durumlarda yalan söyleyebilirsin."

Carrie bir kez daha, "Girebilir miyim?" diye bağırdı.

Howie, "Bir dakika Jack," dedi. Cep telefonunu kulağından uzaklaştırıp seslendi, "Carrie bir dakikalığına çeneni kapar mısın? Telefonda İtalya'dan Jack'le konuşuyorum ve ayrıca işim var şu an."

Cevabı, "Hayret, bir bok!" oldu ve hışımla gitmeden önce kapıya son bir yumruk daha attı.

Howie yeniden dikkatini topladı. "Üzgünüm dostum, burada biraz iç karışıklık var. Nerede kalmıştık?"

Jack, "Bağlantılar," dedi. "Kearney olayı, BRK ve İtalya'daki dava arasında bağlantı var mı diye tartışıyorduk."

Howie kendinden emin bir sesle, "Kearney'nin mezarına gidenin BRK olduğuna eminim," dedi.

"Sezgilerin mi öyle söylüyor, yoksa adli tıp mı?"

Howie, "Her ikisinden de biraz," dedi. "Kearney'nin kafasını cesedinden söküp aldı."

Jack, "Ne dedin?" dedi.

"Kafatasını kesip aldı. Sen sormadan söyleyeyim, bunu neyle yaptığını tam olarak bilmiyoruz ama testereyle kesmiş, kol kuvvetiyle ya da kör bir bıçakla değil."

Sarah Kearney'nin kafası bedeninden ayrılmış cesedini düşünen Jack'in öfkesi beynine sıçramıştı. "Kafatası BRK'nın tarzı değil. Tamam daha önce cesetleri parçaladı. Tanrım, onların kollarını, bacaklarını kesti ama bu duygusal değil, işlevsel bir haraketti. Kurbanlarını yok etmek için bu işi yapmıştı, ayrıca kafataslarını hiç hatıra olarak almadı. O elleri alır, o bunu yapar. Ben hâlâ birbiriyle bağlantılı olduğundan emin değilim."

"Bağlantılı Jack, güven bana."

Howie'nin hâlâ resmin tamamını anlatmadığını fark eden Jack, "Devam et," dedi.

"Kafatası bizde. Doğrudan bize postalamış."

Jack, "FBI'a mı?" diye sordu.

"New York ofisimize göndermiş. Myrtle'daki havaalanında çalışan çocuklar paketi alıp tarama cihazından geçirmişler."

Jack, "Bunu yapacaklarını tahmin etmeliydi," dedi. "Sanırım üstünde parmak izi yoktur; IAFIS'ten bir şey var mı?"

"Papa'nın külotundan bile temiz."

Şeytanın avukatı rolüne devam eden Jack, "Yine de bu şekilde bir yere varamayız," dedi. "BRK ile Sarah Kearney'nin mezarı arasında özel bir bağ olduğunu kabul ediyorum. Ama ölüyü mezardan çıkarmak onun yapacağı iş değil, kafatasını almak suçlu profiline uymuyor ve FBI ile doğrudan temasa geçmek kesinlikle onun tarzı değil."

Howie, analitik çözümleme yaptığı zamanlarda Jack'le tartışmamak gerektiğini bilirdi. "Haklı olabilirsin," dedi. "Ama bir şey daha var, fikrini değiştirebilecek bir şey. Bunu yapan kişi, BRK ya da değil, Sarah Kearney'nin kafatasını sana yollamış. Bir kutuya koyup, Jack King'in dikkatine, FBI New York adresine göndermiş. Söylesene Jack, sıradan bir kaçık neden BRK kurbanlarından birinin kesilmiş kafasını sana göndersin?"

34

Marine Park, Brooklyn, New York

Ahşap bodrum basamaklarından inen ayak seslerini ve ağır kapının kilidinin döndüğünü duyunca Lu Zagalsky'nin içindeki korku arttı.

Onu görmeyeli altı saat olmuştu ama saat olmadığından Lu'ya daha da uzun gelmişti. Acı ve yorgunluk sonunda uyumasını sağlamış, bu sayede kırılan burnunun, yanan boğazının ve ağrıyan vücudunun acısı biraz olsun hafiflemişti. Gece gündüz kavramını kaybetmeye başlamıştı bile.

Örümcek adeta eski bir arkadaşını selamlar gibi neşeyle, "Merhaba Şeker," dedi.

Lu, onun elindeki kan lekeli sargıyı fark etmişti. Diğer elinde içecek gibi bir şeyle, *USA Today* gazetesini tutuyordu.

Örümcek, onun kendisini incelediğini fark etti. "Dışarıdaydım," diye açıkladı. "Aramızda olanlardan sonra sakinleşmek için biraz temiz havaya ihtiyacım vardı. Gelirken sana vanilyalı buzlu süt getirdim; sanırım soğuk bir şeyler boğazına iyi gelir."

Sonra sanki bir lekenin üstünü kapatıyormuş gibi gazeteyi yere yaydı ve dondurmalı sütü işkence masasının kenarına koydu. "Zincirlerini biraz gevşeteceğim, böylece oturup içebilirsin," dedi. Sonra da güya espri yaptı,

"Ama geçen seferki kadar değil, tamam mı? Örümcek dersini aldı, korkarım bir daha seni besleyen eli ısıracak kadar serbest kalmayacaksın."

Örümcek, onu doğrulturken, Lu'nun başı acıyla zonkladı ve kan tekrar vücudunda dolaşmaya başladı.

Pipeti ona doğru çevirip, dudaklarına götürürken, "Yavaş iç," dedi Örümcek.

Lu, pipeti var gücüyle emdi ve buzlu soğuk içecek boğazını rahatlatarak aşağı indi. İçmeye devam ederken, sonunda sindirecek bir şey girmesine şaşıran midesi guruldadı.

Sütü ondan uzaklaştıran Örümcek, "Güzel, güzel," dedi. "Şimdi seni tekrar yatıralım." Alnını geri itip, zincirlerini yeniden sıkmak için Lu'yu işkence masasında aşağı doğru çekti.

Lu sütü içtikten sonra kendini daha iyi hissediyordu, biraz iyimser düşünmeye başlamıştı. Seni az önce besledi Lu. Eğer seni besliyorsa, seni hayatta tutmayı planlıyor demektir, en azından şimdilik.

Örümcek yeniden üstüne doğru eğilip zincirlerini çekiştirdi ve sıkılıklarını kontrol etti. "Şu buzlu sütten sonra kendini daha iyi hissediyor olmalısın. Ben yokken seni bir müddet idare eder."

Yokken? Bu kelime adeta onu sarsmıştı.

Onun gözlerindeki değişikliği fark edince, "Evet, doğru," dedi. "Artık senden ayrılmak zorundayım."

Benden ayrılmak mı? Nereye? Ne kadar süreyle? Neden?

Üstüne eğilen Örümcek ona daha da yaklaşıp parmağıyla yukarısını gösterdi. "Tavana dikkatli bak, bir kamera göreceksin."

Gözlerini siyah tavana diken Lu sonunda kameranın objektifini gördü. Üstünde, ona doğru bakan bir kemirgenin gözüne benzeyen kırmızı bir ışık yanıp sönüyordu.

Örümcek, Lu'nun başını yana çevirdi. "Ve orada seni gözetleyen bir başka küçük kamera gözü var." Onu serbest bıraktı. "Aslında, odanın her

tarafında seni her an izleyen kameralar var. Ve bil bakalım? Nerede olur-
sam olayım ben de seni gözetliyor olacağım. Teknoloji muhteşem bir şey
değil mi?" Cep telefonunun dörtte biri büyüklüğünde siyah bir cihazı ce-
binden çıkarttı.

Lu, bu cihazın üstünde mavi bir ışığın yanıp söndüğünü ve tıpkı te-
levizyon kumandasındaki kırmızı, yeşil ve mavi düğmeler gibi üç farklı
renkte düğmesi olduğunu görebiliyordu.

"Bu bluetooth ile çalışan bir cihaz. Buradan giderken bu bodrumun
dışına yerleştirdiğim pek çok basınç yastığını etkinleştireceğim. Kaçmaya
çalışırsan, ya da yokluğumda birisi buraya girmek isterse cihazlar patlaya-
cak ve bütün ev saniyeler içinde bir alev topuna dönüşecek. Bundan daha
iyisi, nerede olursam olayım, sadece bir sayı tuşlayarak şuradaki kırmızı
düğmeye basabilirim ve *boom! Şeker'den geriye bir şey kalmaz.*"

Lu, yüzünün iyice solmuş renginin de kaçtığını hissetti.

"Umarım buzlu süt güzeldi Şeker, çünkü tadına baktığın son şey o
olacak. Yakında acıkacaksın. Ondan sonra açlığın ne demek olduğunu an-
layacaksın. Ve bir müddet sonra, vücudun gerçek anlamda sen ölene dek
kendi kendini yiyecek. Ve tüm bu zaman süresince, seni son nefesine kadar
izliyor olacağım."

ÜÇÜNCÜ BÖLÜM

3 Temmuz Salı

35

Roma

Hiçbir ofis, *Ufficio Investigativo Centrale di Psicologia Criminale*'nin[*] şefi Massimo Albonetti'ninki kadar ekşi tütün kokmazdı. Burası, FBI'ın Quantico'daki ünlü Şiddet Cinayetleri Analizi Birimi model alınarak kurulan *Unita di Anita Analisi Crimine Violenti*'nin bir koluydu. Massimo'nun nikotin yuvasında Orsetta, Olay Yeri İnceleme Yetkilisi Benito Patrizio ve Analiz Asistanı Roberto Barcucci, Jack King'i karşılama hazırlığı yapıyorlardı. Jack'le çalışabilmeleri için kendi aralarında da İtalyanca değil İngilizce konuşmaları talimatı verilmişti ama, anadillerinde konuşmaya başlayacak ilk kişinin Massimo olacağını hepsi biliyordu.

Massimo'nun masasındaki tüm ilgisiz kâğıtlar ve dosyalar temizlenmiş, geriye sadece; koyu yeşil deri çerçeveli bir mühür, çizgili bir not defteri, ucuz bir tükenmez polis kalemi ve Cristina Barbuggiani'nin gözlerini karşısındakine dikmiş gibi duran siyah-beyaz bir fotoğrafı kalmıştı. Massimo masasındaki düğmeye basıp, ofisin diğer tarafında pitbul gibi devriye gezerek bifteğini korumaya çalışan sekreteri Claudia'yla konuştu. "Claudia lütfen su, meyve suyu, gazoz ve bana da duble espresso getirir misin? *Grazie.*"

(*) Suç Psikolojisini Araştırma Ofisi.

Ekibiyle konuşmadan önce nazikçe Cristina'nın fotoğrafına dokundu. "Orsetta; Jack, Via del Corso'daki Grand Plaza Otel'de kalacak. İki gecelik rezervasyon yaptırdı, lütfen yönetime üçüncü gecenin rezervasyonu için yetki ver. Onu tren istasyonundan alıp doğruc-a buraya getirecek resmi olmayan bir araç ayarla. Akşam saat on gibi gelir." Massimo, Jack'in nakil aracını bir daha düşündü. "Baykuş göndermesinler, şoförlü bir VIP sedan olsun, neşe verici trafiğimize girdikten sonra buraya zinde gelmesini istiyorum. Ertesi sabah onu ofisime aynı araba ve aynı şoför getirsin. Büyük ihtimalle gün sonunda onu Plaza'ya ben götürürüm."

Orsetta, "Ben de o yöne gidiyorum *Direttore*," dedi. "Ben bırakabilirim."

Massimo, onun yüzüne iyice baktı ve kızdırmayı düşündü. Jack King kadar iyi anılan birini merak etmesi doğaldı; büyük ihtimalle dava dosyalarıyla ilgili konferanslar verirken Jack'in teorilerinden sıkça alıntılar yaparak bunun tohumlarını kendisi ekmişti. "Çok naziksin Orsetta. Aklımda tutarım ve ihtiyacım olursa seni ararım," dedi alaycı bir sesle.

Orsetta o gün dar siyah bir pantolonla dik yakalı pamuklu beyaz gömlek giyinmişti. Massimo kahverengi gözleriyle onu baştan aşağıya süzerken adeta aklından geçenleri gösteriyordu. Orsetta kızardığını hissetti. Neyse ne; Jack King'in özel olduğuna karar vermişti ve bir daha karşılaştıklarında aralarında özel bir yakınlık olmasını ümit ediyordu.

Massimo, "Roberto, çeviriler tamamlandı mı?" diye sordu. "Dostum Jack Amerikalıdır, bırakın İtalyancayı İngilizceyi bile zor konuşur."

Asistan, *"Si, Direttore,"* diyerek güldü. O kadar genç ve temiz yüzlüydü ki, Massimo onun henüz tıraş olmaya başlamadığına inanıyordu. Bu lütfun devam ettiği müddetçe tadını çıkarmalıydı. "Şahitlerin ifadeleriyle, toprak ve madde analizlerini yeniden gözden geçirdik. Ceset parçalarının bulunduğu siyah plastik torbalarda hâlâ iz arıyoruz. Bunlar zaman alıyor ve yardımcımız çok az."

"Peşini bırakma Roberto. Daha fazla adama ihtiyacın varsa şimdi iste, iki hafta sonra çok geç kaldığında değil." Massimo söylediklerinin anlaşıldığına emin olmak için bakışlarını ona sabitledi.

Roberto hemen, "İki kişiye daha ihtiyacım var," dedi. "Vardiyalı üç olabilir mi?"

Massimo geniş bir tebessümle, "Adamlarına kavuşacaksın genç meslektaşım," dedi. "Başka ne var?"

Roberto boğazını temizledi. "Parmak izi ile DNA çevirileri yapıldı, ama hiçbir suçluyla eşleşme sağlanamadı."

İtalyan Adli Tıbbı'nın arama yapmak için FBI'daki gibi tam bir DNA veri tabanına sahip olmamasına içinden küfreden Massimo, "O halde aramaya devam edin," dedi. Adli tıp, 1999 yılında oldukça iyi bir DNA veri tabanı dizini kurmuştu ama polis; Carabinieri, diğer özel ve resmi kurumlar CODIS'le[*] bağlantısı olmayan kendi veritabanlarını kullanmaya devam etmişlerdi. Bunun dışında, birbirinden ayrı veritabanları o denli gizli tutuluyordu ki, Massimo'nun birimindekiler pek çok defa sistemin sahiplerine bilgiyi paylaşmaları talimatını vermeleri için mahkemelere başvurmak zorunda kalmışlardı.

Massimo, DNA düğümünü aklından uzaklaştırıp devam etti. "Hepimiz bu BRK'nın Amerikalı olduğunu varsayıyor ve bunun FBI'ın sorunu olduğunu ve öyle kalacağına inanıyorduk. Ama burada, İtalya'daki bir cinayet durumu değiştirdi. Bunu bizim de meselemiz haline getirdi. Benim sorunum, senin sorunun, bizim sorunumuz." Gözlerini tek tek her birinin üstünde gezdirdi. "Hepiniz beni anladınız mı?"

Özür diler gibi hepsi teker teker, *"Si, Direttore,"* diyebildiler.

"Peki neden İtalya?" diye devam eden Massimo büyük başını ovup, cevap vermesi için ekibine baktı. "Hadi, düşüncelerinizi benimle paylaşın."

İlk başlayan Roberto oldu. "Buraya taşındı, artık evi burası. İşi onu İtalya'ya getirdi."

(*) Combined DNA Index System (Birleşik DNA İndeks Sistemi).

Massimo, "Olabilir," dedi. "Başka."

Olay Yeri İnceleme Yetkilisi Benito, "Tatil," diye fikrini söyledi. "Seri katiller de tatil yaparlar. Buradayken cinayet işlemeye de vakit bulmuş olabilir."

Massimo, "Başka," dedi.

"Belki de Cristina Barbuggiani tatil için Amerika'ya gitmişti, o da onu ziyaret etmeye buraya geldi," diye ileri sürdü Orsetta.

Massimo, "Bunu araştırın," dedi. "Cristina'nın ailesine kızın en son tatile nereye gittiğini ve yabancı arkadaşlarından bahsedip bahsetmediğini sorun."

Roberto, "Peki ya bu seri katil İtalyan'sa?" diye sordu. "Belki de aslında Romalıdır, sonra pek çok İtalyan gibi Amerika'ya taşınmıştır ve şimdi uzunca bir müddet Amerikalıları öldürdükten sonra eve geri dönüp yerleşmeye karar vermiştir."

Massimo, "O zaman neden burada öldürüyor?" diye sordu. "İtalyan asıllı bir katilin, her şeyi geride bırakıp anavatanına dönmesini, cinayetlere arkasını dönüp son günlerini soruşturmalardan uzakta, huzur içinde yaşamak istemesini anlayabiliyorum. Ama burada öldürmesini anlamıyorum. Köpek bile yattığı yeri kirletmez."

Benito, "Benim her yeri, yattığı yeri bile kirleten bir köpeğim var," diye karşı çıktı, Massimo'nun inanılmaz derecede kesmek istediği siyah keçi sakalını kaşırken.

Massimo, "Güzel bir noktaya değindin," dedi. "Bu adamın bildiğimiz tüm kuralları hiçe saydığını ve öldürmekten asla vazgeçmeyeceğini aklımızdan çıkarmamalıyız. Vücudunu dinlendirip sıcak bir yerde emekliliğini geçirmeyi planlayan yorgunluktan bitap düşmüş bir işadamı değil. O yeni avlar arayan, taze kana susamış bir yırtıcı, belki de İtalya'nın kendisi için yeni bir avlanma bölgesi olduğuna karar vermiştir."

Orsetta, "Belki de BRK değildir," diye ileri sürdü. "Belki de onu taklit eden biridir."

Benito, "Ben buna inanmıyorum," diye söze girdi. "İki farklı kıtada, aynı yöntemi kullanan ve aynı tür kurbanlara saldıran iki farklı katil. Çok büyük tesadüf!"

"O kadar yolu sırf cinayet işlemek için kat ettiğini düşünmek inandırıcılıktan daha uzak," diyen Orsetta teorisini savunurken sesini yükseltmişti. "Amerika'dan seçim yapmakta güçlük çektiği için gelmedi değil mi? Orada üç yüz milyon insan yaşıyor, neden böyle zengin bir avlanma bölgesinden vazgeçip, yabancı bir ülkeye gelsin?"

Massimo, "Tamam bunu olabilir diye işaretleyelim," dedi. "Ama asıl soruma gelelim. Neden burada? Bağlantı ne?"

Hepsi konuşmadan oturup, ilham gelmesini beklediler. Orsetta, "King," diye fikir yürüttü. "Eğer bir kopyacı değil de BRK'nın kendisiyse, o halde aklıma gelen tek bağlantı Jack King."

Massimo yüzünü astı. "Jack King mi?"

Orsetta fikrini geliştirmekte zorlanıyordu. "BRK'nın İtalya'da cinayet işlemesinin sebebi King'dir demiyorum, sadece aradaki bağlantının o olabileceğini söylüyorum."

Massimo hiçbir yere varmadıklarını düşünüyordu. "O halde başımız belada demektir. Eğer bulabildiğimiz tek bağlantı Jack King, yani bize yardım etmesi için davet ettiğim adam ise, o halde gerçekten elimizde devam edebileceğimiz hiçbir şey yok demektir. Tüm ifadelerin değerlendirilmesini istiyorum, hepsinin. Cristina Barbuggiani'nin hayatının son günlerinde neler yaptığının bir bir dökümünü istiyorum. Ve şunu iyi bilin: Bu psikopatın İtalya'da onlarca kızı katletmesini *istemiyorum*. Birinin daha ölmesini istemiyorum. Beni anlıyor musunuz?" Yüzlerindeki ifade anladıklarını söylüyordu. "Güzel. İlk olarak, yeni bölgelerde işlenen cinayetler asla kusursuz olmazlar. Onu yakalamak için en iyi fırsat bu olabilir. Yo, düzelteyim. Onu yakalamak için *tek* şansımız bu olmalı. İşte bu yüzden Jack

King'i kendi sağlığını tehlikeye atarak bu canavarı yakalamamıza yardım etmesi için çağırdım, bu..." İngilizce kelime hazinesi Massimo'nun Cristina Barbuggiani'nin katiline duyduğu nefreti ifade etmesine yetmemişti. Anadiliyle konuşurken, ölen kızın fotoğrafını saygılı biçimde o büyük eliyle kapattı. *"Uno che va in culo a sua madre!"*[*]

Orsetta sakin bir tonla, "Anasını becerdiğim," dedi. "Aradığınız kelime anasını becerdiğim *Direttore.*"

(*) Anasının koynuna gitsin.

36

Marine Park, Brooklyn, New York

Ev; sessiz çıkmaz sokağın köşesinde, ön bahçeyi ve garaj yolunu kaplamış büyük akçaağaçlarla akdikenlerin gölgesinde tek başına duruyordu. Örümcek, şafaktan önceki karanlıkta evin etrafında dolaşıp, güvenlik sistemini, ışıkların üstündeki algılayıcıları, kameraların açılarını ve davetsiz misafirleri saptamaktan çok daha fazlasını yapacak olan gizli güvenlik cihazlarının elektrik bağlantılarını kontrol etti.

Arka bahçedeki fazlasıyla eskimiş masanın kenarına oturdu ve eski günleri düşündü; ailesiyle birlikte burada yaşadığı günleri, onlar *Daha İyi Bir Yer*'e gitmeden ve kendisi yetimhaneye gönderilmeden önceki günleri. On beş yıl önce, kendisine kalan mirasın yatırıldığı fondaki parayla evi satın almıştı. Paranın geri kalanıyla akıllıca yatırım yapmış, internette, hisse senetleri, devlet tahvilleri ve bonolar alarak sağlam bir portföy oluşturmuştu. Babası görse onunla gurur duyardı. Babası her zaman, "Asla gereksiz riske girme," derdi ve yaptığı her işte başarısının anahtarı bu olmuştu.

Yetimhanedeki yaşamını hatırladı; baskı, kavga, yiyecek kıtlığı, aşırı kalabalık, kirli yurtların pis kokusu ve elbette hepsinden önemlisi gürültü. Dışarı çıktıktan sonra sükûnetin gerçekten de çok değerli olduğunu anlamıştı. Örümcek o yılların kendisini geliştirdiğini biliyordu. İyi de olsa kötü

159

de, yetimhane kişiliğini şekillendirmişti. Yemeğini çok çabuk yemesinin nedeni, bir an evvel mideye indirmezse daha büyük çocukların tabağından canlarının istediğini alacağını bilmesiydi. Vahşet karşısında bu denli rahat davranmasının nedeni ise, yeni gelen çocuklara geleneksel olarak uygulanan taciz ve bir gün artık dayağa katlanamayıp, kendisine saldıran çocuğun kafasını tuvalet duvarına defalarca vurarak parçalamasından kaynaklanıyordu.

Yetimhane yanlış yolu seçen çocuklarla doluydu. Sahte kimlik ve sahte evrak düzenleme, hayali şirket kurma gibi konularda adeta onu eğiten bir suç üniversitesi olmuştu. Suç işlemek onun için gerçekten çocuk oyunuydu.

Arka bahçesinin serinliğinde Dell dizüstü bilgisayarını çalıştırdı ve sahte web kimliğiyle internete bağlandı. Webmail'i açıp, güvenlik kodunu kendisinin oluşturduğu internet sistemine girdi. Birkaç saniye sonra evin içindeki ve dışındaki tüm kameralardan görüntü almaya başlamıştı. Dış mekân görüntülerine baktıktan sonra ekranı küçültüp, gece görüşünü seçti. Yaptığı ayarlardan memnun kalınca iç mekân görüntülerine geçti. Şeker'in bitkin vücudu karanlıkta beyaz sıcak bir haça benziyordu. Örümcek iyice dikkatli baktı. Kızda onu huzursuz eden bir şey vardı. Geçen gece ona yaklaştığında da bunu hissetmişti ve şimdi yine hissediyordu. Kolları, bacakları gerilmiş ve ölmek üzere yattığı halde, bir şekilde kendisi için tehlikeli biri olabileceğini düşünüyordu. Kendi kendine bu hislerinin mantıksız olduğunu söyledi. İyi bir plan yapmıştı ve kızın kendisini ısırdığı şu kahrolası an dışında onunla başka bir sorun yaşamamıştı.

Örümcek açıyı değiştirip onun yüzüne yakından baktı. Gözleri kapalıydı. Kamera o kadar yakından çekiyordu ki, huzur içinde uyuyormuş gibi görünüyordu. Ama Örümcek gerçeğin çok farklı olduğunu biliyordu. Onun şu anda büyük bir acı çektiğini hayal etti. Ona karşı hiç merhamet hissetmiyordu. Doğrusu ona karşı hiçbir şey hissetmiyordu. Genelde fahişeleri av olarak seçmezdi ama zaten bu normal bir cinayet olmayacaktı. Bu cinayet sadece zevk için tasarlanmamıştı; bu cinayetin çok daha büyük bir ödülü vardı.

37

Amiata Dağı, Toskana

Toskana bazı günler o kadar güzel görünürdü ki Nancy, Tanrı'nın burayı kendi elleriyle yarattığını düşünürdü, ama nedense sonradan dünyanın geri kalanının işini ucuza yapacağını ve hafta sonuna bitireceğini taahhüt eden Polonyalılara bırakmıştı.

İşte bugün o günlerden biriydi. Zack kreşte, Carlo ile Paolo da otelin ve restoranın işleriyle uğraşırken, Massimo ile buluşmaya Roma'ya gitmeden önce Jack ile Nancy birlikte geçirecekleri son günün tadını çıkarmaya karar vermişlerdi.

Sabah Amiata Dağı'nda yürüyüşe çıktılar. Eski yanardağın sarımtırak kahverengi kayalarına tırmanırken Jack tahmin ettiğinden çok daha fazla oflayıp pufladı.

Tepeye vardıklarında gördükleri nefes kesici Val D'Orcia manzarası şimdiye dek gördüklerinin hiçbirine benzemiyordu. Tepede yan yana durmuş, Pienza'yı, Montalcino'yu, Radicofani'yi ve tabii ki San Quirico'yu seçmeye çalışırlarken sıcak ve tatlı bir meltem onları okşuyordu.

Jack parmağıyla karakteristik tarihi duvarları işaret ederken Nancy, "San Quirico, ismini nereden almış biliyor musun?" diye sordu.

Michael Morley

Jack, "Hayır bilmiyorum," diye itiraf etti. "Ama içimden bir ses bilen birini tanıdığımı söylüyor."

Nancy dönünce rüzgâr saçlarını yüzüne savurdu. "Hoş değil. Görünüşe bakılırsa kasaba ismini çocuk Aziz Quricus'tan alıyor."

Asıl konuya gelmesi için sabırsızlanan Jack, "O kimmiş?" diye sordu.

Onun bu tavrına alışkın karısı, "Sabırlı ol. Anlatacağım," dedi. "304 yılında Quiricus ya da bazı yerlerde geçtiği gibi Cyricus, üç yaşında, yani Zack'le aynı yaştayken, annesi Hıristiyan olduğu için ölüm cezasına çarptırılmış. Tarsus valisinin karşısına çıktığında ve idam hükmü verildiğinde küçük oğlu da onunla birlikteymiş. Çocuk ne olursa olsun annesinden ayrılmayacağını söyleyip yaygara koparmış. Yetkililer ona biraz sert bir dille, annesinin Hıristiyan olduğu için öldürüleceğini söylemişler. Quiricus da o zaman kendisinin de Hıristiyan olduğunu ve annesiyle birlikte ölmek istediğini söylemiş. Bu 'direniş' valiyi öyle bir çileden çıkarmış ki, çocuğu bacaklarından tutup taş basamaklarda başını ezmiş. Ama işin şaşırtıcı tarafı annesi Julietta hiç ağlamamış, tam aksine mutlu olduğunu açıkça belli etmiş."

Jack, "Nasıl yani?" diye müdahale etti. "Mutlu mu olmuş?"

"Evet, mutlu olmuş. Anlaşılan çocuğu Hıristiyan olarak ve bu yolda öldüğü için onunla gurur duymuş." Nancy, tarihin modern çağda da tekerrür ettiğini düşündü. "Belki de intihar bombacıların aileleri de böyle hissediyorlardır, belki onların da anneleri gurur duyuyorlardır."

Böyle bir tartışma başlatmaktan kaçınan Jack, "Bu kadarı yeter," dedi. "Babaannem gibi konuşmaya başladın."

"Hatırladığım kadarıyla bu da fena bir şey değil. Onu severdin değil mi?"

Yaşlı kadını sevgiyle hatırlayan Jack, "Tapardım," diyerek düzeltti. "Sofunun tekiydi ama ona bayılırdım."

"Her neyse, Aziz Quricus aile kurumunun koruyucu azizidir. Ve işte kasabamızın ismini ondan aldığı söyleniyor."

"Burayı seviyorsun, değil mi?" diyen Jack uzun zamandır kaçtığı bir sohbete başlar gibiydi.

Nancy yüzündeki saçları geri itti. "Evet. Sen sevmiyor musun?" Ona yan dönüp, sıcaktan kavrulan taşraya baktı. "Belki saçma gelecek ama, ben... ben mutlu değilim." Jack eliyle vadiyi gösterdi. "Tüm bunlar çok güzel ama bana bir faydası yok. Doğrusu, bu muhteşem dağın tepesindeyken kendimi kapana kısılmış gibi hissediyorum."

"Kapana kısılmış mı?" diye soran Nancy, Jack'in kendini tuhaf hissettiğinin ve gözlerine bakmaktan kaçındığının farkındaydı.

"Toskana'nın iyileşmeme yardım edeceğini söylemiştin," dedikten sonra ona döndü. "Ama söylemek istediğin aslında bunun sana iyi geleceğiydi. Bunlar senin istediklerin, senin ihtiyacın olanlar."

Nancy, "Bu haksızlık!" diye çıkıştı. "Hastaneden çıktığında tamamıyla bitiktin, daha fazlasını kaldıramayacak bir haldeydin Jack."

Jack başını iki yana sallayıp, alt dudağını ısırdı. "Hayır Nancy, daha fazlasını *sen* kaldıramayacaktın. Ben hastaydım. New York'ta kalmalıydım. Biraz dinlenip, kendimi toparladıktan sonra geri dönüp işimi bitirmeliydim."

Nancy, "Hah!" diye hiddet gösterip, arkasını dönerek ondan uzaklaştı.

Jack öne doğru hızlıca bir adım atıp onu kolundan tuttu. "Beni dinle!"

Nancy onun kendisine bu kadar sert bir biçimde dokunmasına şaşırmıştı.

Jack, onun elini tuttu. "Seni seviyorum. Seni ve küçük oğlumuzu çok seviyorum ama bu sürgün, mecbur bırakıldığım bu yaşam beni öldürüyor."

Duydukları yüzünden canı yanan Nancy'nin gözleri dolmuştu.

"Ben bir polisim, kötü adamları takip eder onları hapse tıkarım," diye devam etti. "Ben buyum ve yaptığım iş bu. Yaptığım ve yapmayı bildiğim tek iş bu. Beni buralara kadar getirmen, iskemle taşıman ve tabakları temizlemende sana yardım etmekten başka bir şey yaptırmaman bana yardımcı olmadı Nancy, beni daha çok hasta ediyor."

"Ah Jack, bunu nasıl söylersin?" diye karşı çıktı. "Seni hastaneden alıp eve getirdiğimde o kadar kötüydün ki güçlükle yürüyordun. Şimdiki haline bak, çok daha zinde çok daha sağlıklı görünüyorsun."

Jack karnına vurup hafifçe güldü. "Fiziksel açıdan haklısın. Toskana eski gücüme kavuşmama yardımcı oldu. Ama zihnen, şey..."

Nancy, ona bakıp kaşlarını çattı. "Şey, ne?"

"Zihnen beni mahvediyor. Kendimi işe yaramaz, zayıf, yetersiz ve..." devamını söylemekte zorlanmıştı. "Korkak hissediyorum."

"Ah tatlım." Nancy kollarını onun boynuna doladığında, Jack'in bir an için kendini geri çekmeye çalıştığını hissetti. Tıpkı birlikte çıktıkları ilk akşamki gibi başını göğsüne dayadı. Onun yeniden suçlularla uğraşmasını istemiyordu, ama onu böyle görmek de hoşuna gitmiyordu. Jack, ona sıkıca sarılıp, başının tepesinden öptü. Sonunda Nancy kollarından kurtulup, başını kaldırarak ona baktı. "Galiba haklısın. Benim buraya gelmeye ihtiyacım vardı. Cinayetlerden ve morglardan mümkün olduğunca uzak bir hayata ihtiyacım vardı. Ayrıca sana da ihtiyacım vardı. Geceleri iki saat gördüğüm, sabahın saat ikisinde uyumaya gelen ve gün ağarmadan da yataktan kalkıp giden sana değil, hep yanımda olacak sana."

Jack, "Üzgünüm," diye başladı.

Nancy, onun sözünü kesti. "Şş, lafımı bitireyim. Yere yığıldığın zaman beni çok korkutmuştun. Sen aşırı çalışmaktan ölürsen Zack'i tek başıma büyüttüğümü düşünemiyorum, düşünmek istemiyorum. Bu çok mu bencilce?"

Jack, "Hayır hayır," derken, Nancy'nin ona geri adım attırdığını fark etti.

"Seninle birlikte yaşlanmak istiyorum, ister burada isterse dünyanın başka bir yerinde olsun. Sadece birlikte güzel ve uzun bir hayatımız olsun istiyorum." Tıpkı Jack'in birkaç saniye önce yaptığı gibi o da etrafına baktı. "Haklısın. Burayı seviyorum ve umarım sen de sevmeyi öğrenirsin. Ama hepsinden önemlisi seni seviyorum." Gülümsemeye çalıştı. "Yeniden bu işi yapmak zorunda olduğunu anlıyorum. Bunu yapacağını aslında hep hissediyordum. Bitmemiş işler..." İç çekip onun elini tuttu. "Ama dikkatli olacağına söz ver."

"Söz veriyorum," dedi tıpkı daha önce yüzlerce kez yaptığı gibi.

"Ve o psikiyatra gitmeye devam edeceksin. Gideceksin değil mi?"

"Gideceğim."

"Tamam o zaman. Yapman gerekeni yap." Bir kez daha gülümsemeye çalıştı ama bu kez başaramadı ve gözlerinden yaşlar boşaldı.

Jack kollarını ona dolayıp sarıldı. Amiata'nın tepesinden yeni evlerini kurdukları yere baktılar ve içlerinden onları nasıl bir geleceğin beklediğini düşündüler. Nancy kocasına dönüp, onu tutkuyla öptü.

38

Roma

Massimo Albonetti'nin henüz Jack King ile paylaşmadığı iki önemli gerçek vardı. İlki Cristina Barbuggiani'nin kesik başının vücudunun diğer parçaları gibi denizde bulunmadığı, katili tarafından kutulanıp Milano'daki bir kargo firmasıyla Roma'daki merkeze gönderildiğiydi. İkincisiyse çok daha hayret vericiydi.

Ekibindekilere soğuk içecek ve Jack'in gelişiyle ilgili brifing verirken bu iki gerçek aklını kurcalıyor, onu çileden çıkarıyordu.

Bir Light Cola kutusunun kapağını açan Orsetta, "Roberto, kurban raporunu ve tercümesini bitirdi," dedi.

Düşüncelerinin bölündüğüne memnun olan Massimo, *"Va Bene,"* dedi. "Peki rapordan ne anlıyoruz Roberto? Bu adam neden Cristina Barbuggiani'yi seçti? Kızın şanssızlığının sebebi ne?"

Genç araştırmacı, "Her şeyden önce yanlış zamanda yanlış yerdeydi," diye başladı.

Massimo, "Saçmalama!" diye patlarken, eliyle Cristina'nın fotoğrafını kapatıyordu. *"Che cazzo stai dicendo!"*[*]

_____

(*) Sen neden söz ediyorsun!

Örümcek

Orsetta gülümseyerek, "İngilizce *Direttore*," dedi.

Massimo öfkeden parlayan gözlerle ona bakıp, sonra araştırmacıya döndü. "Roberto, bunu Jack King'e söylemeyi aklından bile geçirme. BRK bir fırsatçı değildir; o, anın coşkusuna kapılan sıradan bir katil değildir. Bu adam Cristina'yı seçti. Onu kalabalığın içinden bilinçli olarak seçti. Jack King, sana bu soruyu sorduğunda kızın yanlış zamanda yanlış yerde olduğunu söyleyerek bu birimi utandırma." Massimo, Cristina'nın fotoğrafını işaret parmağıyla başparmağı arasında tutarak Orsetta'ya döndü. "Bana buna benzeyen birini bul. Ajanslara git ve bana, Cristina'ya benzeyen ve onun gibi davranabilecek bir oyuncu bul."

Orsetta, "Bunu ayarlarım," dedi.

Massimo, "Ve Orsetta," diye devam etti. "Patolojiden ne haber, cesedin uzuvları hakkında ne dediler?"

Defterini açan Orsetta, "Uzuvları mı, başı mı?" diye sordu.

"Önce uzuvları," diyen Massimo hâlâ Jack'e baş konusunu nasıl anlatacağını bilemiyordu. "Denizde farklı yerlere atılmışlardı, bu arada biliyorsunuz başı başka bir yerdeydi. Bu yüzden sanırım ilk önce vücudundan kurtuldu ve son ana kadar kızın başını kendine sakladı, değil mi?"

"Büyük ihtimalle," diyen Orsetta ilgili sayfayı çevirdi. "İsteğiniz üzerine ilk önce uzuvlarla başlayacağım. Vücudun parçalara ayrılması ve parçaların denize atılması ölüm zamanının belirlenmesini hayli güçleştirdi. Laboratuvardakiler, aynı zamanda test edecek vücut sıvısının bulunmayışının da..."

Massimo, *"Madonna porca!"*[*] diye homurdandı. "Şu bilim adamları kurbanların ne kadar kolay öldürülmelerini istiyorlar? En iyisi katiller, ce-

---

(*) Tanrım.

setlerden kurtulmadan önce kesin ölüm zamanını etiketleyip taksınlar, olmaz mı? Orsetta, bana bahaneleri anlatma. Sadece bize faydası dokunacak gerçekleri söyler misin?"

Onun duygusal patlamalarına alışkın olan Orsetta, hiç bozulmadan devam etti. "Ceset parçalarındaki çürümeler, aralarında birkaç saatlik farklarla aynı sayılırdı. Et yumuşamaya ve sıvı hale gelmeye başlamıştı. Denize atmadan önce katil, kestiği uzuvları plastik torbalara koymuştu bu yüzden nispeten normal sayılabilecek bir çürüme sürecinden geçmişlerdi. Renkte bozulma, lekeler ve kabarıklıklar vardı."

Massimo sabırsızlıkla, "Ne kadar süre Orsetta?" dedi. "Katil cesedi ne kadar elinde tutmuş?"

"Bunu ceset parçalarından tam olarak anlamaları mümkün değildi ama..."

Massimo, *"Affanculo!"*[*] diye küfrederken tombul elini masaya vurdu. *"Non mi rompere le palle!"*[**]

Orsetta utançtan değil ama öfkeden kıpkırmızı kesmişti. *"Direttore,* sizinle dalga geçen ben değilim, bunlar patoloji laboratuvarının raporları benim değil. İşin doğrusu ceset parçaları pek yardımcı olmuyor, çünkü denize atıldıkları için çürüme hızı bozulmuş."

Ellerini dua eder gibi açan Massimo, *"Mi dispiace,"*[***] dedi. "Lütfen devam et." Uzanıp bir kez daha kibar bir şekilde Cristina'nın fotoğrafına dokundu.

Orsetta kaldığı yerden devam etti. "Patolojiye göre Cristina, cesedi parçalanıp denize atılmadan altı ya da sekiz gün önce ölmüş."

Massimo ümitle, "Karnında ya da ciğerlerinde bize yardımcı olabilecek bir şey bulunmuş mu?" diye sordu.

(*) Lanet olsun!
(**) Benimle dalga geçme.
(***) Özür dilerim.

Orsetta kaşlarını çattı. "Cristina'nın gövdesi plastik torbalara sıkı bir şekilde sarılmıştı, herhalde bunu cinayet mahallinde delil bırakmamak için yaptı, ama bu sayede önemli organlar da korunmuş oldu. Ciğer dokusunun analizini çıkarmak zor olmuş ama iç organlarda diyatome rastlanmadı. İliklerini de kontrol ettiler, yine diyatome bulunamadı."

Roberto, "Diyatomeler; genellikle göllerde, nehirlerde ve denizlerde yaşayan mikroskobik organizmalardır, değil mi?" diye bilgisini yokladı.

Orsetta, "Bu doğru," dedi. "Hatta bazı yerlerde musluk suyunda bile bulunabiliyor. Her neyse, bu organizmanın kızın vücuduna girmemesi, boğularak öldürülmediğini ve denizde veya başka bir yerdeki suda parçalara ayrılmadığını gösteriyor."

Benito, "Ama zaten böyle olmasına ihtimal yoktu," diye ileri sürdü.

Massimo, "Haklısın," dedi. "İhtimal yoktu ama imkânsız da değildi. Bir katilin kurbanı suda boğup, aynı suda parçalara ayırdığını da biliyoruz. Buradaki mantık katilin sadece cinayet mahallini temizleyecek olmasıdır, diğer şekilde hem cinayet işlediği bölgeyi hem de parçalara ayırdığı farklı alanları temizlemesi gerekir. Daima alışılmadık olanı aramalıyız. Eğer bulabilirseniz katile götüren kılavuz elinizde demektir."

Orsetta soğuk Cola'sından büyük bir yudum aldı. Massimo onu devam etmesi için zorlamadan önce Cola'sını bitirmesini bekledi. *Direttore,* "Patoloji, Cristina Barbuggiani'nin başı hakkında ne diyor?" diye sordu.

Orsetta notlarına bakıp bir sayfa çevirdi. "Baş..."

Massimo, "Başı, Cristina'nın başı," diye atıldı. "Bir nesne değil. Burada bir insandan bahsediyoruz. Bunu unutmayalım."

Orsetta, "Cristina'nın başı," diye başladı bir kez daha, "elimizdeki denize atılmamış ve tek bozulmamış örnek diyebiliriz. Bu yüzden ölüm saati ve tarihini buna bakarak belirleme şansımız var." Patolojinin kullandığı kelimeleri için bakışlarını notlarına indirdi. "Deri, kafatasından kolay ayrılıyordu ve saçları kolayca çekilebiliyordu. Buradan yola çıkarak çürümenin iki hafta önce başladığına karar verdiler."

Roberto bir şeyler düşünüyordu. "Bir ceset denizdekiyle karşılaştırıldığında karada ne kadar farklı çürür?"

Massimo, "Çok farklı," dedi. "Cesetler açık havada suda olduğundan iki kat, toprakta olduğundan sekiz kat hızlı çürür."

Benito, "Ve genç insanlar yaşlılardan daha çabuk çürür," diye ekledi.

Roberto, "Neden?" diye sordu.

Benito, "Yağ katmanları yüzünden," diye açıkladı. "Yağ çürümeyi hızlandırır. Yani hayatın veya cesedinin çürümesi uzun sürsün istiyorsan hamburgerle biradan uzak duracaksın."

Massimo, "Teşekkürler Benito," diyerek olay yeri inceleme yetkilisinin devam ettireceği kara mizahın yolunu tıkamış oldu. "Kurtçuklar Orsetta. Jack, cesetleri ne kadar sardıklarını bilmek isteyecektir. Tüm olağan şüpheliler mevcut muydu?"

Orsetta, "Evet mevcuttu," diyerek onayladı. "Analizler tam gelişmiş *Calliphora*'nın hâlâ bulunduğunu ortaya çıkardı."

Benito, Roberto'ya, "Mavi et sineği," diye açıkladı.

Orsetta kaşlarını havaya kaldırıp, Benito'nun sözünü kesmeyeceğinden emin olduktan sonra devam etti. "Olgunlaşmış, şişman ve uyuşuk larvalar üçüncü evredeki kurtçuklardı, pupa döneminde değillerdi. Dokuz on gün önce yerleştikleri tahmin ediliyor. Laboratuvar ilk sineklerin Cristina'nın başını bulmaları için bir iki gün geçmesi gerektiğini söylüyor. Bu yüzden yine on dört gün diye tahmin ediyoruz."

Massimo başını masasından kaldırıp baktı. "Peki, son yerleşen sineklerden üreme evresine gelen var mı?"

"Hayır," diye cevap verdi. "Aynı soruyu ben de sordum. Bu bir ay sürermiş."

Roberto, "O halde yine aynı zamanı elde ediyoruz," diye doğrulatmak istedi.

Orsetta, "Evet," dedi. "Kısacası, rapora göre baş muhtemelen ılık bir yerde on ile on dört gün arasında saklanmış."

Massimo defterine bir şeyler karalarken, tüm ekip onun bitirmesini bekledi. "Bir zaman çizelgesi çıkarmamız lazım. Bakalım..."

Roberto onun sözünü keserek, *"Direttore*, ben kabaca bir hesap yaptım," dedi.

En gençlerinin hepsinden hızlı düşünmesine memnun olan Massimo, "Devam et," dedi.

"Cristina en son 9 Haziran'da canlı görülmüştü, 10 Haziran'da ise kayıp olduğu rapor edildi. Patoloji raporları bize onun ayın on ikisiyle on dördü arasında öldürüldüğünü söylüyor. Cesedin parçalanmadan ve ortadan kaldırılmadan önce altı gün saklandığını biliyoruz. Bu şekilde katilin uzuvları kesmeye başlaması en erken ayın yirmisine denk geliyor. Cesedin ilk parçaları iki gün sonra, ayın yirmi ikisinde bulundu."

Massimo elini havaya kaldırdı. "Güzel ama biraz durup geri gidelim. Anladığımız kadarıyla bu adam, Cristina'yı en az iki en fazla dört gün elinde canlı tutmuş." Massimo ekibine bakıp devam etti. "Onu öldürdükten sonra cesedi ya da parçalarını altı ile sekiz gün arasında sakladı. Neden? Neden bu kadar bekledi? Ne yapıyordu?" Massimo tarihlerle soruların beyinlerine iyice kazınmasını bekledi, sonra yutkunup ekledi. "O halde katilimiz, Cristina'nın başını bize göndermeden dört ya da beş gün daha sakladı. Yine, neden?"

Orsetta haç çıkarıp, başını öne eğdi; Cristina'nın çektiği acıları ya da nasıl bir adamın peşinde olduklarını hayal bile edemiyordu.

Massimo, "Bize cevaplanması gereken bir sürü soru bıraktı, ama biz önemli olanlara yoğunlaşalım," derken parmaklarıyla saymaya başladı. "Cristina'yı nasıl kaçırdı? Onu canlıyken iki ile dört gün arasında nerede tuttu? Onun cesedini altı gün kadar aynı yerde mi sakladı, yoksa başka bir yere mi götürdü? Cristina'nın başını bize göndermeden önce neden bu kadar bekledi?"

Massimo elini masaya bıraktı ve Cristina'nın çerçeveli fotoğrafına baktı. Bu fotoğrafta kızın hiçbir derdi yokmuş gibi görünüyordu. Yüzü aydınlıktı, ışık saçıyor ve gelecek vaat ediyordu. Yüzünde çok geniş bir tebessüm vardı, o kadar genişti ki, sanki fotoğrafçı onu bir kahkaha patlatmadan önce yakalamış gibiydi. Massimo kafasını kaldırıp ekibine baktı ve şimdiye dek Jack'ten sakladığı ikinci önemli gerçekten bahsetmeye başladı. "Ve diğer büyük soru şu: Katil, plastik torbaya koyup Cristina'nın kafatasının içine yerleştirdiği notta aslında bize tam olarak ne söylemek istiyor?"

DÖRDÜNCÜ BÖLÜM

4 Temmuz Çarşamba

39

Roma

"Jack King, harika görünüyorsun!" diyen Massimo Albonetti, Roma' daki ofisinden içeri giren eski FBI ajanına sarıldı.

"Ve sen -nazik İtalyan dostum, sen de hâlâ cilalı bir bilardo topuna benziyorsun," dedi Jack, Massimo'nun tıraşlı başının arkasını sıvazlarken.

Mass, onun eline vurarak uzaklaştırdı ve kapıyı arkalarından kapattı. "Bana hasta olduğunu söylediler ama şu haline bak. Seni daha önce hiç bu kadar kilolu ve sağlıklı görmemiştim."

Jack göbeğine hafifçe vurarak, "İyi yemek ve iyi bir eş, bütün sır bu," dedi.

"Jack lütfen, ben İtalyan'ım, bana bu tür şeyler söylemene gerek yok." Eliyle masasının karşı tarafındaki tahta iskemleyi gösterdi. "Lütfen, lütfen otur. Sana içecek ne söyleyeyim? Kahve, su?"

"Sadece su lütfen. Kafein kullanmamaya çalışıyorum."

Massimo, "Ben de," dedi. "Ama kafein her zaman kazanıyor." Masasındaki dahili konuşma düğmesine bastı. "Claudia iki tane duble espresso ve biraz su lütfen."

Jack, ona onaylamadığını gösteren bir bakış fırlattı.

Massimo omuzlarını silkti. "Geldiğinde istemezsen, seninkini de ben içerim."

Jack, yerine oturup, masaya doğru eğildi. "Benedetta ile çocuklar iyi mi? Tatilleri iyi geçmiş mi?"

Massimo, "Evet iyiler, teşekkür ederiz," dedi. "Aslında havaalanında terörist olabileceği ihbarı vardı. Çocuklar da oyuncuklarıyla içecekleri uçağa alınmadığı için hayal kırıklığı yaşadılar."

Jack, "Uçak yolculuğu bir daha asla eskisi gibi olmayacak," dedi. "Yakında tüm vücut sıvımızı boşalttırıp, uçağa binmeden önce kendimizi plastik bir torbanın içine vakumlatlamamızı isteyecekler. Antiterör birimindekiler işlerini başkalarına yaptırmaya bayılıyorlar."

Massimo gülümseyerek, "Si," dedi. "O savaşın içine sürüklenmediğim için her gece Tanrı'ya şükrediyorum."

Bu küçük sohbet doğal olarak sona erecekti, bu yüzden Jack son konuşmalarından bu yana zihnini kurcalayan soruyu sordu. "Mass, bana telefonda söyleyemediğin şeyi şimdi söyleyebilecek misin?"

İtalyan geriye yaslandığında eski sandalyesi öyle bir gıcırdadı ki, ek yerlerinden kırılacak gibi bir ses çıktı. Soru beklenmedik değildi, cevabıysa basitti ama yine de Massimo haberi vermekte tereddüt ediyordu. "Jack, sana ne kadar saygı duyduğumu, dostluğumuza ne kadar değer verdiğimi bilirsin, bu yüzden beni bağışla. Sana her şeyi anlatmadan önce, gözlerinin içine bakmalıyım, erkek erkeğe ve gerçek bir dost gibi sana şu anda gerçekten iyi olup olmadığını sormalıyım. Senden isteyeceğimiz şeyi fiziksel ve zihinsel olarak kaldırabilecek güçte misin?"

Bu, Orsetta'nın ima ettiği ve Jack'in de son birkaç gündür kendi kendine sorduğu soruydu. Güçlü bir sesle, "Evet, kaldırabilecek durumdayım," dedi, içinde hâlâ şüpheleri olsa da. "Söylediklerinden anladığım kadarıyla, bu cinayetleri işleyen eğer bir kopyacı değilse, bu, Amerika'da en az on altı genç kadını öldüren adam olmalı. Bu adi herifin yaklaşık beş yıl izini sürdüm. Tüm bu çabalar ve harcadığım enerji beni neredeyse öldürüyordu. Ama sana şu kadarını söyleyeyim Mass, sürekli cinayet işlemesini seyretmek ve onu durduracak bir şey yapamamak benim için bu dünyadaki en kötü şeydi. Aklımı kaçırmamak için bu işte senin yanında yer almalıydım. Bir kez daha, bu adamı yakalamak için elimden gelen her şeyi yapmalıyım."

"Bravo dostum," diyen Massimo beklediği cevabı alınca rahatlamıştı. "Bizimle birlikte çalışmaya karar vermen beni onurlandırdı."

Jack neşeli bir sesle, "Haydi, yağcılığı bırak," dedi. "Bana söylemediğin şey neydi?"

Massimo dirseklerinin üstünde öne doğru eğilip, yüzündeki ciddi ifadeyi Jack'in iyice görmesini sağladı. Kolay olmayacaktı. "Sana gönderdiğim, Cristina'nın cesedinin parçalandığını yazan raporda bir iki şeyden söz edilmiyordu."

Jack hiçbir şey söylemeden soran gözlerle baktı.

"Cristina'nın başı kesilmişti. Başı vücudundan ayrılmıştı ve katili, onun uzuvlarından kurtulduktan sonra başını buraya, Roma'daki merkezimize gönderdi."

Jack'in sormak istediği onlarca soru vardı ama en önemlisinden başladı. "Neden gizli raporda yazmıyordu? Yanlış hatırlamıyorsam bu rapor Başbakanlık'a gönderilmişti."

Massimo gülümsedi. "İtalya'da gizli diye bir şey yoktur, özellikle de Başbakanlık'ta. Yüksek makamdakilere gizli bir şey gönderirsen, bir yardımcı ya da bir memurun basına satacağı evrakın fiyatını arttırmış olursun."

Massimo masasıyla aynı genişlikteki çekmeceyi açtı. "Bir şey daha var," derken Jack'e tüm önemli meseleleri en kısa sürede anlatmaya kararlıydı. Massimo, üstünde "Barbuggiani/Gizli" yazan bir dosya çıkarttı. Masanın üzerinden uzatırken, "Cristina Barbuggiani'nin ağzının içinde bulunan notun bir kopyası. Orijinali adli tıpta."

Jack, "Kafasının içinde mi?" diye tekrar sordu.

Massimo "evet" anlamında başını salladı. Jack dosyayı yavaşça açarken, zihni farklı noktaları bir araya getirmeye çalışıyordu. Amerikan ve İtalyan davalarında birbirine benzer bir model oluşmaya başlıyordu ve daha fazla bağlantıyla daha fazla benzerliğe rastlayacağından şüpheleniyordu. Jack bakışlarını indirip dosyadaki fotokopiye baktı. El yazısıyla yazılmış bir nottu. Siyah keçeli kalemle, büyük harflerle düz beyaz bir kâğıda yazılmıştı. Mesaj kısa fakat çarpıcıydı:

BUON GIORNO İTALYAN POLİSİ!
İŞTE SİZE BİR ARMAĞAN, BRK'DAN SEVGİLERLE.
BU, SİZİN İÇİN HAZIRLADIĞIM ŞEYLERİN "BAŞ"LANGICI!
HA! HA! HA!
☺
BRK

Soğuk bir dalga Jack'in omuzlarından belkemiğine doğru süzülürken, gözleri hayatını mahveden üç harfe kilitlenmişti.
BRK
Black River Katili.
Jack notu bir kez daha okuyunca, BRK harflerinin iki kez geçtiğini fark etti. Sanki bunu yazan kişi, polisi bunların kendi işi olduğuna ikna etmek istiyordu.
Massimo, "İyi misin Jack?" diye sordu.
Eliyle alnını ovuştururken, "Daha iyiyim," dedi. Yanlış bir şeyler vardı ama ne olduğunu tam çözemiyordu. Belki şu hastalıklı mizah anlayışından *-başlangıç-* kafası karışmıştı; belki de gördüklerinin BRK'nın yeniden cinayetlere başladığının kanıtı olmadığına inanmak için bir sebep arıyordu. Derin bir nefes alıp, zihnindeki düşünceleri uzaklaştırdı. "New York'taki

Örümcek

eski ofisimle konuştum, söylediklerine göre eski bir BRK kurbanının cesedi mezarından çıkarılmış ve kafatası oraya postalanmış, benim dikkatime."

Massimo yüzünü ekşitti. Jack adına üzülüyordu. Tüm bunlar zavallı adama fazlasıyla baskı yapıyordu. "Bununla ilgili bir rapor gördüm ve basına sızan birtakım ayrıntılar duydum, ama senin adına gönderildiğine dair bir şeyden bahsedilmemişti."

"Ama öyle. Howie Baumguard, eskiden benden sonraki iki numaralı adamdı. O, BRK olduğuna inanıyor."

Massimo, "Büro'nun gönderdiği raporda bununla ilgili hiçbir şey yok," dedi.

Jack zoraki bir tebessümle, "Sizin Başbakanlık'ta yaşadığınız aynı gizlilik sorunu," dedi. "Bu tip bilgiyi gizli rapora yaz, ertesi gün gazeteden oku."

Massimo, BRK'nın aynı anda hem İtalya'da hem de Amerika'da bulunabileceğinden şüphelenmeye başlamıştı. "Sence bu Black River Katili gerçekten de Amerika'daki olaydan sorumlu mu?"

Jack derin bir iç çekti. "Gerçekten bilmiyorum. Az önce söylediklerinden sonra hiçbir şey net değil artık."

Massimo da aynı şeyi düşünüyordu. Sol kulağının hemen altında tıraş olmamış bir bölgeyi kaşıdı. "Kesilen iki baş. İki kafatası, her ikisi de katil tarafından postalanmış..."

Jack, onun sözünü kesti. "BRK elleri saklar, başları değil. Ama haklısın; aşağı yukarı aynı zamanda iki farklı katilin polis kurumlarına ölü kadınların kafalarını göndermesi ihtimali çok düşük görünüyor."

Massimo, "Katılıyorum," dedi. "Ve umarım yanılıyorumdur. Sizin tecrübeli seri katilinizin İtalya'yı kendine oyun alanı olarak seçtiğini düşünmektense, ilk kez karşılaştığımız bir psikopat olduğuna inanmayı tercih ederim."

Jack, İtalyan kurbanın ismini hatırlamaya çalıştı ama anımsayamayınca kendini kötü hissetti. "Cristina Bar... Bar..."

Massimo, ona yardımcı oldu. "Barbuggiani."

Jack, "Barbuggiani," diye devam etti. "Kafası size nasıl gönderilmişti?"

Massimo bir öfke ifadesiyle gözlerini yukarı dikti. "Henüz tam olarak açıklığa kavuşmadı. Karton bir kutu teslim alınmış. Sonra kutu, posta odasına gitmiş ve memurlardan biri, genç bir kadın memur açmış."

"Teslim alanlar ne diyor?"

Massimo, "Teslim alındı kâğıdı yok, ayrıca ben aldım diyen kimseyi de bulamıyoruz," derken utanmışa benziyordu. "Herhalde 'Gelen' bölümüne başka gönderilerle birlikte bırakıldı. Gelen tüm posta ve paketler güvenlik taramasından geçer ama, ancak bölümlerine ayrıldıktan sonra."

Jack, "Yoksa güvenlikte yenilikler ve daha sıkı bir uygulama mı geliyor?" diye sordu.

Massimo, "Çalışmalara başlandı bile," diye onu doğruladı. "Kutunun üstünde bir kargo firmasının damgası vardı ama henüz elimize bir bilgi geçmedi."

Jack, "Adli tıp kutuda ya da notta herhangi bir şey buldu mu?" diye sordu.

"Parmak izi yok. ESDA⁽*⁾ testinden de bir şey çıkmadı. Notun yazıldığı kâğıtla mürekkebi inceliyoruz."

Jack başını iki yana salladı. "Bir yere varamayız. En sık rastlananlardandır."

Massimo onun yanılmasını diledi. "Ümidini o kadar çabuk kaybetme dostum. En iyi katiller bile hata yaparlar."

Jack, "Bu adam yapmaz," dedi. "Sana onun nasıl çalıştığını söyleyeyim. Bu orospu çocuğu bir şey yapmadan önce onu her açıdan tahlil eder. Bahse girerim ki o yazıyı yazarken kullandığı kalem Amerika'da en fazla kullanılan keçe uçlu kalemdir."

(*) Hassas elektrostatik aletlerle bir kâğıdın üstünde yazılı olanların alttaki kâğıda geçen izlerini tespit etmek.

"Ya da İtalya'da."

"Yüz avrosuna bahse girerim, Amerikan malı. Kâğıt da öyle. Araştırmacılar İtalyan üreticilerin hiçbirinden olumlu yanıt alamayacak, inan bana Mass."

Massimo omuzlarını silkti. "O halde belki kâğıdın belirli bir bölgeye özel bir parti olarak belirli bir tarihte üretildiğini öğreniriz. FBI'daki meslektaşların bu konuda bize yardımcı olurlar."

Jack, "Kesinlikle, mürekkep ve kâğıtla ilgili büyük bir veritabanları var," dedi hafife alır gibi. "Ama sana şunun garantisini veririm: BRK bu izleri takip edeceğimizi biliyor, en sonunda mürekkebi üreten fabrikayı, kâğıdı yapmak için kestikleri lanet ağacı bulacağımızı biliyor."

"Sen ne diyorsun Jack?"

"Şunu diyorum: Bulabildiği en sıradan, en sık kullanılan kâğıdı aylar, hatta belki de yıllar önce satın almıştır. Artık hiçbir bağlantısı kalmadığı bir şehirden, muhtemelen önünden geçtiği ilk büyük mağazadan nakit ödeyerek almıştır. Satın aldığı günü, tarihi, saati bulsak bile bu bilgi bizi hiçbir yere götürmez."

Massimo'nun oda kapısı açıldı ve özel asistanı Claudia espresso ve su bardaklarıyla içeri girdi.

Massimo, *"Grazie,"* dedi. Claudia gülümseyip, bir hırsız kadar sessizce dışarı çıktı.

"İster misin?" Mass, Jack'e kahve uzatıyordu.

"Evet, tabii isterim," diyen Jack, anın karamsarlığından kurtulmak için bir vesile arıyordu. "Her neyse, zaten kalemle kâğıt en büyük ipuçları değil."

"Yazıdan mı bahsediyorsun?" diyen Mass, sandalyesini masasının diğer tarafında oturan Jack'in yanına çekti.

"Evet. Bu kelimeleri uzun uzun düşündü Mass. Okuduğunda ilk izlenimin ne oldu?"

Massimo kâğıdı kendisine çevirip, sessizce okudu. "Sarsıcı. Soğukkanlı. Acımasız. Amerika'da nasıl diyorsunuz, 'işinin ehli' mi?"

"Evet doğru. Başka?"

Mass'in bir an için aklı karıştı. "Anlaşılır, tehditkâr, tehlikeli," listeye yenilerini eklemekte güçlük çekiyordu. "Peki sen? Sen ne çıkardın?"

Jack kâğıdı bir kez daha gözden geçirdi. "Dikkat çekmek için yalvarıyor. Kalın büyük harfler, notun kısa oluşu, ünlem işaretlerini kullanışı, kendi ismini iki kere yazması; dikkatimizi çekmek için çırpındığını, adeta ihtiyaç duyduğunu gösteriyor. Bilirsin katiller böyle yaptıklarında, öfke doludurlar ve bunu patlayarak serbest bırakırlar. Bence ya yeniden öldürecek ya da mektubu yazdığından bu yana zaten birini daha öldürdü."

Massimo bunu düşünmek istemiyordu. Elindeki kaynaklar sınırlıydı ve bir başka cinayet sadece Barbuggiani davasında değil, baktığı diğer üç davada da kargaşa yaratacaktı. Bir sigara alıp ucunu defalarca masaya vurdu ve, "Mektup yazmanın onu harekete geçirdiğini mi düşünüyoruz?" diye sordu.

Jack, "Hiç şüphesiz," dedi. "Sadece harekete geçirdiğini değil, aynı zamanda güç verdiğini. Özellikle bekleme süreci, notu okuyacağımızın beklentisi onu tahrik edecektir."

Massimo gözlerini bir kez daha mektuba çevirdi. "*Buon giorno* yazılışının doğru olduğunu fark ettim. İtalyan olmayanlar veya İtalya-sever olmayanlar bunu pek doğru yazamazlar. Belki de eğitimli biridir."

"Aptal olmadığı kesin. Mektubu bir kez daha incelersen tüm dilbilgisi kurallarının, imla ve noktalama işaretlerinin doğru kullanıldığını göreceksin," dedi Jack. "Ama bence bu kadar düzgün ve doğru yazmasının iki sebebi var. Birincisi, daha önce de söylediğim gibi, aşırı zeki olmasından kaynaklanmıyor; o sadece aşırı dikkatli. BRK yapacağı her şeyi titizlikle inceler. Bu adam büyük olasılıkla yanlış yapmamak için *buon giorno* yazılışına bakmıştır. Hayattaki en önemli ilkesi; dikkat, iyi plan yapmak ve özgürlüğüne son verecek bir hatadan kaçınmak. Zaten bu da mektubuna yansımış."

Mass, "Peki ya ikinci sebep?" diye sordu.

"Egosu. Bu adam gezegendeki en büyük egoya sahip katil. Eğer egolar görünseydi, bir uçak kiralar etrafında dolaşır ve içeri alırdık. İşte bu kadar kolay olurdu."

"Niye bu kadar egoist?"

"BRK yanlış bir şey yapacak olursa, o bize güleceğine, bizim ona güldüğümüzü düşünürse yerin dibine geçer." Jack kâğıdı Mass'e yaklaştırdı. "Şuna bak." Gülen yüzü gösterdi. "Çocuklar bunu e-postalarında kullanıyorlar, saf ve çocuksu bir şekilde mutlu olduklarını ifade eden semboller. Gülen yüz genelde çocukların ilk çizdikleri yüzdür. Bunu kullanarak, değerlerimize hiç saygı duymadığını ve en değerli varlıklarımız çocuklarımıza karşı bir tehdit oluşturmaktan mutlu olduğunu gösteriyor. Gülen yüzle size gözdağı vermek istiyor. Ve şimdi şuna bak." Jack parmağını satırın altında gezdirdi. "HA! HA! HA! Bizimle alay etmek için elinden geleni yapıyor. Kalın büyük harflere ve ünlem işaretlerine dikkat et. Bu, onun 'Hepiniz benim için birer eğlence aracısınız, anlamıyor musunuz?' deme şekli. Ve sonra şu hastalıklı satır var." Jack parmağını bu satıra getirdi. "BU, SİZİN İÇİN HAZIRLADIĞIM ŞEYLERİN 'BAŞ'LANGICI!" Eski FBI profilcisi sandalyesinde geriye yaslandı. "Bizi tekrar cinayet işleyeceğine dair uyarıyor. Neden?"

Massimo bir sigara yaktı, dumanını üfleyip cevabını düşündü. "Bu bir oyun. Belki de tüm bunlar onun için büyük bir oyundan ibarettir."

Jack dumanlar üstüne gelince gözünü kırpıştırdı. "Oyun olsun ya da olmasın, bence o İtalya'da ve yeniden öldüreceğine yüzde yüz eminim."

Michael Morley

San Quirico D'Orcia, Toskana

Amerikalı turist Terry McLeod taksi şoförüne ücreti ödeyip, bavullarını tozlu yoldan kaldırdı ve La Casa Strada'nın önünde ilk tatil fotoğrafını çekti.

Serin lobiye girip resepsiyona geçti ve Maria'ya, "Gerçekten güzel bir yer," dedi.

Maria, bir gün uluslararası güzellik yarışmasında kraliçe seçilmesine yetecek kadar iyi olmasını ümit ettiği İngilizcesiyle, "Beş gün misafirimiz olacaksınız. Doğru mu Baaay McLeod?" dedi.

"Doğru. Keşke daha fazla kalabilseydim. Daha önce Toskana'ya gelmemiştim, gerçekten de büyüleyici görünüyor." Kızın yaka kartına baktı. "Söyler misin Maria, otel sahipleri yakınlarda mı? İsimleri neydi?"

Çok hızlı konuştuğundan dediklerini anlamakta güçlük çeken Maria, "Bay ve Bayan King," dedi. "Bay King yok ama Bayan King burada. Çağırmamı ister misiniz?" derken telefonu eline aldı. "Amerika'dan arkadaşları mısınız?"

"Hayır hayır, çağırmayın," dedi. "Buradayken onlara rastlayacağıma eminim. Bunun için çok vaktim olacak, şimdilik bırakalım."

Maria, onu şöyle bir süzdü. Bay King ile aynı yaşlardaydı ama ne onun kadar uzun ne de yakışıklıydı. Erkek arkadaşı Sergio'ya almak istediği pembe *Ralph Lauren* polo gömleğinin altından sarkan küçük bir göbeği vardı. Daha dikkatli baktığında, gömleğinde ince kahverengi bir çizgi gördü. Makineli tüfek gibi yiyen ağzından göbeğine damlayan kahve ya da dondurma lekesine benziyordu. Maria, "Pasaportunuzu alabilir miyim?" diye sordu. "Faturanızın çekilmesini istediğiniz bir banka kartınız var mı? Kahvaltınız fiyata dahil ve saat on buçuğa kadar yapabilirsiniz."

McLeod pasaportunu uzatıp, bilgileri geçiren resepsiyon görevlisine baktı. Güzel bir kızdı. Bir kasa bira ve düzgün çalışan bir klimayla birlikte odasına gelmesi için servet ödeyebilirdi. İtalya'da muhteşem tarihi yapılar vardı ama iş soğutmaya gelince sınıfta kalıyordu.

Maria, "Teşekkürler," dedi.

McLeod, ona bakıp gülümsedi. "İtalyancada nasıl diyorsunuz? İspanyolcayla aynı mı, *gracias?...*"

Maria tatlı bir sesle, "Hayır," dedi. "Pek değil. Biz *grazie* deriz."

"Grat-sii," diye denedi.

Telaffuzundaki ufak hatayı düzeltmenin kabalık olacağına karar veren Maria, *"Perfetto,"* dedi. Arkasındaki duvarda bulunan kancalardan bir anahtar alırken, "Akrep süitindesiniz," dedi. "Lütfen sağ tarafımdaki koridoru takip edin, sonra ilk sola dönün ve basamakları çıkın, Akrep süiti orası."

"Akrep," diye tekrar etti. "Tüm odalara burç isimleri mi verildi?"

Ondan sıkılmaya başlayan Maria, "Evet evet, öyle," derken gitmesini ve böylece masanın altındaki dergiyi okumaya devam etmeyi istiyordu.

"Kaç tane var? Toplam kaç oda var?"

Maria'nın biraz düşünmesi gerekti. "Altı. Hayır sekiz. Toplam sekiz oda var."

"Sekiz," diye tekrar eden McLeod, güzel Maria'yı onlardan birinde kendisiyle kalmaya nasıl ikna edebileceğini düşündü. Daha sonra. Daha sonra bunun için vakti olacaktı. Daha önce yapması gereken işler vardı. Önce iş, sonra keyif...

40

Roma

Cristina Barbuggiani olayının toplantısı saat ikide başlayacaktı ama
Massimo, İtalya'da saat iki demenin saat dörtten önce herhangi bir saat
demek olduğunu açıklayarak, köşedeki restoranda geç bir öğle yemeği için
ısrar etti.

Toplantı için onlara bir sorgulama odası ayrılmıştı. Jack ile Massimo içeri girerken diğerleri yüksek sesle konuşup, beyaz tahtayı işaret ediyorlardı. *Direttore,* Jack'e; Benito'yu, Roberto'yu ve Patolog *Dottoressa*
Annelis van der Splunder'i tanıştırdı. "Orsetta Portinari'yi sanırım zaten
tanıyorsun," derken gülümsememeye çalıştı.

Orsetta sıcak bir sesle, "Sizi yeniden gördüğüme çok memnun oldum
Bay King," dedi.

Jack daha soğuk bir sesle, "Ben de sizi müfettiş," dedi. Uzun fakat şişmanca, saman gibi kısa sarı saçları olan patoloğa dönerek, "Affedersiniz,"
diye devam etti. "İsminiz İtalyanca değil galiba?"

Dottoressa, "Siz sahiden de iyi bir detektifsiniz," diye espri yaptı.
"Ben Hollandalıyım. Bir İtalyan'a âşık olmak gibi güzel bir kaderim varmış, yaklaşık yedi yıl önce buraya taşındım. Roma'ya tapıyorum, artık burası benim evim."

Massimo, "Jack'le eşi de İtalya-severlerden," diye ekledi. "Toskana'da ufak fakat duyduğum kadarıyla çok seçkin bir otelleri var."

Patolog, "Kulağa güzel geliyor," dedi. "Ayrıntıları sizden alırım. Partnerim Lunetta ile birlikte hafta sonları kaçacak yer arıyoruz."

Orsetta, "Lunetta mı?" diye söze karıştı. "Lunetta della Rossellina, manken mi?"

"Evet," diyen patolog fark edildiğine memnun olmuştu. "Lunetta'nın aşkı kıyafetler, benimkiyse yemek ve şarap; sanırım görüntümden anlaşılıyor."

Massimo ciddi bir ifadeyle, "O halde İtalya ikiniz için de mükemmel bir yer," dedi. *"Dottoressa,* Jack raporunuzu okudu ama acaba dün akşam Cristina'nın kan grubu hakkında yaptığımız konuşmayı kendisine anlatabilir misiniz?"

"Tabii ki," dedi. "Oturmamızın sakıncası var mı? Notlara bakmak için gözlüklerimi takmam gerekiyor."

Ekip, uzun ve bir kayın ağacı masanın etrafında toplandı. Annelis van der Splunder, Orsetta'nın yarı okul müdiresi yarı baykuşa benzettiği tel çerçeveli yuvarlak gözlüklerini taktı.

"İsminin Cristina Barbuggiani olduğunu öğrendiğim, Livorno'lu, yirmili yaşlarının ortalarında, beyaz ve genç bir İtalyan; kadının kesilmiş uzuvlarını, gövdesini, midesinde bulunanları ve başını inceledim. Vücudunun parçaları bana bir haftalık zaman diliminde ulaştı, zavallı kadının başı ise son gelen parça oldu. En fazla bilgiyi kesik baştan aldım ve Cristina'nın kan grubunun AB Rh negatif olduğunu buldum."

Jack, "Pek sık rastlanmaz, öyle değil mi?" diye sordu.

"Evet öyle. Kan grubu en sevdiğim konu olmasına karşın, korkarım İtalya'da ne kadar ender rastlandığını kesin bir rakamla söylemem mümkün değil, ama nüfusun yüzde dokuzundan daha azı AB grubundan diyebilirim. AB en nadir bulunan ve en yeni keşfedilen kan grubudur. En eskisi 0'dır, taş devrine kadar gider. Ondan sonra A grubu gelir ve kökleri; Norveç,

Danimarka, Avusturya, Ermenistan ve Japonya'daki ilk çiftçi yerleşimlere kadar uzanır. AB'nin geçmişi bin yıldan daha azdır, Avrupa'da kan gruplarının karışmaya başlamasıyla ortaya çıkmıştır."

Hazırlıksız yakalandığı fen dersini atlamak isteyen Jack, "Peki Rh faktörü?" diye sordu.

Annelis bir an için gözlüklerini çıkarttı. "En sık rastlanan antijenin⁽*⁾ D olduğunu eminim biliyorsunuzdur. Eğer bu antijen varsa kan grubunu pozitif olarak değerlendiririz. Cristina'da yoktu, bu yüzden Rh negatif. Muhtemelen nüfusun yüzde üçü onun kan grubundan."

Jack, Massimo'ya dönerek, "Bu gerçekten işimize yarar," dedi. "Ama sadece katili ya da Cristina'yı parçaladığı yeri bulabilirseniz. Onun kan grubunu mahkemede elimizdeki zanlıyla ilişkilendirmek çok güçlü bir iddia olur."

Benito omuzlarını silkerek, "Yeri bulmak mı?" dedi. "Şu ana kadar mümkün olmadı."

Jack, "Nerelere baktınız?" diye sordu yargılamayan bir sesle.

Benito, "Livorno ve bu kasabaya yakın olan büyük şehirler üzerinde yoğunlaşmayı düşündük," dedi. "Bu yüzden yirmi kilometre uzaklıktaki Pisa, kırk kilometre uzaklıktaki Lucca, yaklaşık seksen kilometre uzaklıktaki Floransa ve yüz, yüz yirmi kilometre uzaklıktaki Siena'yı araştırıyoruz. Araba kiralama şirketlerine, otellere, pansiyonlara, hatta nakliye şirketlerine bakıyoruz. Onlara son zamanlarda müşterilerin kullandığı araçlardan kan temizleyip temizlemediklerini soruyoruz. Şimdiye kadar bir şey çıkmadı."

Jack bu araştırmanın sonucundan, davayı üstüne kurabilecekleri bir kanıt bulabileceklerine inanmıyordu, ama yine de bu yöntemi izlemeleri gerektiğini biliyordu. Bunlar genellikle kritik buluşlar yapan dâhi detektiflik işleri değil, rutin kontrollerdi.

(*) İçerisine girdiği organizma aracılığıyla antikor oluşumunu sağlayan bakteri, virüs, parazit.

Jack bir kez daha patoloğa dönerek, "Şunu doğru mu anladım?" dedi. "Raporunuza göre katilin, Cristina'nın başını buraya göndermeden önce iki hafta kadar sakladığına inanıyorsunuz, öyle mi?"

Van der Splunder sözcüklerini seçerek konuştu. "Aşağı yukarı. Lütfen ölümle çürümeyi birbirine karıştırmayalım. Ölümü on dördü, çürümeye başlaması ve parçalanması ise ayın yirmisi civarındaydı."

"Yani başı kesilerek öldürülmedi. Onu öldürdü, cesedini sakladı, sonra da başını kesti, doğru mu?"

"Kesinlikle."

Jack, "Nasıl ölmüş?" diye sordu.

Patolog geriye doğru çekildi. "Boğazda ölüm öncesi çürük izlerine rastladım."

Jack, "Yani boğazı sıkılmış ya da iple boğulmuş, öyle mi?"

Van der Splunder, "Öyle olduğunu düşünüyorum," dedi. "Ama ip ya da tel izi yok, bu yüzden elle boğulduğunu tahmin ediyorum. Aslında boynundaki bazı izler, erkek elinin parmak boğumlarıyla uyuşuyor."

Jack bunun ne anlama geldiğini ve kadının neden irkildiğini biliyordu. Cristina'yı bu şekilde boğmak dört dakika kadar sürmüş olmalıydı. Otuz saniye sonra beyni oksijensiz kaldığında kendinden geçmiş olmasını diledi, ama yine de korkunç ve yavaş bir ölüm olduğuna emindi. Belki de en korkuncu, katilin onu elleriyle boğması, sonra gevşetip nefes almasına izin verip tekrar boğduğunu düşünmekti. Jack, cinayet sürecini cinsel bir fanteziye dönüştüren katillerin, parmaklarıyla son ölümcül basıncı uygulamadan önce, içlerindeki vahşeti küçük iniş çıkışlarla tatmin ettiklerini biliyordu.

Massimo, "Düşüncelerini bizimle paylaşmak ister misin?" dedi sıradan bir sesle.

Jack cinayet sahnesinden çıkıp, olayların gerçekleştiği zaman çizelgesine geri döndü. "BRK'nın Cristina'nın cinayetinden ve Sarah Kearney'nin

Michael Morley

Georgetown'daki mezarının açılmasından sorumlu olduğunu varsayalım. Aşağı yukarı Cristina'nın ölüm zamanını ve çocukların Sarah'nın mezarını açık buldukları zamanı biliyoruz, bu tarihler arasında İtalya'dan Amerika'ya yapılan uçuşlar üstünde çalışabiliriz."

Massimo başını salladı. "Son üç gün içinde sınırlardan giriş çıkış yapan otuz yaşın üstündeki erkek Amerikan vatandaşlarını araştırıyoruz. Kaç kişinin gelip gittiğini duysan şaşarsın!"

Jack devam etti. "Eğer bu tarihler doğruysa, araştıracağımız zaman dilimini önemli ölçüde daraltabiliriz." Beyaz tahtaya yürüyüp, eline ispirtolu kalemi aldı ve bir yandan konuşurken bir yandan önemli noktaları yazmaya başladı. "Cristina en son 9 Haziran akşamı arkadaşları tarafından canlı görüldü. Ertesi gün, ayın onunda, kayıp olduğu rapor edildi. Muhtemelen ayın on dördünde de öldürüldü ama katil, cesedi altı gün zarar vermeden sakladı. Böylece ayın yirmisine geliyoruz." Jack patoloğa bir göz atıp, söylediklerinin doğruluğunu onaylattı. "Ayın yirmisinde uzuvları kesmeye başladı. Parçalardan ilki, iki gün sonra ayın yirmi ikisinde bulundu ve bundan sonraki en önemli tarih Cristina'nın başının Roma'daki merkeze ulaştığı gün, deneyimli uzmanımız da ayın yirmi altısında inceledi." Jack hata yapmadığından emin olmak için durdu. Kimse onu düzeltmeyince, bulmacanın son parçalarını bir araya getirdi. "FBI onun 30 Haziran gecesi ya da 1 Temmuz sabahında Güney Carolina, Georgetown'daki mezarlıkta bulunduğuna inanıyor. Bu yüzden onun 25 Haziran akşamı veya 26 Haziran sabahı İtalya'dan ayrıldığını düşünebiliriz, böylece yirmi altı veya yirmi yedisinde Amerika'ya varmış olur, Sarah'nın mezarı açılmadan birkaç gün önce."

Massimo, "İtalya'dan Georgetown'a direkt uçuş var mı?" diye sordu.

Jack kaşlarını çattı. "Bilmiyorum. Myrtle oldukça büyük bir uluslararası havaalanıdır, Roma'dan veya Milano'dan direkt uçuşlar olabilir."

Benito, "Bu tarihlere daha fazla yoğunlaşacağız," diye söz verirken, upuzun listesine ilaveler yaptı.

Hepsi yeniden tahtaya dönerken Massimo, "Sence neden Livorno'yu seçti?" diye sordu.

Jack, "Güzel soru," diye cevap verdi. "BRK geçmişte hep sahil şeridi yakınlarında cinayet işlemişti. Deniz, cesedi yok etmek için çok elverişli bir yer, cevap bu kadar basit olabilir. Belki de henüz keşfetmediğimiz başka bir önemi vardır. Limanla olan bağlantıyı yok sayamayız, denizci olabilir, ama Amerikan Donanması'nda yaptığımız geniş araştırmalar sonucunda herhangi bir şüpheliye rastlamadık."

Orsetta, "Livorno'nun çok hareketli bir limanı var," dedi. "Yanılmıyorsam orada bir donanma akademisi bulunuyor."

Benito, "Var," dedi. "Subay okulu. İtalyan Donanması bin sekiz yüzlerin sonlarından beri orada."

Orsetta alaycı bir tebessümle, "Sen bunu nereden biliyorsun?" diye sordu.

Benito teslim olmuş gibi ellerini kaldırdı. "Pekâlâ, bir zamanlar denizci olma hayallerim vardı, ama sonunda polis oldum. Bunda utanılacak bir şey yok."

Kahkahalar bitince Jack konuşmaya başladı. "BRK'nın neden Livorno'ya geldiğini bilmiyoruz ama orada olduğunu ve bir şekilde Cristina'yı seçtiğini düşüneceğiz. Kaybolmadan önce hiç yabancılarla görüldüğüne dair görgü tanığı raporu var mı?"

Massimo başını iki yana salladı.

Jack, "Tahmin etmiştim," dedi. "Demek ki BRK, onu kendi isteğiyle bir araca binmeye razı etti ve önceden hazırladığı uzak bir yere götürdü."

Massimo, "Dur biraz," dedi. "Orsetta; Cristina, Floransa yakınlarında arkeolojik bir kazıya yardım etmiyor muydu?"

Orsetta, "Evet, ediyordu," diye onayladı. "Arkadaşları onun düzenli olarak Montelupo Fiorentino'ya gittiğini söylediler, bir mezar odasından bahsediliyormuş."

Jack, "Kızımız mezar soyguncusu muydu?" diye sordu.

Orsetta yanlış anlaşılmayı düzeltti. "Kesinlikle değildi. Resmi kazılara katılıyordu, İtalyan kültürel mirasını korumak konusunda son derece bilinçli ve tutkulu olduğu söyleniyor."

Bir an için Cristina'nın nasıl bir kadın olduğunu, içindeki potansiyeli fark etme şansı olsaydı ne kadar iyi bir anne olabileceğini düşünen Massimo, "Üzücü bir kayıp," dedi. Çenesini kaşıyıp ekledi, "Livorno ile Montelupo Fiorentino arasındaki yola yoğunlaşalım. Belki de BRK ona yolda giderken veya dönerken rastladı. Birkaç yıl önce, gazetelerde fotoğraflarını gördüğü kadınları hedef alan saldırganı hatırlıyor musunuz? Bir bakalım Cristina herhangi bir gazetede, dergide, turist rehberinde veya internet sitesinde çıkmış mı?"

Benito, "Bakarız," dedi.

Beyaz tahtanın yanından ayrılan Jack, bir kez daha patoloğa döndü. "Dottoressa, raporunuzdan okuduğum kadarıyla Cristina'nın uzuvlarında saldırganın etine, kanına veya menisine ait bir kalıntı bulunmadı. Peki, herhangi bir yağlama veya prezervatif izi bulmak için toksikoloji testi yapıldı mı, özellikle de ağız bölgesinde?"

Annelies nasıl iğrenç bir davranış olduğunu düşündüğü için değil, kızın kafasının ne kadar tahrip edildiğini hatırladığı için yüzünü ekşitti. "Yapılmadı, ama sonuç alma şansımızın fazla olduğunu sanmıyorum. Doku ve organların büyük kısmı yumuşamıştı. Ağızda birtakım küçük izler vardı ama bu izler ağzın içine tıkılan plastik torbayla eşliyordu. Neden soruyorsunuz?"

Jack yüzünü yavaşça ovuşturdu, sanki yorgunluğunu üzerinden atıyor gibiydi. "Örnek davalardan bildiğimiz kadarıyla, başları kesip alan katiller bu kafataslarını sıklıkla, ağız ya da göz çukurlarından girmek veya kafatasının üstüne boşalmak suretiyle cinsel amaçlar için kullanıyorlar. Adli tıp, bu tip cinsel saldırganların arkalarında DNA izi bırakmamak için kullandıkları prezervatifin yağından başarılı sonuçlar elde edebilmişti."

Patolog, "Laboratuvara ellerinden geleni yapmalarını söylerim," dedi. "Ama dediğim gibi, fazla ümit bağlamayalım."

Jack, "Teşekkürler," dedi.

Örümcek

Zihninde Cristina'nın görüntüsünü canlandıran Massimo, "Benim bir sorum var," dedi. "Bu sadece cinsel zevklerini tatmin için işlenmiş bir cinayete benzemiyor. O halde neden yaptı? Bu genç kadını neden öldürdü?" Jack konuşana kadar soru yüzünden odaya sessiz bir düşünce bulutu hâkimdi. "Onu arzuladı. Cristina'yı öldürmeden önce onunla birlikte geçirdiği zaman ve öldürdükten sonra cesediyle birlikte geçirdiği zaman, bir şekilde ondan etkilendiğini gösteriyor. Öldürmesinin sebebi ne olursa olsun; ister içindeki vahşeti akıtmak, ister cinsel bir fanteziyi gerçekleştirmek, isterse kötü bir saplantısı yüzünden olsun, ondan etkilenmişti. Ve bir kez onu ele geçirdikten sonra, tutmak istedi. Siz de benim kadar iyi bilirsiniz, belki de kendine kurban arıyordu ve kızın fiziksel görünüşü onun bilinçaltını tetikleyerek seçim yaptırdı. Ya da daha esaslı bir neden var, mesela daha önceki karşılaşmalarında ondan etkilenmiş olabilir. Ama ben öyle olduğunu sanmıyorum. BRK takip eder, öldürür ve sonra..." Katili harekete geçiren arzuları düşünürken sesi kısıldı. "Cesedi, ölümden sonra tuttuğu süreye bakacak olursak, kurban öldükten sonra çok daha büyük bir ihtirasa kapıldığını görüyoruz. Adeta ölüm bir tür psikolojik ya da cinsel ihtiyacı besliyor, hayatındaki büyük bir boşluğu dolduruyor." Eski davaları hatırlayan Jack uzaklara baktı; bir düzineden fazla kadının hayatı Cristina'nınkine benzer koşullarda sona ermişti. Massimo'ya döndü. "Sanırım neden cinayet işlediğine dair sorduğun soruya, onu yakalayana kadar cevap veremeyeceğiz, hatta o zaman bile gerçek sebebi öğrenemeyebiliriz."

Massimo, "Katılıyorum," dedi. "Bu durumda, sonraki soru bir daha nerede öldüreceği? Burada İtalya'da mı yoksa geri döndüğüne inandığımız Birleşik Devletler'de mi?"

Jack sorunun ciddiyeti yüzünden değil, başının içinde fırtına gibi esip, şakaklarında patlayan ağrı yüzünden suratını buruşturdu. Sağ gözünün köşesi, tıpkı JFK Havaalanı'nda yığılıp kalmadan önceki haftalarda olduğu gibi seğirdi.

Nefes alışını düzeltip, masajın seğirmeye iyi geleceği ümidiyle yüzünü ovuşturan Jack, "Nerede olacağını bilmiyorum," dedi. Eski yaralar açılmıştı, tamamıyla iyileştiğini sandığı zihinsel yaralarsa yeniden acı vermeye başlamıştı.

F: 13

41

FBI Bölge Ofisi, New York

Howie Baumguard ile yeni ortağı Angelita Fernandez, Roma'yla yapacakları görüntülü bağlantıyı kurması için konferans odasında bilgisayar uzmanını bekliyorlardı. Howie yanında, üstü yoğun çikolatayla kaplı bir kapuçino getirmişti.

Otuz dokuz yaşındaki etine dolgun Fernandez, "Kapuçinoyu paylaşacak mıyız?" diye sordu. Omuz hizasındaki koyu renk saçlarını bazen geriye atar ve simit şeklinde topuz yapardı.

"Yani sana da mı alsaydım?" diyen Howie, BRK özel görev grubuna ilk katılan kişinin Fernandez olmasından memnun olmamış gibiydi.

Fernandez, "İyi olurdu," diye iğnelemeye devam etti. "Ama önemli değil, ben hallederim." Konferans masasından uzaklaştı ve su makinesinden aldığı iki plastik bardakla geri döndü. Birini diğerinin içine koyduktan sonra, Howie'nin kupasını alıp, kendi payını doldurdu. "Teşekkürler," diyerek içeceği sahibine geri itti.

Alaycı bir tonla, "Ben de utangaç kadınlardan nefret ediyorum. Şu kızlar ne zaman kendi kıçlarını toplayıp, kendi işlerini yapmaya başlayacaklar?" dedi.

Bilgisayar uzmanı, "Görüntü geldi," dedi.

Tüm gözler odanın ön kısmındaki perde ekrana çevrildi. Massimo Albonetti'nin yanında oturmuş, hararetle konuşan Jack ekranda belirdi.

Fernandez, "Hoş biri," dedi. "Bunu da paylaşır mısın?"

Howie, "Ne? Yoksa kel ve küçük İtalyanlardan mı hoşlanıyorsun?" dedi.

Fernandez, "Asıl bahsettiğim o değil," dedi, "ama madem bahsini açtın, evet sanırım yatak odamı açacak birilerini bludum."

Howie ona gülümsedi. Fernandez, on sekiz ay önce eşinden ayrılmış ve sancılı bir boşanma süresi yaşamıştı. Sancılı derken, eski kocasının ondan daha fazla acı çektiğini belirtmek gerekir. Fernandez, on dört saat süren mesaisinden eve döndüğünde onu komşu kadınlardan biriyle yatakta çıplak bulmuştu. Kaltağın sıska kıçını merdivenlerden aşağı verandaya kadar tekmeleyip, eski kocasını da bir güzel dövmüştü.

Howie, İtalyan tarafında kim olduğunu, neden olduğunu çıkaramadan bilgisayar uzmanı, "Ses geldi," dedi.

Doğrusu ses o kadar yüksek gelmişti ki, neredeyse FBI ajanlarının kulaklarının zarı patlayacaktı.

Kulaklarını kapatan Howie, "Kıs! Kıs şunun sesini!" diye bağırdı.

Jack, kalkmakta olan bir jet uçağının çıkardığı kadar yüksek sesle, "Güzel Roma'dan selamlar," dedi.

"Ciao!" diyen Massimo ekranda görülmeyen birine dönüp elini ağzıyla kapattı ve İtalyanca bir şeyler söyledi.

Jack, "Sizi henüz göremiyoruz," diye açıkladı. "Massimo bilgisayarcılardan birini haşlıyor. Sen yalnız mısın Howie?"

FBI ajanı, "Hayır," diye cevap verdi. "Yanımda Özel Ajan Angelita Fernandez var. Gruba dün katıldı."

Fernandez saygılı bir sesle, "Merhaba Bay King. Sizinle çalışmak bir onur," dedi.

Massimo, "Şimdi sizi görüyoruz," diye duyurdu. "Üzgünüm, Marconi öldüğünden beri İtalyan telekomünikasyonu bir daha eskisi gibi olmadı."

Kısa bir süre hepsi güldü ve iş konuşmaya başlamadan önce hem Roma' daki hem New York'taki gülüşmelerin dinmesini beklediler.

Gösteriyi Massimo'nun başlatmasını isteyen Jack susarak ilk söz sırasını ona verdi.

Massimo, bakışlarını elindeki listesine indirip, "Bu görüntülü konferansta pek çok önemli konudan bahsetmek istiyorum," dedi. "Birincisi, ricamız üzerine Jack'in bu işe dahil olması. İkincisi, karşılıklı bilgi paylaşma gereksinimi. Üçüncüsü, burada Roma'daki İtalyan polisine Cristina Barbuggiani'nin başının bulunduğu bir paketin gönderilmesi. Ve dördüncüsü, FBI'a gönderilen..." Massimo bir kez daha notlarına bakarken sesi alçaldı. "İçinde Sarah Kearney'nin başının bulunduğu paket. Eski bir kurbandı, belki de Black River Katili'nin ilk kurbanı. Bu listeye ekleme yapmak isteyen var mı?"

Howie mikrofona doğru eğildi. "Sınır ötesi operasyon konusunu konuşmalıyız, Güney Carolina yetkililerinin dahil edilmesini, karşılıklı veri tabanı erişimi ve bunun gibi şeyler ama isterseniz bunları konferanstan sonra görüşelim."

Massimo, "Evet öyle yapalım lütfen," diye cevap verdi. "Siz Jack'i bilgilendirebilirseniz biz ona buradan bir irtibat subayı tayin ederiz."

Howie, "Tabii," dedi.

Mass, "Bildiğiniz gibi," diye devam ederek asıl konulara döndü. "Burada, *Ufficio Investigativo Psicologia Criminale*'deki ekibim Jack ile, bize Cristina Barbuggiani olayında yardımcı olması için anlaştı. Çünkü bu olayla, sizin Birleşik Devletler'deki BRK olayınız arasında rahatsız edici benzerlikler var. Açık söylemek gerekirse Jack'in hiçbir polis yetkisi yok ve burada sadece uzman bir sivil olarak bulunuyor. Onun rolü bize idari tavsiyelerde bulunmak; olayın mevcut ve muhtemel ayrıntılarında analiz yapıp, profil çıkarmak ve eğer katili tutuklayabilirsek sorgulama strateji- si hakkında psikolojik tavsiyelerde bulunmak. Eğer katil İtalyan değil de, Amerikalı bir saldırgan çıkarsa elbette son bahsettiğim yardım konusu biz- ler için çok daha önemli olacak."

Howie sıcak bir sesle, "Daha iyi bir seçim yapamazdınız," dedi. "Eski bir boksörü yeniden ringlerde görmek kadar beni memnun edecek bir şey olamazdı."

Massimo, Amerikan iltifatının ne anlama geldiğini tam anlayamadan, "Kuşkusuz," dedi. "Size bahsettiğim genç kadın Cristina Barbuggiani ola- yıyla ilgili fotoğrafları, rapor tercümelerini ve önemli delilleri bu akşam güvenli bir hattan ileteceğiz."

Fernandez eliyle ağzını kapatıp, Howie'nin kulağına fısıldadı. "Ben İtalyan haberlerinden biraz bilgi edindim ayrıca bir de Interpol bülteni var, ama BRK'dan söz edilmiyor."

Massimo, "İtalyan basını," diye devam etti. "Özellikle de Cristina'nın yaşadığı Livorno kasabasında buna yerel bir cinayet gibi bakıyorlar. Her- hangi bir seri katille bağlantısı olabileceğinden haberleri yok. Ve biz de bu şekilde kalmasını istiyoruz. İtalya'da seri katil sözünün geçmesi bile Bay Berlusconi'nin medyasını çıldırtır ve işimizi çok daha zorlaştırır. Amerika- lı bir seri katilin ya da bizimle çalışan eski bir FBI profilcisinin bahsinin geçmesi, uluslararası haber ajanslarının *scarafaggi* -hamamböceği- gibi istila etmesiyle sonuçlanır. Şu anda buna hiç ihtiyacımız yok."

Howie, "Endişelenmeyin Bay Albonetti," dedi. "Biz scara-fatma ya da siz ne diyorsanız, onları uzak tutmakta başarılıyız. Eğer İtalya ile olan bağlantısı duyulsaydı bizim hayatımız da cehenneme dönerdi."

Massimo onaylar bir edayla başını salladı. "Böylece gündemimizin ilk iki maddesini çözmüş olduk." Aklına başka bir düşünce gelmişti. "Unutmada şunu da eklemeliyim, irtibat memurlarımızı yerleştirdikten sonra sabah ve akşam olmak üzere, günde iki kez rapor alışverişi yapacağız, bunun dışında atanmış soruşturma memurları arasında gerek görüldükçe iletişim sağlanacak." Listesinin başındaki ilk iki maddeyi işaretledi. "Şimdi üçüncü maddeye geçelim. İsimsiz olarak buraya Roma'ya gönderilen Cristina Barbuggiani'nin başı 'ilgili kişinin dikkatine' postalanmıştı."

Howie, "İsimsiz derken," diye araya girdi. "Kargo firmasının mı, yoksa gönderen kişinin mi ismi yok?"

Massimo, "Şu anda ikisi de bilinmiyor," diye cevapladı. "Paketi gönderen kişinin ismini bilmiyoruz, ayrıca kargo firmasını da bilmediğimiz için onlarla temasa geçemiyoruz."

Howie, "Nasıl oluyor?" diye zorladı.

Massimo içini çekti, Amerikalılar daima bir sonraki aşamaya geçip meseleyi kurcalamak isterlerdi. "Bu konuda biraz sabır göstermelisiniz. Kargo firmasının adresi listede yok; herhangi bir telefon numarası ya da ticari kayıt bulamadık. Bunu gönderen şirket aslında olmayabilir. Belki de birileri yasadışı bir şirket kurmuştur ve vergiden kaçmaya çalışıyordur. Biz daha çok böyle bir şirketin olmadığı ihtimali üzerinde duruyoruz, ama önce bu konuda tüm bilgiyi edineceğimize ve raporda paylaşacağımıza inanın."

Howie, İtalyan meslektaşının kendini kötü hissedip, konuyu açıklamaya çabaladığını fark etmişti. "Sorun değil. Bunu en küçük ayrıntısına kadar bulacağınıza eminim. Ben sadece İtalya'daki paketle burada elimize geçen paket arasındaki benzerlikleri ve farkları öğrenmek istemiştim."

Massimo, dev konferans ekranındaki Howie'ye başını salladı. "Söylemek istediğinizi anlıyorum. Sanırım en önemlisi paketin içinde bulduğumuz not. Kurbanın başının içine bırakılmıştı. Jack ile bu notu uzun uzadıya tartıştık, içeriğinin çok önemli olduğunu düşünüyor."

Sözü alan Jack, "Size bir kopyası gönderiliyor," dedi. "Özetle şöyle diyor: *'Buon giorno İtalyan polisi!'* Ve burada *buon giorno* kelimesini doğru yazdığına dikkatinizi çekerim, ayrıca cümleyi ünlem işaretiyle bitiriyor."

Howie ve Fernandez notlar almaya başlamıştı.

Jack, *"İşte size bir armağan, BRK'dan sevgilerle,"* diye devam etti. Kendisinin BRK olduğuna hiç şüphe bırakmıyor ve cümleyi nokta ile bitiriyor. Ayrıca yine hiç dilbilgisi veya yazım yanlışı yok. Bir sonraki satıra kendinizi hazırlayın. *'Bu, sizin için hazırladığım şeylerin 'baş'langıcı!',* demiş. Başlangıç kelimesi tırnak içinde yazılmış ve yine ünlem işaretini kullanmış. Dili basit, hatasız kullanmış bizi etkilemeye ve kendine çekmeye çalıştığı kesin."

Howie, "Peki bunlar el yazısıyla mı yazılmış yoksa basılmış mı?"

Jack, "El yazısı," diye cevap verdi. "Ama büyük harflerle yazılmış, bu yüzden uzmanlar, yazı tarzından fazla bir şey çıkaramadılar."

Howie, "Geldiği zaman bunu Manny Lieberman'ın masasına bırakırız," dedi. O bir şeyler çıkarır, her zaman bulur."

Fernandez heyecanlanmadan, "Herhangi bir imza, dipnot veya benzer bir şey var mı?" diye sordu.

Jack, *"Ha, ha, ha,"* dedi.

Jack'in kendisiyle dalga geçtiğinden şüphelenen Fernandez, "Affedersin, bir daha söyler misin?" diye sordu.

"H ve *A* harfleri *HA,* bunu üç kez yazmış, büyük harflerle ve her birinin ardından ünlem işareti kullanmış," dedi Jack.

Howie, "Ünlem işaretini çok sevdiği belli," dedi, "Sanki yılbaşı hediyesi olarak bir paket bu işaretlerden almış."

Jack, "Sonra gülen yüz ve BRK harfleriyle bitirmiş," dedi. "Böylece bu kısa notta iki kez bize bunun BRK'nın işi olduğunu anlatmaya çalışmış."

Fernandez, "Yani sence zorluyor mu?" diye sordu. "Jack sence bu bir BRK taklitçisi mi?"

"Mass ile bu konuyu biraz konuştuk ve bu ihtimali görmezden gelmemeye karar verdik," dedi Jack. "Ama dürüst olmak gerekirse, çok da önemli değil. Her koşulda, karşımızda korkunç bir psikopat var."

Massimo elini kaldırdı. "Ya da iki korkunç psikopat."

"Haklısın," diyen Jack, gözlerini ekrandaki Howie'ye dikti. "BRK dosyalarıyla İtalya'daki olay arasında benzerlikler olduğu kesin, ama arada büyük farklılıklar olduğunu da gözardı edemeyiz." Jack, Massimo'ya döndü. "Bu konuda biraz bilgi vereceğim, uygun mu?"

Mass onayladığını gösterir biçimde başını sallayınca Jack devam etti. "Cinayet şekli BRK olduğunu doğruluyor. Cristina yirmili yaşlarının ortalarında fakat daha genç görünen, zayıf bir kadındı. Bildiğimiz gibi katil uzun ve koyu renk saçlardan hoşlanıyor. Hiç kısa saçlı kurbanı olmadı, bu yüzden fiziksel görünümlerine takıntılı olduğunu söyleyebiliriz, yani kurban onun hayatındaki gerçek hayattan birini temsil ediyor."

Howie, "Şu eski aşk ve nefret dalgalanması demek?" dedi

Jack, "Kesinlikle," diye doğruladı. "Bazı saldırganların öldürmek için seçtikleri kurban, genellikle bir sebepten nefret ettikleri fakat zarar verecek güce sahip olmadıkları birini temsil eder. Bu durum Kemper davasına benzer." Baskıcı annesinden zulüm gören Amerikalı seri katil Ed Kemper'ı hatırlayan herkes başını salladı. Annesinin yerine anneannesiyle dedesini, daha sonra annesinin çalıştığı okuldaki pek çok kız öğrenciyi öldürmüş, bunlardan bazılarının başlarını annesinin yatak odası penceresinin altına gömmüş ve okuldaki çocuklara tepeden baktığını söyleyerek onunla alay etmişti.

Jack, "Bence en büyük fark," diye devam etti. "Kafatası meselesi. BRK' nın kurbanlarından hatıra aldığını biliyoruz ama bunlar öldürdüğü kadınların sol eliyle sınırlı."

Fernandez başını aşağı eğip, sol elinin parmaklarını oynattı ve yarı ehlileşmiş bir atın üstündeki kovboy gibi bağırdığı halde parmağından çıkmayı reddeden yüzüğünün yerinde olduğunu görünce kendini iyi hissetti.

Jack konuyu bağlarken elini kaldırdı. "Bunun ne anlama geldiğini ispatlayamayız ama belki de kadının sadakatini temsil ettiği için sol eli seçiyordur, ne de olsa evlilik yüzüğü takılıyor." Kendi evlilik yüzüğüne dokundu ve bir an için Nancy'yi düşündü, yere düşen konfetileri, on bir yıl önce evlendikleri günü. "Ama o kadar romantik bir şey olmayabilir de. Belki de kendisinin ya da bir zamanlar sevdiği bir kadının şekil bozukluğu olan bir sol eli vardı. Bilemiyoruz, o yüzden hemen sonuç çıkarmamalıyız. Şunu biliyoruz, kafatası son derece yeni bir durum. Önceden kurbanlarının elini alırdı, ama bunları hatıra olsun diye bile saklamazdı."

Massimo düşünceli bir ifadeyle, "Ama bunlar gerçek hatıralar değil," dedi. "Bu ceset parçalarını saklarken bir amacı yoktu. Bu, daha çok kendini beğenmişlikle ilgiliydi, ki gönderdiği mesajla da örtüşüyor. Bana sanki bir güç gösterisi gibi geldi, adeta dikkatimizi çektiğinden emin olmak istiyor."

Jack bu görüşe tam olarak katılmıyordu. "Hatıranın ne olduğu konusunda farklı psikolojik görüşler mevcut. Bazı uzmanlar cinayet mahallinden alınan bir şeyin, bir düğme veya minicik bir mücevher bile olsa, bir hatıra olduğunu söylüyorlar. Katil, birini öldürürken mücadele ederek duygusal ve cinsel anlamda büyük bir zafer kazanıyor ve kendisine o coşkuyu hatırlatması için bir hatıra alıyor. Seri katillerin kurbanlarından bir şeyler aldığına, ama bunları çok uzun süre saklamadıklarına dair bulgular var. Aldıkları şeyleri genellikle 'hediye' ediyorlar; bir hayır kurumuna, aile dostuna veya komşuya veriyorlar. İğrenç bir düşünce ama vahşi cinayet sahnesine ait bir parçayı masum birine vermekten de zevk alıyorlar."

Howie, "Ayrıca ondan sıkılıyorlar," dedi. "Bazıları ilk porno dergisini alan ergenler gibiler. İlk seferinde hepsi korkup heyecanlanır, gidip almak için tüm cesaretlerini toplamaları gerekir. Sonra düzenli olarak almaya ve koleksiyon yapmaya başlarlar, sonra da eski dergileri atarlar, içlerindeki ateşi yakmak için daha güçlü bir şeylere ihtiyaçları vardır."

"Bu senin uzmanlık alanın mı?" diye fısıldayan Fernandez'i, Howie'den başkaları da duyabilirdi.

Eski dostunu kurtaran Jack, "Konuya dönersek," dedi. "Katilin kendini beğenmiş biri olduğunu kabul ediyorum, mesajın her yerinde hissediliyor, ama bu adamın reklam peşinde olduğuna inanmıyorum. Gazete başlıklarında çıkma sevdasında değil. Eğer kafataslarını basına gönderseydi bu fikir geçerli olurdu, ama öyle yapmadı, başları itinayla polis merkezlerine gönderdi, bu yüzden daha çok bize meydan okuyor gibi."

Massimo, "Hepimizin mesaj üzerinde daha fazla çalışması gerekiyor," dedi. "Jack'in de söylediği gibi bu notun bir kopyasını size gönderiyoruz ve eminim bu konuda daha uzun tartışmalar yaparız." Saatine bakmak için sol bileğini çevirince Cristina Barbuggiani'nin aynı yerdeki testere kesiğini düşünmeden edemedi. "Zaman ilerlerken, dördüncü maddeye gelelim, paketin içindeki kafatası duyduğum kadarıyla BRK'nın en eski -hatta belki de ilk- kurbanı Sarah Kearney'ye aitmiş."

"Pekâlâ," diyen Howie, gömleğinin kol düğmelerini açıp, işadamı edasıyla gömleğini dirseğine kadar kıvırdı. "Sizleri fazla heyecanlandırmak istemem ama iyi haberlerim var. Paketin gönderimi konusunda sağlam ipuçları elde ettik. Myrtle Beach International'dan, UMail2Anywhere adlı bir şirket aracılığıyla gönderilmiş. Görünüşe bakılırsa Myrtle Beach'te faaliyet gösteren çok küçük bir kargo firması, ayrıca kuryenin kim olduğunu da bulduk."

İçindeki ümidi bastırmaya çalışan Massimo, "Müşterinin neye benzediğini hatırlıyor mu?" diye sordu. Katilin tarifi büyük bir adım olurdu.

Howie, "Evet, öyle," dedi. "Kuryenin adı Stan Mossman. Bugün çalışmıyor, görünüşe bakılırsa bir süre izin almış. Arkadaşlarıyla eyalet dışında eğlenmeye çıktığını sanıyorlar. Yerini bilmiyoruz, yoksa gider alırdık. Çalıştığı ofisten gözünü üstünden ayırmayacak bir adamımız var, yarın gelir gelmez onu görüşmeye alacağız."

Jack, "Paket nerden teslim alınmış?" diye sordu.

Fernandez, "Days Inn'den," diye cevap verdi. "South Ocean Bulvarı'ndaki Grand Strand. Ucuz ve keyifli bir yer, havaalanına çok yakın."

Jack, "Anlaşıldı," dedi. "Paketi Mossman'a verdikten sonra katilimizin mümkün olan en kısa zamanda Myrtle'dan kalkan uçağa bindiğine bahse girerim."

Massimo şevkle, *"Va bene,"* dedi. "Elimizdeki en önemli şey bu olabilir. Eğer fiziksel özelliklerinin uyumlu olduğunu görürsek, her iki ülkede birden robot resim çıkarmalıyız. Sıradaki kurbanın hayatını kurtarmamıza yardımı dokunacaksa *scarafaggi* ile uğraşmaya katlanılabilir."

İyimser düşünmeyen tek kişi Jack'ti. Yanlış bir şeyler vardı. BRK ipin ucunu asla böyle gevşek bırakmazdı.

Sonra ne olduğunu fark etti.

"Howie, tanığınızın, şu Stan denen çocuğun, bir yerlerde ölü bulunmadığına ya da gömülü olmadığına ve sahiden de arkadaşlarıyla eğlendiğine emin misin?"

İhtimalin farkına varan Howie, "Kahretsin!" dedi keyifsiz bir ifadeyle. "Sence BRK uçağa binmeden önce onun işini halletti mi?"

Jack, "Tam olarak bunu düşünüyorum,"dedi. "Adamımız Stan en son hangi gün işteymiş?"

Fernandez gözlerini notlarına indirdi. "1 Temmuz. Paketi aldığımız gün. Onu o günden beri kimse görmemiş."

42

San Quirico D'Orcia, Toskana

Nancy King günün son işlerini yerine getirirken, La Casa Strada'daki sıcak ev ortamı ve akşam yemeği masasında atılan kahkahalar, Val D'Orcia'nın karanlık ve sessiz tepelerine yayılıyordu. Restoran doluydu ama vakit ilerledikçe beyaz örtülü masalarda kahve içip İtalyan konyağı yudumlayan sadece birkaç konuk kalmıştı. Nancy için bir restoran işletmenin en büyülü anı buydu. Hepsi de güzelce hazırlanmış masalarında oturmuş, Nancy'nin lezzetli yemeklerinin keyfini çıkaran bir salon dolusu konuk. Masalardan birinde buradan sonra Avrupa'nın neresine gitmeyi planladıkları, programın dışına çıkıp Floransa'ya günübirlik gitmeye değip değmeyeceği konuşuluyordu.

Paolo mutfakta çalışanların eve gitmelerine izin vermiş, sadece Giuseppe kalmıştı. O da puding tabaklarını, Jack'in içinde araba yıkayacak kadar büyük diye dalga geçtiği devasa bulaşık makinesine yerleştiriyordu. Paolo, ona yerleri sildikten sonra gidebileceğini söylemişti.

Paolo aşırı bir zarafetle, "Bayan King, biraz sohbet etmek için dışarıda benimle bir bardak şarap içer misiniz?" diye sordu. O her akşam aynı soruyu sorar ve Nancy de başını sallayarak tereddütsüz şekilde hep aynı cevabı verirdi. "Bu harika olur *Signore* Balze, sorduğunuz için teşekkürler."

Örümcek

Paolo, "Siz bir masaya geçin lütfen, ben birazdan gelirim," dedi.

Nancy, onun yanından ayrılıp, mutfak kapısından dışarıdaki bahçeye çıktı. Akşamı güllerin keskin koktusu ve cırcırböceklerinin sesleri sarmıştı. Bir yerlerden bu böceklerin pişirildiğini, hatta kakaolu kek yapıldığını duymuştu, ama bunlardan yemek yapmayı düşünmek bir yana bir tane bile yakalamamıştı.

Mutfak kapısı birden açıldı. "Sürpriz!" diye bağırdı Paolo. Ortasına minik bir Özgürlük Heykeli dikilmiş pastayı tutan Giuseppe ile yan yana duruyordu. Heykelin meşalesine ise doğum günü mumu tutturulmuştu.

Kötü bir şekilde, "Amerika'da doğdum," diye şarkı söylediler.

Giuseppe, "Amerikan Bağımsızlık Günü'nüz kutlu olsun Bayan King," dedi. "Lütfen mumu üfleyin ve bir dilek tutun."

Paolo, "Milli marşınızın sözlerini bilmiyorduk," diye açıkladı. "Ama Bruce Springsteen'den bir şeyler biliyoruz, değil mi Giuseppe?"

Nancy her ikisini birden alkışlayıp mumları üfledi. "Teşekkürler. Çok teşekkür ederim," derken gerçekten de yaptıklarından son derece etkilenmişti.

Paolo mutfaktaki yamağına, "Bir bıçak getir," dedi. "İçkilerimizle ufak birer dilim yeriz."

Nancy, "Dur bir dakika," dedi. "Kesmeden önce yukarıdan kameramı getireyim. Yaptığınızı Jack'e göstermek için fotoğrafını çekmek istiyorum."

Paolo, "Aslında bunu Gio yaptı," diye tatlı şefinden bahsederek düzeltirken, Nancy Sony Cybershot'ını almaya eve doğru koşturuyordu. "Kalamadığı için çok üzüldü," diye seslendi Paolo. "Ama bebeği evde hasta."

Nancy merdivenlerden yukarı çıkarken hâlâ gülümsüyordu. Zack'in kapısının önünden geçerken yavaşladı, sonra ışığı yakıp kendi odasına girdi.

Ama gördükleri nefesini kesti.

Tuvalet masasının yanında, bir elinde fener, diğer elinde siyah, dörtgen, ağır bir şey tutan, maskeli iri bir adam duruyordu.

43

Marine Park, Brooklyn, New York

Örümcek'in odasındaki dijital saatler, önemli bir olay için ayarlanıyordu. Aşağıda, salondaki ve mutfaktaki ışıklar söndü. Yukarıdaki ebeveyn banyosunun daha yumuşak ışıkları yandı ve dışarıdaki güvenlik ışıkları parladı ve aşağıdaki ses geçirmeyen bodrum katı ise karanlığa gömüldü.

Lu Zagalsky ışıklar ilk defa karardığında korkuya kapılmıştı. Kalbi göğüs kafesinden dışarı fırlayacak gibi olmuştu. Karanlığın içinde, yüzünü okşayan, onu sakinleştirip, yutmaya ve sonsuz karanlığın içine çekmeye çalışan yılan gibi şeytani bir şekil hissetmişti. Ama bu akşam karanlığa şükrediyordu. Kırık burnunun acısına artık dayanabiliyordu ama gözlerine sanki asit dökülmüştü.

Lu'nun susuzluğu dayanılmazdı. Şu anda bir bardak su için yapamayacağı şey yoktu. İnsanın yemek yemeden yaşayabileceğini duymuştu ama suya ihtiyacı vardı. Bir gün gelip de insanın susuzluğa kaç gün dayanacağını bizzat öğreneceği aklına hiç gelmemişti. Örümcek, onu bırakıp gittikten sonraki ilk gün çektiği açlık sancılarının şimdi tamamen geçmesi onu rahatlatmıştı. Artık aç bile değildi. Ama bu, ne yazık ki sevinmesi gereken bir durum değildi. Yemek yemeden geçen iki günün ardından, mide sinirlerindeki veya mesenter[*] damarlarındaki algılayıcılar, beyne açlık sancılarını dindirmesi ve sindirim sistemini kapatması için sinyal gönderiyordu. Lu'nun vücudu şu anda kendine onarılamaz bir zarar veriyordu. Kendi kendini yemeye başlamıştı.

Bodrumun ışıkları tekrar yanınca, başının üstündeki parlak ışıklar yüzünden kıstığı gözleri acıyla yandı. Yukarıda, bir dijital saat bir başka aygıtı harekete geçirdi. Bir kayıt makinesi çalışmaya başlamıştı.

Lu'nun etrafındaki kameralar dönmeye, yakınlaşmaya ve odaklanmaya başlamıştı.

Dijital bir ana bellek vınlayarak çalıştı ve Örümcek'in kesin inancına göre Lu Zagalsky'nin hayatının son saatlerini kaydetmeye başladı.

(*) İnce bağırsağı karnın arka bölümüne bağlayan ve karın zarından oluşan askı.

44

San Quirico D'Orcia, Toskana

Yabancı, feneri ona doğru fırlatırken Nancy King aşağı eğildi. Fener başının arkasındaki duvara çarparken kırılıp parçalara ayrıldı. Adam onun yanından geçip, merdivenlerden aşağı loş bahçeye doğru hızla koşarken Nancy var gücüyle çığlık attı.

Yatak odasının penceresinden, "Paolo, Giuseppe imdat!" diye bağırdı. "Durdurun onu! Durdurun onu!"

Pastayı kestiği masaya arkasını dönen Paolo, o anda siyah giysili iriyarı bir adamın bahçeye kaçtığını gördü.

Saldırgan, bahçedeki diğer iki adamı ve Paolo'nun elindeki bıçağı görmüştü. O kadar ani durdu ki, ıslak çimlerin üstünde kaydı, sonra yeniden ayağa kalkıp mutfağın arka kapısına doğru koştu. Paolo bir an için bıçağı ona fırlatmayı düşünse de, elinden bırakıp arkasından kovalamaya başladı.

Maskeli adam hızla mutfaktan restorana kaçıp, karışıklığın ne olduğunu anlamak için içkilerini yarıda bırakan konukları iteleyerek, otelin dar koridorlarından geçti. Koridorlar onu doğruca resepsiyona götürdü. Maria cesur bir hamlede bulunarak onu durdurmak için önünde tahta bir iskemleyi havaya kaldırmıştı. Adam sandalyeyi tek eliyle tutup onu duvara yapıştırdı ve Maria bez bebek gibi yere yığılırken, adam ön kapıdan kaçtı.

Paolo resepsiyonda belirdiğinde Maria karnını tutarak acıyla haykırıyordu. Kovalamacayı bırakıp iyi olup olmadığına bakmaktan başka çaresi yoktu. "İyi misin? Kıpırdama Maria, bana nerenin acıdığını göster."

"Karnım," dedi. "Karnım ve kaburgalarım çok ağrıyor. Ne oldu?"

Birkaç saniye sonra, Giuseppe ile Nancy, peşlerinde yemek salonundaki konuklarla birlikte gelmişlerdi.

Nancy ellerini onlara doğru sallayarak, "Tamam, endişelenecek bir şey yok. Lütfen panik yapmayın," dedi. "Anlaşıldığı kadarıyla hoş olmayan bir olay yaşadık ama şimdi hepsi geçti. Lütfen yemek salonuna geri dönün, biz buradaki işleri yoluna koyalım. Yardımınız için teşekkürler." Resepsiyonla otelin geri kalanını birbirine bağlayan kapıyı kapattı ve Maria'yı ayağa kaldıran diğerlerine katıldı.

Nancy, "İyi misin Maria? Canın yanıyor mu?" diye sordu.

Maria, "İyiyim Bayan King," dedi. "Şu sandalyeyi alıp onu durdurmaya çalıştım ama beni yere serdi ve kaçtı."

Paolo, "Otur," dedi. "Biraz su iç, nefesin düzelsin."

Giuseppe resepsiyon masasının arkasından bir sürahi su getirip, bardağa boşalttı.

Bir müddet ayakta duran Nancy, tırnaklarını ısırırken, olan bitene bir anlam vermeye çalışıyordu. Böyle zamanlarda Jack'i çok arıyordu. Paolo ile Giuseppe yabancıyı kovalamakta iyi iş çıkarmışlardı ama Jack olsaydı, adam şimdi soyacak başka bir otel seçmiş olmayı diliyor olurdu.

Paolo, "Polisi mi arayayım, Bay King'i mi?" diye sordu.

Nancy, "Polisi veya *Carabinieri*'yi ara," diye cevap verdi. "Jack'in şimdi daha önemli şeyler düşünmesi gerekiyor; böyle bir şeyle canını sıkmak istemiyorum."

Paolo telefonu açtı ama o kadar uzun konuştu ki, Nancy onun karakoldaki herkese olayı tek tek anlattığını düşündü. Sonunda kendine gelen Maria, karnındaki çürükler dışında hiçbir şeyi olmadığı konusunda ısrar ediyordu. İtalyan Güzeli Yarışması'na katıldığında artık televizyonda anlatacağı müthiş bir hikâyesi olduğu düşüncesi onu teselli etmişti. Nancy hepsine çabaları için teşekkür etti ve maaş zamanı geldiğinde verdikleri bu desteği unutmayacağına söz verdi.

Giuseppe arabasıyla Maria'yı eve bırakacaktı. Onlar giderlerken Nancy, Maria'nın ikisi arasında arkadaşlık dışında bir kıvılcımı fark edip edemeyeceğini merak etti. Polisin ertesi sabaha kadar kimseyi göndermeyeceğini öğrenince Paolo akşam kalmayı teklif etse de, Nancy duymamış olayım diyerek reddetti. Yine de küçük motosikletiyle gitmeden önce son bir kez etrafı kontrol etti. Paslı egzozu giderken öyle bir gürültü çıkardı ki, en az bir kilometre ötedeki çiftliğin köpekleri arkasından uzun bir süre havladı.

Nancy yukarı çıkıp, yatmaya hazırlandı. Dişlerini fırçaladıktan sonra macununu dışarıda bıraktı. Bir an için Jack'in orada olmadığını unutmuştu. Ardından Zack'in odasına gidip, bebeğini kollarına aldı. Onu dikkatlice karanlık yatak odasına taşıyıp, soğuk yatağında yanına yatırdı. Bunu biraz onun güvenliğinden emin olmak için, doğruyu söylemek gerekirse, biraz da kendisini onun yanında rahat hissetmek için yapmıştı.

Şiddetli bir şekilde yağmur başlayınca Nancy, hâlâ dışarıdaki bahçede duran o güzel Bağımsızlık Günü pastasını hatırladı. Çöpe atılacaktı. Oda güneş ışığıyla doluncaya ve otel güvendiği insanların sesleriyle canlılığını kazanıncaya kadar yataktan çıkmayacaktı.

Aşağıda, ön kapıda bir anahtar döndü. Yeni gelen Terry McLeod hiç kimseyi uyandırmamak için elinden geldiğince sessiz davranmaya çalışıyordu.

BEŞİNCİ BÖLÜM

5 Temmuz Perşembe

45

Grand Plaza Oteli, Roma

Jack kan ter içinde, hızlı soluklar alarak uykusundan uyandığında hava henüz aydınlanmamıştı. Son kâbus, gördükleri arasında en korkuncu, en gerçekçi olanıydı.

İyice dinlenirim düşüncesiyle gece yarısına doğru uykuya dalmıştı. Yanıldığı belli oluyordu.

Uykusunda beyaz önlüklü adli tıp uzmanının sanki normalmiş gibi ama gizemli bir biçimde hareket ettiği, onun dışındaki her şeyin bir şekilde olduğundan daha yoğun göründüğü bodruma geri dönmüştü. Siyah duvarlardaki borulardan kanlar yere akıyor, ayaklarının etrafında oluşan gölcükler Rorschach testindeki gibi tuhaf şekiller alıyordu. BRK, kurbanlarının yüzleri bu gölcüklerde belirip, bir diğerine dönüştü ve Jack sonunda Cristina Barbuggiani'nin yüzüyle karşı karşıya kalana kadar devam etti. Jack'e bir şey söylemeye çalışıyor ama duyulmuyordu. Bir an genç parmakları kandan dışarı uzanıp kendisini kurtarması için Jack'e yalvardı. Ardından, Jack'e dokunduğu anda, eti eridi ve eli iskelete dönüşüp koptu.

Yüzündeki terleri silen Jack, rüyasında başka ne gördüğünü hatırlamaya çalıştı. Birbirine karışmış kadın ve erkek seslerinin, "HEPSİ SENİN

HATAN!" diye bağırdıklarını hatırladı. Zihninde sesler yankılanırken bacakları tutmayacak korkusuyla sedyeye tutunmuştu.

"Dedikleri doğru, sen başarısızın tekisin King, tükenmişsin."

"Sen kurtaramadığın için kaç tane kız öldü bir düşün."

"Düşün! Beş mi, on mu, on beş mi, yirmi mi, yoksa daha mı fazla?"

Adli tıp doktoru testereyi yukarı kaldırırken Jack, çelik sedyede yatan cesede tutunuyordu. Bunu kurtarmalıydı, başka cinayet işlenmemeliydi.

Testere, sedyedeki cesede gittikçe yaklaşırken, dişleri başka bir masumun etinin ve kemiğinin peşindeydi. Jack elini doktora doğru uzatıp, testereye engel olmaya çalıştı ama bunu yaparken sendeledi. Kan gölünün içine düşerken, çelik sedyedeki kurbanın yüzünü daha net görmüştü.

Bu yüz karısına aitti.

46

San Quirico D'Orcia, Toskana

Terry McLeod, domuz pastırması, peynir, kruvasan, reçel ve tereyağı bulunan tabağıyla, dört kişilik masada tek başına oturmuştu. Bir yanında büyük bir *Terre de Siena* haritası, diğer yanında *La Nazione* adlı gazete duruyordu. Terry'nin hiç İtalyancası yoktu ama gittiği her yerden ulusal bir gazete alıp eve götürmeyi âdet edinmişti. O bir kirli çıkıydı, hep böyle olmuştu ve hep böyle olacaktı, ayrıca hayatta beynelmilel hatıra eşyalarından daha fazla sevdiği bir şey yoktu.

Garson kız Paullina, daha önce kimsenin istemediği "duble kapuçino" ile belirdi. Bu isteğinden, normal bir fincan kapuçinonun duble kahve ile yapılacağını anladığını söylemiş, konuk da buna itirazı olmayacağını belirtmişti.

Paullina, boş meyve suyu bardağıyla, gevrek kâsesini kaldırırken gözüne harita ilişince, "Bugün nereye gitmeyi planlıyorsunuz?" diye sordu. "Siena ya da Pienza olabilir mi?"

Kruvasanını ağzı açık çiğnerken, "Biliyor musun?" diye cevap verdi. "Pek emin değilim. Yolculuk yüzünden hâlâ sersem gibiyim. Şuraya gidebilirim." Parmağını yakınlardaki bir kasabaya koydu. "Adı ne buranın?"

Paullina haritanın üstüne eğilince, McLeod ona bu kadar yakın olmanın verdiği hissin tadını çıkardı.

"Chianciano Terme," dedi, Terry'nin duymak için yüklü bir telefon faturasını ödemeyi severek kabul edeceği kadar tatlı bir sesle.

"Ya da şöyle bir fikrim var," dedi. "Montepulciano'ya gidebilirim, geçen akşam yemeğinde birileri çok güzel bir yer olduğunu söylemişlerdi."

Paullina başını salladı. "Öyledir. Manzarası ve kiliseleriyle ünlüdür. Şu tepenin çok yukarısında ama tırmanmaya değer."

"Benim seveceğim türden bir yere benziyor. Sizin İtalyan kiliselerinize ve tüm o Da Vinci eserlerine bayılıyorum," dedi McLeod dudaklarına yapışan ekmek kırıntılarını silerken. "Burayı bana sattınız, ee... Affedersiniz, adınız neydi?"

"Paullina," dedi. "Ben Paullina Caffagi."

"Terry McLeod, tanıştığıma memnun oldum." Hızla uzattığı elini Paullina tereddütle sıktı. "Birkaç gündür buradayım ama seni görmemiştim. Yarım gün mü çalışıyorsun?"

"Scusi, anlamıyorum."

"Yarım gün, sadece sabahları, sadece kahvaltıda?"

"Aa, evet, sadece kahvaltılarda çalışıyorum."

"O halde demek ki serbestsin, benimle gelip rehberim olabilirisin," dedi McLeod ümitle.

Paullina tam olarak hangi manzaraları görmek istediğini düşünürken, "O hayır. Bunu yapabileceğimi sanmıyorum," dedi.

"Ama neden? Ücretini öderim. Sabah kahvaltısında ne kadar kazanıyorsan, akşamüstü bana Montepulciano'yu göstermen için aynı miktarda ödeme yaparım."

Paullina bunu biraz düşündü. Aslında biraz görgüsüz biriydi ama zararsıza benziyordu, ayrıca fazladan kazanacağı para gerçekten de işine yarayacaktı. "Tamam o zaman. Size memnuniyetle Montepulciano'yu gösteririm."

"Harika!" dedi McLeod. "Senin için ne zaman uygun?"

"Yarın olur mu? Burada işim bitmiş olur, saat on ikide buradan çıkabilirim. Uygun mu?"

McLeod, "Olur," dedi. "Bizim için bir taksi ayarlayabilir misin? Toplu taşımadan pek hoşlanmıyorum."

Paullina gülümsedi. "Bir tane çağırırım."

Nancy King yemek salonundan içeri girdiği anda McLeod'un Paullina'ya olan ilgisi söndü. Yaşça daha büyük kadının Paullina'nın işinin başına dönmesi için şöyle bir bakış fırlatması yetmişti.

McLeod'un şansı yaver gidiyordu. Konukların arasına karışmak, otelden memnun kalıp kalmadıkları gibi şeyleri konuşmak için restorana gelmişti. Kaşığını kapuçinonun köpüğünde gezdiren McLeod, kadının müşterilerle kısa sohbetini dinledi. Tüm masalara uğramıştı; arka taraflardaki yaşlı bir çiftten balayı çiftine, sonra sporcu bir çifte ve son olarak da kendisine.

Işıldayan gözleriyle, "Günaydın," dedi. "Ben Nancy King. Eşimle birlikte La Casa Strada'nın sahipleriyiz, umarım otelimizden memnun kalmışsınızdır."

"Terence T. McLeod," derken bu kez el sıkışmak için ayağa kalkmıştı. "Harika zaman geçiriyorum Bayan King. Burada muhteşem bir oteliniz ve muhteşem çalışanlarınız var." Yerine otururken başıyla Paullina'yı işaret etmişti.

"Böyle söyleyerek kibarlık ediyorsunuz," dedi. "Amacımız sizleri memnun etmek."

"Umarım sakıncası yoktur, şuradaki garsonunuzdan bana Montepulciano'yu gezdirmesini istedim. Elbette ödeme yapmayı da teklif ettim. Ayrıca otele de bir ücret ödemem gerekiyorsa, onu da öderim. Sadece günümün güzel geçmesini sağlayacak iyi bir rehbere ihtiyacım var."

Duydukları Nancy'yi biraz şaşırtmıştı o yüzden kafasını toplaması biraz zaman aldı. "Hayır. Hayır benim için sakıncası yok. Çalışanlarımızın otel dışında konuklarla samimi olmasını istemiyoruz, ama bunun son derece profesyonel bir görüşme olacağını varsayarsak, bir itirazım yok."

"Harika! Teşekkürler."

Nancy gülümseyip uzaklaşırken, unutmadan Paullina ile bu konuda birkaç kelime konuşması gerektiğini düşündü. "Umarım Montepulciano'yu beğenirsiniz Bay McLeod. İyi günler."

"Size de," diyen McLeod ekledi, "ah, bu arada, onu yakaladınız mı?"

Nancy olduğu yerde arkasını döndü. "Anlamadım?"

"Dün geceki adam. Onu yakaladınız mı? Restorandaki herkes bundan söz ediyordu. Kapüşonlu bir adam koşarak kaçıyormuş."

Nancy söyleyeceklerini aklında tasarladı. "Hayır hayır, yakalamadık. Ama temin ederim ki ciddi bir şey değildi. Hiçbir şey çalınmadı, ayrıca polisi aradık. Lütfen bu konuda endişelenmeyin. Buradaki herkesin ve her şeyin güvende olduğuna garanti veririm."

McLeod, "Eminim öyledir," dedi. "Peşinden koşan eşiniz miydi? Sanırım bir yerlerde kendisinin eski bir polis ya da federal ajan olduğunu okumuştum."

Nancy sohbetin bitmesini diliyordu. Dün akşam yaşadığı korku onu yeterince tedirgin etmişti, konukların olanlar hakkında sorular sorabileceğine kendini hazırlamıştı ama bu adam resmen canını sıkıyordu. "Hayır Bay McLeod. Eşim değildi. Mutfaktaki çalışanlarımız peşinden koştular. Şanslı bir adammış. Yakalasalardı ona yapacaklarını düşündükçe fena oluyorum."

"Herhalde mönüde dövülmüş hırsız yazardı, değil mi?" diye soğuk bir espri yaptı.

"Ve bu sadece aperatif olurdu," dedi Nancy King.

Bir kez daha gülümseyip, bu sefer masadan uzaklaşmayı başardı. Terry McLeod'un keyfi yerindeydi. Eğer eski FBI Ajanı Jack King dün gece, Bağımsızlık Günü'nde burada değilse ve yaşadıklarından sonra eşini rahatlatmak için bu sabah gelmediyse hangi cehennemde olabilirdi?

47

Roma

Jack telefonda Nancy'yle konuşana kadar gördüğü son kâbusun tesirinden kurtulamamıştı. Başucundaki alarmın Nancy'yi uyandırdığından emin olduğu saat yediye kadar beklemişti. Karısının uykulu sesini dinleyince sakinleşmiş ve yatakta yanında uzanıp ona sarılsaydı onun ne kadar sıcak olacağını düşünmüştü. Hâlâ aklında çok büyük bir yer işgal etmesine rağmen Nancy hırsızdan bahsetmemişti.

Telefon konuşmasından sonra Jack, Roma'nın merkezinde hafif bir koşu, ardından sıcak bir duş ve balkonda iyi bir kahvaltı yapacak enerjiyi kendinde buldu. Kendisini polis merkezine götürecek şoförlü arabaya binerken sokaklar trafik yüzünden tıkanmıştı. Araba yolculuğu normal süresinin iki katı kadar uzun sürmüş ve Jack bir duş daha almak isteyecek kadar bunalmıştı.

Massimo'nun gönderdiği şoför vermemesi için ısrar etse de ona bahşişini verip toplantı odasına doğru yürüdü. O gün Massimo'nun başka randevuları vardı, bu yüzden Jack; Orsetta, Benito ve Roberto ile oturup, araştırmalarını güncelleyecek ve akıllarına gelen yeni düşünceleri paylaşacaktı. Toplantı öğlen başlayacaktı ve Jack insanların saat sekizde ya da New York'ta olduğu gibi daha da erken saatlerde masalarının başında olmamalarına alışmakta zorlanıyordu. İtalyanların işle hayat arasındaki dengeyi Amerikalılardan daha iyi kurduklarına karar verdi. Onlar çalışmak için yaşamıyor, yaşamak için çalışıyorlardı. Boş vakit, aileye ayrılan vakit ve kendine ayırdığın vakit... işte en çok bu üçünü iple çekiyorlardı.

Orsetta geldiğinde Jack sade ve ruhsuz odada tek başına oturmuş, konuşmak istediği konuları yazdığı listeyi gözden geçiriyordu.

"Buon giorno," dedi. "Biraz erkencisin, değil mi?"

"Amerika standartlarına göre değilim," diye cevap verdi. "Toplantı on ikiden önce başlamaz, değil mi?"

Orsetta, "Evet, doğru," dedi. "Seni burada bulabileceğimi düşündüm, bu yüzden diğerlerinden erken geldim."

Kendini biraz da olsa flört etmekten alıkoyamayarak, "Düşündün mü, umdun mu?" dedi.

Serinkanlı bir sesle, "Sanırım her ikisi de," diye cevap verdi. "Ama aklımdaki şey kişisel değil profesyonel bir mesele." Ama yine de gözlerinin neşeyle parlamasına engel olamamıştı.

"Başla o zaman."

Beyaz tahtayla video ekranının karşısındaki uzun masanın kenarında duran siyah plastik iskemlelere oturdular. Orsetta koyu kahverengi bir pantolon ceketle, içine çizgili yeşil bir bluz giymiş, saçlarını arkadan yeşil bir eşarpla toplamıştı.

Sonunda konuşmaya nasıl başlayacağına karar vererek, "Pekâlâ," dedi. "Bundan birkaç yıl önce İngiltere'ye gittim. Scotland Yard'da ve Brams Hall'deki bazı kurslara katıldım..."

Jack, "Bramshill," diye sözünü kesti. "Adı Bramshill, Hall değil. Polis Şefleri Birliği'nin[*] idare ettiği Ulusal Polis Koleji'nin bulunduğu yerdir.

[*] ACPO.

Herhalde profil çıkarma eğitiminle alakalı olarak oraya gitmiştin, değil mi?"

"Evet doğru," diyen Orsetta, hatası düzeltildiği için biraz rahatsız olmuştu.

"İngiltere'de suçlu profili çıkarmayı ACPO başlattı. Yıllarca bölgesel polis güçleriyle bu eğitimi geliştirdiler. Bramshill'de verilen eğitim dünyanın en iyilerindendir, Quantico dışında tabii."

Orsetta, "Tabii," dedi. "Şey, ben oradayken, *Bramshill'deyken,*" diye devam etti, "eğitimin yanı sıra çok önemli bir İngiliz deyişi öğrendim."

"Hangisini?" diye soran Jack, nereye varmaya çalıştığını merak etmişti.

Yavaş konuşan Orsetta, bu garip İngiliz deyişini doğru söylediğine emin olmak istiyordu. "Odadaki filden söz etmekten hepimiz kaçınıyoruz."

"Hepimiz ne yapıyoruz?" diyen Jack kahkahayla güldü.

"Hepimiz en büyük, en belirgin olan şeyden söz etmekten kaçınıyoruz. Orada yokmuş gibi davranıyoruz," diye açıkladı Orsetta.

Jack, "Şey üzgünüm," dedi. "Ama ben bir şey anlamadım. Doğrusunu söylemek gerekirse şu İngiliz deyişlerinin çoğundan bir şey anlamam. Dudak fincana gitmeden bir sürü şey kayar; ukalanın düşüşü kötü olur; at kaçtıktan sonra ahır kapısını kapatmak; dökülen sütün arkasından ağlamak... Zamanlarını bilmece çözmekle geçiriyorlar." Jack onun yüzündeki ifadeden şaka yapacak halde olmadığını anlamıştı. "Özür dilerim. Ciddi bir şey söylemeye çalışıyordun; en belirgin, karşımızda duran en büyük şeyi görmezden geliyoruz. Peki neyi? Nedir bu büyük şey?"

Orsetta dudağını ısırdı, ağzındaki baklayı çıkardı. "Sen Jack, bu büyük şey sensin."

"Anlamadım?"

"Massimo'yla seni, BRK'nın polisle nasıl dalga geçtiğini konuşurken duydum, ayrıca FBI raporlarında da bundan bahsedildiğini. Peki ya durum bundan daha kişiselse? BRK'nın dalga geçtiği kişi Jack King olamaz mı?"

Jack, onu hafife alan gözlerle baktı. "Hiç ihtimal vermiyorum. Zaten neden kafayı bana taksın ki?" Biraz durup, ihtimalleri düşündü. "Hayır, gerçekten hiç sanmıyorum. Yıllarca bu araştırmaya yedi ayrı kıdemli soruşturma memuru atandı, ben onlardan farklı bir şey yaptığımı sanmıyorum." Jack içini çekti. "Ben, onu yakalayacak gibi de olmadım. Senin aklından geçen bir şey var mı?"

Yoktu, bu sadece bir histi ama bunuň gibi içini kemiren bir şey olduğunda içgüdülerini yabana atmamayı öğrenmişti. "Bilmiyorum. BRK, İtalya ve Amerika'yı birleştiren tek bağın sen olduğunu düşünmekten kendimi alamıyorum. Belki de sen onun için polisi ya da devleti temsil ediyorsundur ve kendisine yapılan bir şeyin intikamını almak için seni yok etmek istiyordur. Belki de ona yapılan bir haksızlığı veya sevdiği birini temsil ediyorsundur." Yaptığı açıklama niyet ettiğinden daha zayıf kalmıştı, ama daha iyisini nasıl yapacağını bilmiyordu. Şimdiyse Jack ona çaresizlikten kıvranan bir polis akademisi birinci sınıf öğrencisiymiş gibi bakıyordu. Orsetta hemen, "Bak," diye ekledi. "Sen Amerika'dayken de öldürdü, şimdi İtalya'dayken de öldürüyor. Bu sadece bir tesadüf mü?"

Jack'in küçümseyen bakışları kaybolmuştu. Basit fikirler ona daima çekici gelirdi ve tüm detektifler gibi tesadüflere inanmazdı. Tecrübeli bir profilci olarak, herhangi bir ihtimali elemek için iyi bir neden olması gerektiğini biliyordu. "Ben davaya atanmadan uzun süre önce BRK öldürmeye başlamıştı. Ben onun dosyası üzerinde sadece beş yıl çalıştım ama FBI'ın bilgisayar sistemi, PROFILER bundan on iki yıl öncesine kadar işlenmiş cinayetleri onunla ilişkilendiriyordu. Mesela Kearney davası, şey bu artık tam yirmi yıl öncesine ait ve..." Davaya ait belgeler zihninden geçerken Jack biraz duraksadı. "Aslında yanılmıyorsam, Sarah'nın cesedi tam yirmi yıl önce bulunmuştu. Yani şimdi yaptığın açıklama, bu olayların sebebi olmaktan çok uzak, yanlış iz üstünde olabilirsin."

Orsetta elini onun koluna koydu. "Jack, ben bir şeyleri birbirine eklemiyorum. Eğer BRK'yı harekete geçiren düşünce sadece ilk kurbanın yaklaşan yıldönümü ise, onun mezarına gitmesinin sebebi bu olabilir, ama bu kurbanın kafatasını bir paket içinde FBI'dan özellikle sana gönderdiği gerçeğini ve Livorno'da cinayet işlemiş olabileceğini unutuyorsun."

Jack omuzlarını silkti, bu ihtimali zaten düşünmüştü. "Soruşturmayı yöneten son kişi bendim. Gazetelere ve televizyonlara çıktım; göz önündeki adam daima ilgiyi üstüne çeker, psikopatların bile." Jack geri çekildi. "Davadan çekildiğim bile gazetelerde yazdı, bu yüzden sanırım onun hafife aldığı bir hedef olurdum."

Orsetta yüzünü ekşitmişti. "Peki sen kendini eliyorsan, İtalya ile olan bağlantı ne?"

Jack cevabı bildiğini düşünüyordu. "İtalya onun yeni av sahası olabilir ama bu, ilk kurbanının yıldönümü kutlaması için eve gitmeyeceği anlamına gelmez. Bu çatlaklar istedikleri her şeyi elde ettiklerinde, tutarsız davranmaya ve enerjileri tükenene dek dağıtmaya başlarlar. Ben BRK'nın benimle bir alıp veremediği olduğundan daha çok buna inanıyorum."

Jack Orsetta'nın yanından çekilip sandalyesinin arkasına yaslandı. Onun söylediklerini düşünüyordu. Bir teline dokunmuştu. İtalya bağlantısı sahiden de tuhaftı. Sonra aklına bir fikir geldi.

"Yine, de beni düşündürdün. Neden İtalya? Eğer katil gerçekten BRK ise, neden İtalya'da öldürüyor? Profilinde onu İtalya'ya bağlayan hiçbir şey yok ve haklısın, tek bağlantı benim."

Orsetta ona, "ben sana söylemiştim" bakışlarından birini fırlatmaktan kendini alamadı.

"Diyelim ki karşımızdaki BRK ve diyelim ki yıldönümü heyecanı onda yeniden öldürmeye başlama isteği uyandırdı," dedi Jack kafasında bir planı canlandırırken. "Yeniden harekete geçmek, tuzak kurmak, hastalıklı

fantezilerini gerçekleştirebilmek için fazlaca şeyle meşgul olarak dikkati-
mizin dağılmasını sağlamak onun profiline uyuyor."

Orsetta, Jack'in eski düşmanının peşinde aynı nefret ve acıyı yeni-
den yaşadığını görebiliyordu. Jack parmağındaki altın yüzükle bilinçsizce
oynayarak devam etti. "Böylece senin düşüncelerini sırayla takip edersek
Orsetta, BRK İtalyan polisinin beni arayacağını bildiği için İtalya'da öldü-
rüyor. Bu mümkün; Toskana'ya taşındığımızı ülkemizdeki tüm gazeteler
yazmıştı, bunu pekâlâ okumuş olabilir. Sahil şeridinde bulunan parçalanmış
bir ceset ve beraberindeki bir notun sizleri kapıma getireceğini biliyordu."
Jack'in teoriye ısındığı belliydi. "Bu yüzden notta iki defa karşımızdakinin
BRK olduğunun altını çizdi. Sonra da herkes dikkatini İtalya'ya çevirmiş-
ken, o ilgisini ilk tutkusuna, Sarah Kearney'ye yönlendirdi."

Orsetta, onun düşünce akışını takip edememişti. "Bununla nereye va-
racaksın Jack? Artık İtalya'da olmadığını, yeniden Amerika'da öldürmeye
başlayacağını mı söylüyorsun?"

Jack aynen böyle düşünüyordu. "Ya orada öldürmeyi planlıyor ya da
çoktan öldürdü. İtalya benim etrafımda örülmüş bir oyalamaca. Odadaki fil
olduğum konusunda haklıydın. Artık yeni bir cesedin bulunması, an me-
selesi. Ve eğer BRK yeniden öldürmeye başladıysa, bu sefer daha önce
karşılaştıklarımızdan çok daha beter olacağına emin olabilirsin."

48

San Quirico D'Orcia, Toskana

Arka bahçelerini etüt etmek için beklenmedik bir peyzaj mimarının gelişi Nancy King'in sabah programını altüst etmişti. Vincenzo Capello, otel müdürü Carlo'nun eski bir dostuydu. Resepsiyonda ikisi birbirine öyle bir sarıldı ki, görenler onları eşcinsel sevgililer zannedebilirdi. Carlo taraçalı bahçenin alt tarafında açılan çukuru arkadaşı Vincenzo'ya yaptırmaya söz vereli o kadar çok olmuştu ki, Nancy unutmuştu bile.

Vincenzo taze yemek, zeytinyağı ve kırmızı şaraptan oluşan sağlıklı İtalyan diyetinin nimetlerinin yaşayan bir kanıtıydı. Nancy'ye onun altmışlı yaşlarının sonlarında yetmişlerinin başında olduğu söylenmişti ama ona bakınca elliden fazla göstermediğini düşünüyordu. Carlo, *"Ciao,"* deyip, çalışanlara vazifelerini hatırlatmaya giderken, sorunun olduğu yere götürmesi için Nancy'yi, hâlâ sırıtan Vincenzo ile baş başa bıraktı.

"Carlo bana söyledi, bahçenizde büyük bir çukur varmış. Bütün çalışanlar içine düşmekten korkuyor dedi." Vincenzo gözlerini kırpıştırdı ve kocaman gülümserken bembeyaz, sağlam dişleri meydana çıktı.

Onu resepsiyondan bahçeye doğru götüren Nancy, "Pek sayılmaz," dedi. "Ama çok fazla toprak kaydı ve ben daha kötü olmasından endişe edi-

Michael Morley

yorum. Bahçedeki taraçanın, sebze yetiştirdiğimiz yere yakın kısmı kaydı ve altında bir çeşit tünel açıldı. Ben asıl üstündeki toprağın da sağlam olmamasından korkuyorum."

Vincenzo, onu dinliyormuş gibi görünmüyordu. Gözlerini tuvalet levhasına dikmişti. Anlaşılan mesanesini dış görünüşü kadar iyi tutamıyordu. *"Un momento brevissimo,"*[*] diye rica edip içeri daldı. Nancy dışarıda sabırla beklerken, gözleri yaz sezonu bitip, tüm konuklar gittikten sonra badana yapılması gereken duvara takıldı. Harika bir ismi olan Bay Capello, yeni yıkadığı ellerindeki suyu silkeleyerek tekrar belirdi. "İtalya'yı seviyor musunuz?"

La Casa Strada'ya gelen herkes ona bunu sorardı, insanların ülkeye duydukları tutkuyu onunla paylaşmak istemeleri Nancy'nin hoşuna giderdi. "İtalya'ya bayılıyorum," dedi büyük bir hoşnutlukla. "Buraya yerleşeli birkaç yıl oldu ve eşimle ben her geçen gün kendimizi daha çok evimizde hissediyoruz."

Vincenzo'nun yüzü aydınlanmıştı. *"Meraviglioso,* harika," dedi.

Nancy, "Size çukuru göstereyim," dedi.

Dışarı yürürlerken Nancy yavaşlayıp etrafa baktı. La Casa Strada'dan her dışarı çıktığında bunu yapardı. Otelinin etrafındaki tüm manzaranın görsel bir ziyafet olduğunu düşünüyordu, kendini zamanla geliştiren, burada kaldığı her gün biraz daha güzelleşen... Bugün mutfağın arkasındaki bahçeye vuran güneşin bal kadar tatlı ve sarı bir rengi vardı.

Nancy bahçenin karşı tarafını göstererek, "Şuradaki eğimin sonunda," dedi. "Eşim kimse aşağıya düşmesin diye çitle çevirdi."

Vincenzo başını "evet" anlamında sallayıp, yavaşça o tarafa yürürken, güneyde Amiata Dağı, kuzeyde Siena manzarasına göz gezdirdi. Nancy, onun banketin aşağısına inişini seyretti. Ardından, portakal ağaçlarındaki kuş sesleri arasında, bahçeye ait olmayan, tuhaf bir tıkırtı sesi, metalik bir

---

(*) Bir dakika lütfen.

226

ses duydu. Ağacın etrafından birkaç adım atınca kendini meraklı Amerikalı Terry McLeod ile göz göze buldu.

Ters bir ifadeyle, "Affedersiniz ama," dedi, "burası özeldir, konuk bahçesine geçer misiniz lütfen?"

McLeod neşeli bir sesle, "Ah çok üzgünüm," dedi. "Harika bir yeriniz var, ben etrafta dolaşıp fotoğraf çekiyordum. Gerçekten üzgünüm."

Nancy boynundan Nikon askısıyla sarkan pahalı görünümlü makineyi fark etmişti, işaret parmağı hâlâ deklanşörde duruyordu. "Tamam sorun değil. Lütfen bir dahaki sefere unutmayın." McLeod'da onun hoşuna gitmeyen bir şey vardı, tam açıklayamadığı bir şey.

Amerikalı, "Yeni kamera, onu yalnız bırakamam," dedi. Boynundaki makineyi yukarı kaldırıp, Nancy'nin omuzlarına kadar alacak şekilde bir fotoğrafını çekti. Bu onu son derece rahatsız etmişti. "Hiç izin alma gereği hissetmiyorsunuz, değil mi?" diye parlayan Nancy'nin yüzünün rengi değişiyordu.

Samimiyetsiz bir ifadeyle, "Ah, yine özür dilerim," dedi. Hoşça kal demeden uzaklaşırken makinesinin objektifini elindeki lens kapağıyla kapattı.

Nancy bir an için geçmişi hatırladı. Elindeki o ağır, siyah makine oldukça tanıdık geliyordu. Neden?

Sonra hatırladı. Önceki gece gördüğü dörtgen, siyah nesnenin tıpatıp aynısıydı. Yatak odasındaki hırsızın elindeki nesnenin...

49

FBI Bölge Ofisi, New York

Angelita Fernandez telefonu kapatıp, Howie Baumguard'a dönerken yüzünü buruşturdu. İriyarı adam biraz molaya ihtiyacı varmış gibi görünüyordu. Ama yapamayacaktı. "Myrtle'dan Gene Saunders ile görüştüm. Adamımız Stan ortalarda yokmuş."

Bilgisayarının başında bir şeylerle meşgul olan Howie, "Bunu daha önce hiç yapmış mı?" diye sordu.

"Hayır. Öyle görünmüyor. UMail2Anywhere'deki patronu onun iyi bir çocuk olduğunu söyledi. İşe vaktinde gelirmiş. İzin almadan ya da mazeret bildirmeden işe gelmemezlik yapmazmış."

İki parmakla klavyeyi kullanan Howie, "Galiba Jack haklı," dedi. "Zavallı çocuk."

Kurye çocuğun neye benzediğini hayalinde canlandırmaya çalışan Fernandez, kendine bir yol çizmeye çalışan sıska bir çocuk olduğuna karar verdi. "Sence BRK, Myrtle'dan kaçmadan önce sahiden de Stan'in işini bitirdi mi?" diye sordu.

Howie, "Böyle düşünmeye başlasak iyi olur," dedi.

Fernandez eline aldığı kalemi, parmakların arasında döndürdü. Bunu yapmayı lisede öğrenmişti ve her nasılsa bir şekilde dikkatini toplamasına yardımcı oluyordu. "Aşağıdaki kemikleri kontrol edeceğim. Kearney'nin diş raporu çıkmış olmalı. Sence eşleşmiş midir?"

Howie, "Öyle olmasını umuyorum," dedi. Buldukları kafatasının gerçekten de Sarah Kearney'ye ait olduğundan emin olmak için diş kayıtlarının kontrol edilmesini istemişti. BRK tarafından bir kez daha alaya alınmanın utancını yaşamak istemiyordu. Howie yazmayı bırakıp Fernandez'e döndü. "Nekrofili hakkında bilgin var mı?"

Ona kınayan gözlerle bakıp, "Şaka yapıyorsun, değil mi?" diye sordu. "Ölmüş eşek arayan birkaç kişiyle çıktım, bunların en başında da eski kocam geliyordu ama hayır, ne olduğunu tam olarak bilmiyorum."

Ekranındaki FBI kaydından okuyan Howie, "Nekrofililer, ölülerle cinsel ilişkiye girmekten haz alırlar." dedi.

"Yok artık. Bu kadarını tahmin etmiyordum. Senin rütbenin neden daha yüksek olduğunu şimdi anladım."

"Sus da dinle, yardımına ihtiyacım olabilir."

Fernandez kalemini yeniden çevirmeye başladı ve Howie'nin sinirlenmiş gibi davranmaya çalıştığı zamanlarda oldukça şeker göründüğünü düşündü.

"Kelimenin kökü Yunancadaki *nekros* ceset ile *philia* herkesin bildiği gibi aşk kelimelerinden geliyor."

Fernandez, "Ben bu iki kelimenin aynı cümle içinde kullanılmamasını tercih ederim," dedi.

Howie, ona "kapa çeneni" dercesine baktı. "Psikiyatri notlarında bu kişilerin kendilerine güvenlerinin çok düşük olduğu, kendilerini yetersiz hissetmelerine sebep olan birinden veya bir şeyden intikam alma ihtiyacı duydukları ve duygusal temastan mahrum yetiştikleri yazıyor."

Bir an için ciddileşen Fernandez, "Dur biraz," dedi. "Benim bu tuhaf insanlar hakkında bildiğim kadarıyla, ki çıktıklarımdan pek bir şey öğrenemedim, genellikle cinayet işlemiyorlar. Onlar etleri önlerine pişmiş gelsin isterler. Doğru değil mi? Senin de dediğin gibi ölülerle takılmaktan 'haz' alıyorlar, takılmak için birilerini öldürmüyorlar."

Ekrandaki dosyaları daha fazla bilgi bulmak için karıştıran Howie, "Ufak bir fark ama evet haklısın," dedi. "Ama şunda hemfikiriz, ölüyle cinsel ilişkiye girmek normal değildir. Şimdi bu noktadan hareket edersek, ceset becermeyi seven anormal birinin, o cesetlerin arkası kesilirse, kendi cesetlerini kendisinin bulacağını düşünmek büyük bir hata olmaz."

Fernandez alaycı bir tavırla, "Kelimelerle iyi oynuyorsun, doğuştan bir yeteneğin var; daha önce sana bunu söyleyen olmuş muydu?" dedi.

Yeni bir sayfaya geçen Howie, "Şiir yazma sevdamla başa çıkmaya çalışıyorum," dedi.

Fernandez, "BRK neden nekrofili sınıfına giriyor?" diye sordu.

Howie sıralamaya başladı. "Öldükten sonra cesetleri saklıyor, öldürdükten sonra Barbuggiani'yi ne kadar tuttuğunu düşün. Onlardan hatıra alıyor. Mezarlarına gidip cesetlerini çıkarıyor ve başlarını alıyor. Bana nekrofili gibi geldi."

"O halde bu adam hem seri katil hem nekrofili olabilir. İkisinin karışımı olabilir mi?"

Howie, "Ben öyle düşünüyorum," dedi. "Çifte bela. Ama cinsellikle ilgisi olmayan bir nedenden öldürmeye başlamış olabilir."

"İntikam mı, kaza mı, fırsat mı?" diye sordu Fernandez.

"Öyle bir şey. Sonra bir cesetle karşılaştığında, birden tahrik olmuş olabilir."

"Orada okuyabileceğim örnek bir dava var mı?"

Howie arama düğmesine bastı. "Evet, işte burada. Of liste amma da uzunmuş; Carl Tanzler, Richard Chase, Winston Moseley, eski dostlarımız Ed Gein, Jeffrey Dahmer ve Ted Bundy, şu son üçü hemen her aramada çıkıyor."

Örümcek

İsimleri aceleyle yazan Fernandez, "Masabaşı araştırması," dedi. "Eğer şu Bundy denen adam hakkında yazan her şey doğruysa üç kişilik ömür yaşaması gerekirdi."

Bundy hakkında atıp tutmalarına kulak asmayan Howie, "Bu ilginç," dedi. "Burada önemli işareti konulmuş bir özet var. Bir nekrofilinin genellikle cinsel olarak arzuladığı kadınların kendisini reddetmesinden korktuğu yazıyor. Sence bir nekrofili reddedildiğini hissettiğinde ne yapar?"

Fernandez, onun düşüncelerine yetişmeye çalışıyordu. "Yani onu yanında tutmak için öldürür mü diyorsun?"

"Kesinlikle!"

Fernandez bunu eğlence konusu yaptı. "Belki de BRK bir zamanlar evliliğin kıyısından dönmüştü, bu yüzden bir daha birinin onu terk edeceği düşüncesine katlanamaz oldu."

Howie, "Terk edilme korkusu," dedi.

"Tek başına kalma düşüncesine dayanamadı. Belki de yalnız kalmaktan ölümüne korkuyordu. Bir tür yalnızlık fobisi olabilir mi?"

Howie, "Bence de öyle," dedi. "Bence sapığımız yalnız kalmamak için öldürüyor. Ölüm, onu asla terk etmeyeceklerinin garantisi. Sonsuza kadar onunla, ona sadık kalacaklar."

Fernandez, "Hımm," dedi. "Bir dahaki sefere barda Brad Pitt'e benzeyen birine telefonumu verirken bunu hatırlayacağım."

50

Marine Park, Brooklyn, New York

Ludmila Zagalsky'nin kuruyup su toplamış dudaklarından yiyecek ya da içecek bir şey girmeyeli elli saatten fazla olmuştu.

Aklı gelip giderken, vücudunun kendi kendini yediği düşüncesi zihnine işkence ediyordu. Gözlerindeki yanmaya yeni bir acı eklenmişti: böbreklerindeki güçlü bıçaklanma hissi. Böbreklerinde kalıcı bir hasar oluştuğunu anlamak bir yana, Lu acı veren organın ismini bile bilmiyordu. Ama bir şeyden emindi, o da içindeki çok önemli bir şey su diye inliyordu ve içmezse ölecekti.

Bir zamanlar, insanların kaçırılmadığı, çırılçıplak soyulup, yavaş bir ölüme terk edilmediği gerçek dünyada bir erkek arkadaşıyla pizza yiyip Scream'i[*] seyretmişlerdi, yoksa Scream 2 veya 3 müydü? Her neyse, en kötü öldürülme şeklini tartışmışlardı; silahla vurulmak mı, bıçaklanmak mı, boğulmak mı, yanmak mı... Arkadaşı, Fransa'da Jeanne D'Arc'a yaptıkları gibi diri diri yanmaktan nefret edeceğini söylemişti. Lu yüzemediğini, hayatında hiç denize ya da yüzme havuzuna gitmediğini ve boğulmaktan ödü patladığını itiraf etmişti. Tabaklarını silip süpürdüklerinde yatağa gitmeyi

---

(*) Çığlık.

düşünürlerken, ikisi de açlıktan ölmenin en kötüsü olduğunun farkında değillerdi.

Lu artık boğularak ölmenin o kadar da kötü olmadığını düşünüyordu. Beach'in bir köşesinde birlikte çalıştığı kızlardan biri ona sağlıklı kalmak için her gün iki litre su içmesi gerektiğini söylemişti. Günde iki litre! Gülmekten altına işeyecekti. Kız ona, sağlıklı yaşam delisi biriyle yatıp kalktığını, adamın Hulk gibi kaslara sahip, bir spor müdavimi olduğunu söylemişti. Adam, vücudun yüzde sekseninden fazlasının sudan meydana geldiğini ve sürekli sıvı takviye etmesi gerektiğini anlatmış. Hepsi de kulağına saçma gelmişti. Bugüne dek. Hayatında ilk defa, arkadaşının anlattıklarının her kelimesinin anlamını kavrıyordu.

Son saatlerde ağzı acıtacak derecede kurumuş, dilinin de adeta zehirliymiş gibi acı bir tadı olmaya başlamıştı. Spor müdavimi orada olsaydı, ona elektrolit dengesinin fena halde bozulduğunu açıklardı. Vücudundaki hücreler ölümcül bir saldırıyla karşı karşıyaydı, kan plazması ise ciddi derecede zarar almıştı bile.

Ludmila Zagalsky, Tanrı'ya inanmıyordu. Ne kiliseye, ne de yirmi beş yıllık hayatı boyunca kutsal bir yere gitmişti. Annesi vaftiz ettirmek bir yana dursun, doğum kaydını bile yaptırmamıştı. Ama şu anda her saniye dua ediyordu. Kendi karanlığının Tanrı'sına, onun dini her ne ise, kokuşmuş, sefil ve değersiz hayatında yaptığı tüm hatalardan dolayı üzgün olduğunu söyledi. Üvey babasını, kendisine yaptığı şeylerden dolayı affettiğini; sağlığının yerinde ve mutlu olmasını dilediğini söyledi. Üvey babasına, şeytanın köpekleri hayalarını yerken cehennemde yanarsın umarım, derken ciddi olmadığını söyledi. Öfkesi yüzünden ailesini suçladığı ve onu döven annesinden nefret ettiği için af diledi. Ve sonra tüm işlediği günahları ve aklından geçen tüm günahkâr düşünceleri itiraf etti. Ve karşılığında Tanrı'dan tek bir şey istedi.

Onu kurtarmasını değil, bir an evvel ölmesine izin vermesini.

51

Roma

Roberto, sorgu odasına dört kahve ve bir sürü kötü haberle gelmişti.

Tepsiyi bir sehpanın üstüne bıraktı ve Jack ile Benito arasında geçen sohbetin bitmesini bekledi.

"Üzgünüm," dedi. "Ama odamda kahveleri yaparken Milano'daki bağlantımdan bir telefon geldi."

Orsetta, "Kargo firması hakkında mı?" diye sordu.

Roberto, "Evet," dedi. "Artık Volante Milano diye bir kargo firması olmadığından eminler. Böyle bir şirket yokmuş."

Jack tepsideki kahvelerden birini aldı. "Peki kargo firmasıyla değilse BRK paketi buraya nasıl gönderdi?"

Orsetta imkânsız olanı düşünüyordu. "Kendisi! Bizzat kendisi getirmiş olabilir mi?"

Benito başını salladı. "Onun gibi bir şey."

Roberto, "Lütfen," diye araya girdi. Milano'daki bağlantımın neler olduğuna dair bir fikri var. Şu anda fazladan para kazanmak isteyen bir sürü üniversite öğrencisi var. Milano'da havaalanının, tren istasyonunun önünde her türlü işi yapmak üzere ellerinde ilanla bekliyorlarmış."

Orsetta, "Her türlü iş mi? Ne demek istedin Roberto?" dedi.

Roberto, "Affedersiniz, galiba iyi anlatamadım," dedi. "Eşyaları taşıyabileceklerini yazan bir kâğıt kaldırıyorlarmış. Taşımacılık şirketlerinin yakınlarında durup, eşyaları trene, hatta uçağa taşımayı teklif ediyorlarmış. Kargo şirketleri ise bu durumdan hoşlanmıyormuş, çok kötü olduğunu düşünüyorlarmış."

Jack, "Hoşlanmadıklarına eminim," dedi. "Demek BRK paketi tren istasyonunda bir öğrenciye vermiş o da buraya getirmiş olabilir, öyle mi?"

Sonunda anlaşıldığı için rahatlayan Roberto, *"Si,* evet, bunu anlatmaya çalışıyorum," dedi.

Orsetta, "Biraz risk almıyor mu?" dedi. "Değerli bir eşyamı taşıması için öğrenciye emanet etmezdim."

Benito, "Bu öğrenci kuryelere nasıl ödeme yapılıyor?" diye sordu.

Roberto, "Sanırım nakit," dedi.

Keçi sakalıyla oynayan Benito, bir süre düşündü. "BRK, kurye için tren veya uçakla dönüş bileti almış olmalı. Takip etmemizi güçleştirmek için nakit ödemiştir. Kuryeye önceden para vermiş ve döndüğünde daha fazlasını vereceğini söylemiş olmalı."

Jack, "Bana inandırıcı gelmedi," dedi.

Orsetta'nın cesareti kırılmaya başlamıştı. Parmaklarını saçlarının arasına daldırıp, hırsla kaşıdı. "Bu benim aklımı karıştırıyor."

Jack, "İşte bu!" dedi. "Yapmaya çalıştığı tam olarak bu. Aklımızı karıştırmak. Gölgeleri takip etmemizi sağlıyor. Volante Milano diye bir şirket yok. Ama o Milano'daymış ve bu şirketi kullanmış gibi görünmek için inanılmaz çaba harcadı. Böylece onun Milano'da olduğunu düşünecek ve kaynaklarımızı orada araştırma yapmak üzere kullanacaktık."

Orsetta, "Yani Milano'ya hiç gitmedi mi?" diye sordu.

Jack, "Hayır, hiç gitmedi," dedi. "Sanırım o etiketin kendi bilgisayarından basıldığını bulacak ve karton kutuyla baloncuklu naylonun FBI'a UMail2Anywhere'den gelen paketle eşleştiğini göreceksiniz."

Orsetta, "Ayrıca siyah keçeli kalemin," dedi.

"Evet," dedi 'ack.

Benito, "Bizi oyalamaya çalışıyor," dedi.

Jack, "Evet öyle yapmaya çalışıyor," dedi. "Roberto'nun anlattığı kurye hikâyesi belki de herkesin bildiği, eski bir şeydir. Öğrencilerin kurye olarak kullanıldıklarını biliyordum, Amerika'da birkaç yıldır yapılıyor; Roberto'nun dediği gibi, dünyanın her yerine kutularla uçarak bedava tatil kazanan çocuklar bile var. Sanırım BRK, paketin Milano'daki gerçek bir kargo firması aracılığıyla gönderildiğini düşünmemizi istedi. Bu testi geçince, Milano'daki öğrencilerin sıklıkla kurye olduklarını öğrenecek ve bu çıkmaz sokağa girerek daha da fazla zaman harcayacaktık."

Orsetta, "Yani o zaman paketi buraya kendisi getirmiş olabilir," dedi. Çünkü katilin bu şekilde davranarak kendini kırmızı kartla oyun dışı bırakmak istediğini düşünüyordu.

Jack, ona katılmadı. "Unutma o risk almayı seven biri değil, bu yüzden bence öyle olmadı. Aslında Roberto'nun arkadaşı bir bakıma haklı, ama bence BRK Milano'dan değil, Roma'dan bir öğrenci kurye tuttu."

Benito bulmacanın başka bir parçasını çözdü. "Çünkü Roma'da öğrenciye ön ödeme yapmadan, geri döndüğünde parasını ödeyebilir ve paketin kurcalanmadığına emin olabilirdi."

Jack, "Yani," dedi, "adamımız Roma'dan uçağa bindi, Milano'dan değil ve 25 Haziran akşamı ya da yirmi altısında ayrılmış olabilir."

Benito, "Belki de daha sonra," dedi. "Onu Milano'da arayacağımızdan eminse, ayın yirmi sekizine ya da yirmi dokuzuna kadar Roma'da kalıp, Birleşik Devletler'e ayın otuzunda varacak şekilde uçağa binmiş olabilir. Georgetown'daki mezarlığa da bu tarihte gitti. Tüm Roma uçuşlarının ayrıntılarını gözden geçireceğiz."

Nefes almak için durup birbirlerine baktılar. Her biri, belki de ilk defa BRK'nın gerçek kokusunu aldıklarının farkındaydı.

Jack, "Son bir şey," dedi. "Mutluluğumuza gölge düşürmek istemem ama Roma'daki öğrenci ölümlerini de bir inceleyelim. Adamımızın yoluna devam etmeden önce arkasını toplamayı ne kadar sevdiğini hepimiz biliyoruz.

52

Pan Arabia Haber Kanalı, New York

Suç Haberleri Editörü Tarık el Daher, kendisine gelecek vaat eden en iyi işi kabul etmekle hayatının en büyük hatasını yaptığını düşünmeye başlamıştı. Reuters'taki işini bırakıp, İngilizce yayın yapan, Dubai merkezli Pan Arabia kanalına katılalı bir yıldan fazla olmuştu.

İlk başlarda bazı teknik sorunlar istasyonun uzun zamandır beklenen başlangıç yayınını geciktirmiş ve bir haber kanalı olarak güvenilirliğini önemli ölçüde sarsmıştı. Ama bu sorunlar, yayına başladıktan sonra rakip Batılı medya gruplarının iğneleyici eleştirilerinin yanında hiç kalmıştı. New York'taki ofisinde oturmuş, dijital uydu alıcısını karıştırıp rakip kanalların yayın içeriğini incelerken, ne patronunun ne de kendisinin bu işin kolay olacağı hayaline kapılmadığını düşünerek teselli buldu.

Bir Müslüman olarak, azınlık hayatının gerçeklerini anlamakla kalmıyor, onları birebir yaşıyordu. New York'ta yaşayan yirmi milyon insanın yüzde ikisinden daha azı Müslümandı; yine yüzde ikiden daha azı Budist, Hindu ya da Sih idi. Ama bu rakamların ardında henüz belli olmayan muazzam bir değişiklik yatıyordu. Amerikalı Yahudilerin dörtte biri New York'taydı; bununla birlikte New York, Amerikalı Müslümanların dörtte birinin de sessiz sedasız seçilmiş toprakları haline gelmişti.

Michael Morley

Tarık'a İslamiyeti mi yoksa Amerika'yı mı daha çok sevdiği sorulduğunda bu soruyu çok anlamsız bulduğunu söyler ve buna karşılık insanın karısını mı yoksa çocuğunu mu daha çok sevebileceğini sorardı. Hem İslamiyeti hem de Amerika'yı tutkuyla seviyordu ve bunları birbirine zıt görmediği için de Ortadoğu'nun en büyük ve en hızlı gelişen haber kanalının New York bürosuna katılma fırsatı doğduğunda bunu hayalindeki iş olarak görmüştü.

Ama son zamanlarda, özellikle son zamanlarda, doğru seçimi yapıp yapmadığını sorguluyordu. Reuters'ta yazarken dünyadaki tüm otel barlarının basın mensupları arasında yer buluyordu. Benzer şekilde kontak listesinde önemli siyasi ve ünlü isimler vardı. Ama şu günlerde çağrılarına cevap verilmiyordu. Bu isimler tarafından görüşme talepleri reddediliyordu. Ve otel barlarındaki basın mensupları her nasılsa onun geldiği akşamlar erkenden yatmış oluyorlardı.

Artık Tarık el Daher hayalindeki işin bir kâbusa dönüşebileceğinden korkmaya başlamıştı. Yardımcısının hazırladığı haber olabilecek olayların yer aldığı listenin kısalığı onu düş kırıklığına uğrattı. Queens'te arabadan ateş edilerek öldürülmüş iki kişi ilginç olabilirdi. Tanınmış bir kumarbazla gizlice görüştüğü ortaya çıkan Müslüman bir kadının intiharı biraz daha renkli olabilirdi ama yine de zayıftı.

Canı kahve çekmişti ama asistanı yine masasında yoktu. Bu kadının işten atılması gerekiyordu. Geçici iş bulan bir ajanstan işe alınalı bir ay olmuştu ama ona ihtiyaç duyulduğunda hiç masasında olmuyordu. Tarık kendi kahvesini kendi yapma zahmetine giremezdi, bu yüzden bilgisayarında gelen e-postaları açtı. Reuters'ta çalıştığı zamanlar bilgisayarının kilitlenmesinden korkardı. Günde yüzden fazla e-posta temizlemesi gerekirdi. Bugünlerde on tane e-postası varsa şanslı sayılırdı, ki bunların ikisi daima karısından geliyordu. Bugün de farklı değildi. Kısa listeye göz gezdirdikten sonra borsayla ilgili harika bilgiler veren ve ucuza Viagra almanın yollarını gösteren istenmeyen postaları sildi. Son mesaj gözüne ilişmişti.

Örümcek

Mesaj özel diye işaretlenmişti ve görünüşe göre "Insidexclusive" isimli bir şirketten geliyordu. Tıklayıp açtı. Mesajın içeriği web bağlantısı www.insidexclusive.com dışında boştu. Bir de "Şifreniz 898989" yazıyordu. İmleci üstüne getirip bastı. "Saat ondan önce şifrenizi girin" yazan bir kutucuk açıldı. Tarık masasındaki saate bir göz attı ve daha çok vakti olduğunu gördü. Şifresini yazdı. Kutucuk yok olduktan sonra ekranı, bazı video kasetlerinin başında görünen dikey renk şeritleri doldurdu. Şeritler kayboldu ve çerçevenin içine siyahlı grili bir sis hâkim oldu. Yavaş yavaş bir görüntü belirdi, ancak kamera odaklanmaya çalışırken görüntü hızla yana doğru hareket ediyormuş gibi bulanıktı. Nihayet, yerde gazeteye, *USA Today*'e benzettiği bir şekil çıkarabildi. Tarık fuzuli ürünleri zorla satmaya çalışan bir firmanın reklamı olarak değerlendirdiği bu sayfayı kapatmaya hazırdı. Ama sonra kameranın yerdeki gazetenin ön sayfasına odaklandığını fark etti. Tarihi bile görebiliyordu. Üç günlüktü; 2 Temmuz. Arkasına yaslanıp izlemeye karar verdi; belki de iddialı bir pazarlama kampanyası başlatan *USA Today* idi. Kamera yavaşça uzaklaşırken gazete karanlıkta kayboldu. Ardından bir masanın kenarı gözüktü. Tarık yerinden fırladı. Gazete görüntüsü şimdi bir anlam ifade ediyordu; gördüğü şeyin gerçek olduğunu kanıtlamak için gösterilmişti. Yakınlaşma sona erince, resim net bir şekilde ortadaydı. Tarık, çıplak bir beyaz genç kadının bir masaya zincirlendiğini görebiliyordu.

Yüksek sesle, "Yüce Tanrım!" diye bağırdı.

Ekranındaki görüntü yukarıdan çekilmişti.

Genç kadının acı içindeki darbe almış yüzünü yakından görebiliyordu. Başını bir yandan öbür yana azap çekercesine çeviriyordu. Tarık neyin gerçek olduğunu neyin olmadığını anlamaya yetecek kadar savaş fotoğrafı ve işkence yapılan insanların videolarını görmüştü. Bunun gerçekliğinden hiç şüphesi yoktu. Kız ileri derecede travma geçiriyordu ve başını sallaması kırılma noktasına yakın olduğunun göstergesiydi.

Sonra birden kamera yeniden yakınlaşmaya başladı. Bu kez masanın sağ tarafına doğru gidiyordu.

Yerde üç tane beyaz kâğıt göründü.

Tarık ekrana doğru eğilip, gözlerini kıstı. Her birinin üstünde büyük harflerle bulanık bir şey yazıldığını görebiliyordu.Yakınlaşma durunca görüntü netleşti.

Tarık'ın akli karışmıştı ve büyük bir şaşkınlık yaşıyordu. Ekrandaki üç kelime gözlerini delercesine ona bakıyordu: "HA! HA! HA!"

53

FBI Bölge Ofisi, New York

Howie Baumguard FBI müdürü ile telefon görüşmesini bitirdikten sonra gözlerini televizyon ekranındaki haber bülteninden ayırmadan hızlı arama tuşuna basarak Jack King'in cebini aradı.

Roma'daki Jack o sırada uyuyordu. Israrla çalan telefon sesi onu uyandırdı. "Alo," dedi uyku sersemi.

"Jack, benim Howie. Uyandırdığım için gerçekten üzgünüm, sanırım uyuyordun..."

Jack komodinin üstündeki lambayı yaktı. "Evet, nasıl da tahmin ettin. Benim gibi ilginç insanlar böyle her gece mümkün olduğunca uzun uyurlar işte."

Howie o konuşurken televizyonun sesini açtı. "Üzgünüm dostum, hafiyelik yapmıyorum, aramak zorundaydım. Büyük bir fırtına kopmak üzere."

Jack ukalalık yapmayı bıraktı. "Ne oluyor? Sen iyi misin?"

"İyiyim endişelenme, ama burada önemli bir durum var ve görünüşe bakılırsa bizim bir numaralı psikopatımız BR-Kahrolası-K ile ilgili."

Black River Katili'nden bahsetmesi Jack'in doğrulmasına yetmişti. "Nasıl yani? Yavaş anlat dostum, daha tam uyanmadım."

Michael Morley

"İyi o zaman bu seni kesin uyandırır. El Cezire'nin rakibi olan Arap kanalı Pan Arabia'yı bilirsin, Bin Laden'in kendi çektiği videoları yayınlayan kanal."

Jack uykulu gözlerini ovuşturdu. "Evet, eski onay kurullarından birinde ben de vardım."

"İşte onlar bu sabah eşi benzeri olmayan acayip bir şey buldular. Esir olarak tutulan ve işkence edilen bir kadının videosunu yayınlıyorlar."

Jack duyduklarına bir anlam veremiyordu. "Anlamıyorum Howie, biraz daha yavaş anlat. Arap bir kadın esirin görüntüleri var ve sen bunun BRK ile bağlantılı olduğunu düşünüyorsun, öyle mi?"

Howie, "Kahretsin!" dedi. "Üzgünüm. Baştan başlıyorum. Bu sabah İngilizce yayınlanan kanalda benzersiz bir haber vardı, normal Arap haber merkezinden değildi; video görüntülerini veren kişi ve haberin yorumcusu buradaki adamları Tarık el Daher. Yayınlanan videoda karanlık odada zincirlerle bağlanmış beyaz genç bir kadın gösteriliyordu. Kadın korkunç bir durumdaydı. Eğer orada televizyon bulabilirsen şu anda yeniden yayınlıyorlar."

Gözlerinin zorla açan Jack, "Tamam bakarım," dedi. "Kafam hâlâ yerinde değil."

"Jack, bu kızı görmelisin, fena halde dayak yemiş ve acı çekiyor. Dostumuz Tarık bir kopyasını NYPD'deki[*] salak bir cinayet detektifine vermiş. Kadın ölmeden, bu herifin yakalanması için ulusal çapta arama başlatıldığını öğrenince televizyondan herkese duyurdu."

Sonunda beyni çalışmaya başlayan Jack, "Görüntülerin gerçek olduğunu nereden biliyorsun?" diye sordu.

Howie, "Eminim," dedi. "Videoda yerde 2 Temmuz tarihli bir *USA Today* duruyor ve asıl önemli nokta Jack, görüntülerde üzerlerinde 'HA! HA! HA!' yazılı üç kâğıt var."

(*) New York Polis Merkezi.

Jack başının zonkladığını hissetti. "BRK'nın İtalya'da gönderdiği nottakiyle aynı şekilde mi yazılmıştı?"

Howie, "Tıpatıp aynı," dedi. "Hepsi büyük harf."

"Kahretsin be!" diye küfreden Jack'in korkuları gerçekleşmeye başlamıştı. İtalya'yla olan bağlantı Orsetta'ya söylediği gibi oyalamacadan başka bir şey değildi. Ve tahmin ettiği gibi BRK Amerika'da akıl almaz bir vahşet planlıyordu. "Howie sence bu kız BRK tarafından Amerika'da mı tutuluyor? Biz burada İtalya'da akıntıya karşı yüzüyor olabilir miyiz?"

Howie, Jack'in acı çektiğini anlayabiliyordu. "Bana göre kesinlikle öyle. İtalya bizi şaşırtmak içindi. Eminim bunu hazırlarken oldukça eğlenmiştir, onun gibi bir baş belası eğlenir, ama onun asıl faaliyet bölgesi Birleşik Devletler, hep öyle oldu ve hep öyle olacak."

Jack bir an için dikkatini video görüntülerinde yoğunlaştırdı. Bu filmin sadece bir gösteri olmadığını biliyordu. BRK bunun ardından çok daha korkunç bir şey planlıyordu. "Olayların gidişatına bakarak, BRK'nın bu kızı yakında öldüreceğini ve cinayet görüntülerini Batı dünyasının en nefret edilen haber kanalına vereceğini söyleyebilirim."

Aynı endişeyi Howie de taşıyordu. "Haklısın. Ve bu kanallar, Batılı rehinelerin kellelerini ve her türlü canavarlığı yayınlar, ondan sonra da lanet olası izlenme oranları artsın diye Allah'a dua ederler."

Jack uzun bir nefes verdi. "Şimdi ne yapacaksın Howie? Sanırım yeni patronun Joey Marsh bu konu hakkında ve haber ajanslarıyla bilgi isteyecektir."

"Haklısın. Marsh kıçımdan ayrılmıyor, herhalde ameliyatla aldırmam gerekecek. Sana burada ihtiyacımız var Jack; İtalyanlara verdiğin sözü tutmak zorunda mısın?"

Jack nelere yol açabileceğini biraz düşündü. "Marsh bunu kabul eder mi?"

"Evet, kabul etmekten fazlasını yapar. Benden önce o teklif etmişti. Her şey yeniden başlıyor ve bu sefer o BRK serserisi gidip onu yakalayalım diye yalvarıyor. Hiç belli olmaz dostum, belki de hayatının tek hatasını yapmak üzeredir."

Jack ihtimalleri değerlendirdi. Howie haklı olabilirdi. Eğer video görüntülerinin arkasında BRK varsa risk alıyor demekti ve bunu ancak yeniden öldürecekse yapardı. Önemli bir andı, daha önce seri katilin bir sonraki kurbanına ne zaman saldıracağını hiç tahmin edememişlerdi. "Massimo'yla konuşurum. Geleceğim," dedi. "Roma'dan bir sonraki uçak ne zaman bilmiyorum ama ona bineceğim. Bu arada şu Tarık denen adama kendini bir göster ve bir tarafını tutup öyle bir sık ki, bundan sonra olacakların televizyon dizisi değil, bir insanın ölüm kalım savaşı olduğunu iyice anlasın."

ALTINCI BÖLÜM

6 Temmuz Cuma

54

Roma

Orsetta ile Massimo ofise vardıklarında, Jack, New York'un yolunu tutmuştu bile. Otel görevlisi ona Roma Fiumicino Havaalanı'ndan 09.55'te kalkan Lufthansa uçağında kalan son biletlerden birini almayı başarmıştı. Bu, rahat bir yolculuk olmayacaktı; Jack'in boyu bir sekseni geçiyordu ve ekonomi sınıfında sıkışıp tıkışmak en nefret ettiği şeylerden biriydi. Bundan daha da kötüsü Düsseldorf'ta uçak değiştirmek ve dolayısıyla, uzun yolculuğun son ayağını daha kötü geçirmek zorundaydı. Orsetta ile Massimo tüm bunları telesekreterlerine bıraktığı mesajlardan öğrenmişlerdi. Uçağa binmeden hemen önce Nancy'yi aramış, ona nereye gittiğini söylemiş ve söz verdiği vakitte arayamazsa endişelenmemesini tembihlemişti. Nancy'nin anlayışlı davranması onu cesaretlendirmişti. Massimo ile yaptığı kısa telefon görüşmesinde BRK hakkındaki son dakika haberini vererek aniden gitmesinin nedenini açıklamıştı.

Orsetta, Massimo'nun ofisinde, dirseklerini müdürünün dev masasına dayamış oturuyordu. Her ikisi de espresso fincanlarını avuçlamış, Jack'in ani ayrılışıyla nasıl hayal kırıklığına uğradıklarından bahsediyorlardı.

Massimo kahvesinin yanında bir sigara yakmamak için kendini zor tutuyordu, kendi kendine verdiği yeni söz öğleden önce sigara içmemekti.

Kül silkermiş gibi parmağını kül tablasına vurdu. "Orsetta, umarım Jack haklıdır ve Cristina Barbuggiani'nin cinayeti kötü bir tuzaktır ama bu riski göze alamayız. Benito içeri girdiğinde, bizim yaptığımız soruşturmanın hiç sekteye uğramadan devam edeceğini vurgulayalım. Top şimdi Amerika'nın sahasında diye düşünüp kimsenin yan gelip yatmasını istemiyorum. Bu trajik bir hata olabilir."

Orsetta bunu çoktan düşünmüştü. "Dün Livorno'dan Cinayet Masası ile görüştüm, çok kararlı bir ekip. Başlarındaki memuru tanıyorum, Marco Rem Picci, kimsenin yan gelip yatmasına izin verecek türden biri değildir."

Davanın gerginliği kızaran gözlerine yansıyan Massimo, "Güzel," dedi. "Hemen her gün kaydettiğimiz ilerlemeleri öğrenmek isteyen Başbakanlık'tan İçişleri Bakanlığı'ndan, adli tıp başkanından, Karşıt Suç Merkezi polis müdüründen, hatta lanet olası Polis Müdürlüğü'nden ya telefon alıyorum ya da e-posta geliyor." Bıktığını göstermek için ellerini havaya kaldırdı. "Umarım Amerika'daki bu gelişme üstümüzdeki baskıyı bir süreliğine hafifletir."

Espressosunu bitiren Orsetta, kahvenin acı tadını bastırmak için üstüne biraz su içti. Olayın peşini bırakmamayı herkesten daha fazla istiyordu, bu şimdiye dek katıldığı en büyük soruşturmaydı ve anladığı kadarıyla durulmuyor, yeni başlıyordu. "Cinayet mahallinin üç boyutlu canlandırması üstünde çalışmak istiyorum. Bunun için ödeme yapılmasına yetki verir misin?"

İtalyan polisi birkaç yıldır, suç mahallini merminin izlediği yoldan cesedin hareketine kadar şaşırtıcı bir gerçekçilikle yeniden yaratan bir bilgisayar programı üstünde çalışıyordu.

"RiTriDEC'i ara ve başlamalarını söyle. Evrak işlerini akşamüstünden önce hallederim," diyen Massimo Roma'daki özel laboratuvar *Ricost-*

ruzione Tridimensionale della Dinamica dell'Evento Criminale'den[*] bahsediyordu.

Orsetta bu bilgisayar programının büyük bir hayranıydı. Video kamera görüntülerinden patoloğun otopside aldığı ölçülere kadar suç mahallindeki tüm verilerin toplanmasıyla çalışıyordu. Her şey yüklendikten sonra özel bir salondaki beş metreye iki metrelik ekranda suç mahallini üç boyutlu olarak canlandırıyordu. Bundan sonra Orsetta gibi uzmanlar, ekrandaki her bir pikselde onları katile götürecek ipuçlarını ararken, resimleri sanat eleştirmeni gibi inceleyebiliyorlardı.

Massimo, onu masanın diğer tarafına çağırdı. "Benito bana, Jack'in bahsettiği videonun FBI'daki kaydını verdi. Bilgisayarıma yükledim."

Tarık el Daher'in haberini izlerken ikisi de konuşmadı. Sessizliği ilk önce, notlar alan Orsetta bozdu. "Bu görüntülerde *USA Today* olması Amerika'da bulunduğu anlamına gelmez. Bu gazeteyi Roma'da en az yüz yerden temin edebilirsin."

Massimo, "Ya da Roma'ya gelen bir uçakta," diye ekledi. "Jack yanlış zamanda yanlış yerde olabilir. Keşke bunu onunla konuşabilseydik."

Orsetta başını salladı. O da aynen böyle düşünüyordu. Gördüğü kadarıyla Jack King ve FBI hâlâ odadaki fili görmezden geliyorlardı.

(*) Suç olayının unsurlarının üç boyutlu rekonstrüksiyonu.

55

Montepulciano, Toskana

Akşam olurken Montepulciano, peri masalları anlatan çocuk kitaplarında çizilen ortaçağ köyleri kadar güzel ve gizemli görünüyordu. Deniz seviyesinden altı yüz metre yukarıdaki kalker tepeden, İtalya'nın sihirli krallığı Toskana'yı seyrediyordu.

Nancy King, günün rehberi garson kız Paullina'ya fotoğraf delisi Bay Terry McLeod'un kamerasıyla kasabanın her köşesini çekmesini tembihledi. Ve Paullina, patronuna verdiği sözü aynen tuttu.

Onu ilk önce Porta al Prato'dan başlayıp, kasabanın tepesine ve devasa Grande Meydanı'na kadar on bir kilometre devam eden ünlü Corso'nun son kısmına yürüttü. Trattoria di Cagnano'da açık havada öğle yemeği yedikleri yerde Paullina yerel *vino de nobile* içmesi için ısrar etme hatasında bulundu. McLeod hevesle itaat etti. Şişenin çoğunu, yanında da belediye binasının kapılarını açacak büyüklükte bir turtayla makarnasını hazmetmek için bir de konyak içti.

Yemekten sonra onu, Grandük Cosimo I de' Medici tarafından tasarlanan on altıncı yüzyıldan kalma kasaba surlarına götürdü. Bir kez fotoğraf çekmek için, bir kez telefon açmak için ve bir kez de kırmızı şarabın şişkinliğinden kurtulmak için durdu.

Örümcek

Paullina, ona Santa Maria delle Grazie Kilisesi'ni ve gitmeden hemen önce kasabanın eteklerindeki St Blaise Meryem'ini gösterdi.

Kilise mimarisiyle o kadar ilgilenmiyordu, ama Paullina'nın patronlarının hayatı hakkında her şeyi bilmeye ve öğrenmeye pek hevesliydi.

Paullina söz verdiği gibi geri dönmek üzere taksiye binmeden önce Nancy'yi aradı. Nerelere gittiklerinin ve neler yaptıklarının tam raporunu verdi. Paullina ile konuşmasını bitiren Nancy, Carlo'ya döndü. O sırada Nancy ile Carlo, Nancy'nin personel anahtarıyla açtığı sözde turist Terence T. McLeod'un odasında duruyorlardı. Nancy'ye göre artık o turist değildi.

Nancy bir konuğun odasına o yokken girerek ve eşyalarını karıştırarak, mahremiyetini bozma konusunda kendi kendisiyle oldukça mücadele etmişti. En sonunda babasının "izin almaktansa bir şeyi yaptığına özür dilemek daha iyidir" tavsiyesine uymaya karar vermişti. Ama ne yazık ki, arama sonucu ondan hoşlanmayışlarını veya Nancy'nin şüphesini haklı çıkaracak hiçbir şey bulamadılar.

Carlo'ya, "Sen ne düşünüyorsun?" diye sordu Nancy.

Otel müdürü omuzlarını silkti. "Olay sırasında etraf karanlıktı. Ve siz de maskesi yüzünden adamı göremediğinizi söylüyorsunuz. Onun Signor McLeod olduğunu gösterecek hiçbir şey bulamadık." Ona sempatiyle baktı; olay yüzünden fena halde ürktüğünü biliyordu. "Galiba Bayan King, bir hata yaptınız. Görünüşe bakılırsa Signor McLeod, olduğunu söylediği kişi. Amerikalı bir turist. Ve tecrübelerime göre, bazen hırsızlardan çok daha fazla sorun yaratabiliyorlar."

56

Pan Arabia Haber Kanalı, New York

Tarık el Daher, iki FBI ajanını daha ne kadar bekletebileceğini düşünürken, sisli New York manzarasını seyrediyordu. Saatine baktı; 11.30'u biraz geçmişti. Kontrolün kendisinde olduğunu ve istediği şeyleri istediği zamanda yapacağını göstermek için yirmi dakika yeter miydi? Yoksa bu hükümet bürosunun Pan Arabia'yı ileride ciddiye alması ve telefonlarına cevap verme nezaketinde bulunup, Fox ile CNN gibi kanallara gösterdiği saygıyı göstermesi için bir saatini mi ayırmalıydı?

Tarık asistanını kendisine bir kahve daha yapması için göndermiş ve federallere çok meşgul olduğunu, mümkün olan en kısa zamanda onlara vakit ayıracağını söylemesini istemişti. Sabah gazetesini okurken kahvesini bitirdi. Kendi kendine gülümsedi. Yarın gazeteler onunla ilgili haberlerle dolu olacak, hatta belki bir iki fotoğrafı da çıkacaktı. Araştırmacı gazeteci ödülü aldığı birkaç yıl önceki basın yemeğinde çekilen fotoğrafını kullanmalarını isterdi.

Tarık ister gazete, ister televizyon isterse dergi olsun tüm medyanın, kızın görüntüleriyle hazırladığı haberden fotoğraf çalacağını tahmin ediyordu. Bu yüzden Pan Arabia'nın avukatlarına yasal telif hakkı uyarısı çıkarmaları ve basının, pek tabii ki Pan Arabia ibaresini kullanmaları şartıyla, ücretsiz faydalanabileceği dijital olarak büyütülmüş fotoğraflar sağlanması talimatını vermişti. Evet, yarın bütün bilgisayar korsanları onun büyük haberini internetten kaldırmaya çalışacaktı, buna emindi. Bu kişilerin, kendisinin telefon numarasını araştıracaklarını ve onlarla konuşup konuşmayacağını merak edeceklerini düşününce bir kez daha gülümsedi. Ama ilk önce FBI ve NYPD ile sinir bozucu görüşmeler yapmak zorundaydı. İlk başta haberini destekleyen uysal polis, şimdi onun anlaşmanın dışına çıktığını ve başını bunca belaya soktuğu için Tarık'ın bir yerlerini patlatacağını söylüyordu. Tarık, ona görüşme karşılığı istediği beş yüz doları geri verip vermemeyi düşündü. Sonra nedense vermemesi gerektiğine karar verdi.

Kırk dakika sonra Tarık asistanından ajanları toplantı odasına götürmesini istedi. Sonra fikrini değiştirdi. Onlarla zemin kattaki en küçük, vakit kaybına sebep olan yeni gazetecilere verilen toplantı odasında, şirket avukatıyla birlikte görüşmeye karar verdi.

Avukat Ryan Jeffries onunla ofisinde buluştu ve birlikte asansöre yürüdüler. Elli yaşındaki Jeffrey bu sektörün tozunu yutmuştu ve medya hukuku hakkında bilmediği ya da üstesinden gelemeyeceği bir şey yoktu.

Tarık sıkış tıkış odanın kapısını iterek açarken, "Günaydın memur beyler," dedi enerjik bir sesle. "Ben Tarık el Daher ve bu da Hukuk İşleri Başkanı Ryan Jeffries. Sizleri beklettiğim için üzgünüm."

Howie'nin bakışı onları hor gördüğünü belli ediyordu. "Kıdemli Müfettiş Özel Ajan Howie Baumguard ve Özel Ajan Angelita Fernandez."

Howie'nin tombul kollarını üstüne koyduğu anda bükülen, ince ve ucuz ahşap masanın etrafında oturdular. Jeffries konuşmaya başlarken, Tarık arkasına yaslandı. "Bay el Daher ve çalıştığı kanal; operasyon yetkisini elinde bulundurduğunu anladığımız New York Polis Merkezi'ne bir açıklama yaptı. Ortaya çıkardığımız görüntülerin bir kopyasını gönderdik ve NYPD'ye elimizden geldiğince bu konuda yardımcı olmaya devam edeceğiz. Bildiğiniz gibi Bay el Daher çok yoğun bir gazeteci ve aynı açıklamaları size de yaparak vakit kaybetmenin gerekli olmadığını düşünüyoruz."

Fernandez, patronunun bununla nasıl başa çıkacağını merak etmişti. Boynundaki şişmiş damarlar ve kenetlenmiş yumrukları; kıyafetlerini parçalayarak yeşil dev Hulk'a dönüşebileceğinin ve avukatı alıp aptal gazeteciyle birlikte eşek sudan gelinceye kadar dövebileceğinin işaretlerini veriyordu.

Sesi şaşırtıcı derede sakin ve alçak çıkan Howie, "Pekâlâ," dedi. "Ajan Fernandez ile birlikte sizlere zahmet verdiğimiz için kusura bakmayın. Sizin için bir mahsuru yoksa biz artık gidelim."

Jeffries gülümseyip, koltuğundan kalkmak için ellerini masanın üstüne koydu.

Fernandez, "Bayım oturun," dedi. "Sizinle dalga geçiyor. Bu iş böyle olmaz."

Howie'nin yüzünde hain bir gülümseme vardı. "Korkarım hanımefendi haklı. Tabii uydurduğunuz bu saçmalığa inanıp gidebilirdik. Ama öyle yapsaydık bile akşamüstü, buradaki her bilgisayara ve her videoya el koymak için mahkeme emriyle geri dönüp, son derece meşgul Bay el Daher'i bizi soktuğunuz bu kibrit kutusundan daha küçük bir odaya kilitlerdik."

"Saçmalık! Hangi gerekçeyle?" diye kekeledi Jeffries.

"Delil saklamak. Adaleti yanıltmak, polis soruşturmasına engel olmak... Er geç doğru gerekçeyi buluruz," dedi Fernandez.

Howie tırnağının altındaki pisliği temizlerken, "Bu arada..." diye ekledi, "...vereceğimiz habere dünyadaki tüm basın mensupları bayılacaktır; kanalınızın genç bir Amerikalı kadının hayatını tehlikeye attığı haberine... O zaman CEO'nuz, yönetim kurulunuz, finansal destekçileriniz bakalım sizi ne kadar destekleyecekler."

Fernandez, "Elbette tüm bunlar, yayınladığınız görüntüler gerçekse geçerli," diye ekledi. "Çünkü eğer öyle olmadığını öğrenirsek, o zaman çok ağır bir bokun altında kalırsınız, biz de gönül rahatlığıyla sifonu çekeriz."

Tarık öne doğru eğilip, sakinleştirmek için elini Jeffries'nin koluna koydu. "Ne istiyorsunuz Bay Baumguard?" dedi adeta sıkılmış kadar sakin çıkan bir sesle.

Howie, "İşe biraz nezaketle başlayalım," dedi. "Sonra en baştan başlayıp görüntülerin eline nasıl geçtiğini anlatırsın."

Fernandez, "Ve hey Bay Avukat," dedi. "O bunu yaparken, sen de bize biraz kahveyle tatlı çörek getir. Bu sabah kahvaltı yapamadık."

57

San Quirico D'Orcia, Toskana

San Quirico'da güneş batıyor, kararmaya başlayan mavi gökyüzü parlak kırmızıyla altın sarısı renklere boyanıyordu.

Terry McLeod'un banyosundaki tuvaletin üstündeki Vent-Axia kaplama kolayca çıktı. McLeod metal deliğe sakladığı eşyaları çıkarıp yatak odasına taşıdı. Bunlar gizli kalması gereken bazı özel fotoğraflarla bazı özel aletlerdi.

Garson Paullina, ona iyi bir arkadaş olmuştu. Rehberlik "işi" karşılığı ısrarla kabul ettirdiği yüz avroluk ücretin üstüne, elli avro bahşişi verince yardımcı olmaktan da fazlasını yapmıştı. Paullina'nın King ailesi hakkında anlattığı şeylerin faydasını yakında görecekti. Amerikalıların La Casa Strada'ya ilk geldiklerinde restoran işi hakkında hiçbir şey bilmediklerini; ilk altı ay boyunca işi Carlo ile Paolo'nun yürüttüğünü; ama sonra kontrolü yavaşça Bayan King'in ele aldığını; yemek konusunda gerçekten tutkulu olduğunu ve konuklara, misafirliğe gelen dostları gibi davrandığını uzun uzadıya anlatmıştı. Yemekten ve mönüden, orada yaptığı işten ve okulu bitirdikten sonra yapmak istediklerinden bahsederken McLeod, onu sabırla dinlemişti. En sonunda fark ettirmeden muhabbeti asıl ilgilendiği konuya, eski FBI Ajanı Jack King'e getirmişti.

Örümcek

Paullina, onun umduğu her şeyi bilmese de, yeteri kadar şey biliyordu. Onunla ilk tanıştığında Jack King'in nasıl bir depresyonda olduğunu anlattı. Otelin kendilerine ait kısmından çıkmadığını, ne çalışanlarla ne de konuklarla ilgilendiğini; insanlarla koridorda veya bahçede karşılaştığında konuşmak için hiç gayret göstermediğini anlattı. Yaklaşık iki yıl önce genellikle tek başına yürüyüşlere çıkmaya başladığından, bazen oğlunu da çocuk arabasıyla yanına alıp San Quirico etrafında turladığından bahsetti. Etrafta o kadar çok dolanıyordu ki, yerel halk ve esnaf ona *fuori di testa* diyordu, yani kaçık. McLeod, kahraman Jack King hakkında konuşulanlardan daha çok kendi ilgilendiği kötü şeyleri aklının bir köşesine yazmıştı. Paullina, onun kendini gerçekten bıraktığını, bir ara aldığı kilolarla balon gibi şiştiğini ve ona kilo verdirmek için Nancy'nin Paolo'ya özel bir diyet hazırlattığını anlattı. McLeod bunu görmeyi çok isterdi. Ama son zamanlarda kilo verip incelmişti, yalnız çıktığı uzun yürüyüşler yerine haftada iki üç kez koşuya çıkıyordu ve şimdi *buona salute*[*] görünüyordu.

McLeod, Jack'in şu günlerde nerede olduğunu sorunca Paullina onun uzak bir yerde, belki de İtalya'nın diğer ucunda olduğunu söylemeden önce tereddüt etmişti. Paullina'nın Jack'in yokluğunun İtalyan polisiyle bir ilgisi olduğunu düşündüğünü söylemesi McLeod'u heyecanlandıran asıl şey oldu. Sivil kıyafetli bir kadın polisin Roma'dan geldiğini ve onunla görüşmek istediğini hatırlıyordu. Bayan King ile kadın polis arasında bir sürtüşme yaşanmış ve tartışma, kadın polisin Bayan King'e durumun "acil bir polis meselesi" olduğunu söyleyip kocasını derhal aramasını emretmesiyle sona ermişti.

McLeod, Nancy King'in odasından çaldığı Jack'in fotoğraflarına bakarken bunları düşünüp gülümsedi. Fotoğrafları bir kenara bırakıp, "Sana bir sürpriz hazırlıyorum FBI'lı adam," dedi. Sonra da sakladığı özel aletleri yavaşça paketlerinden çıkarttı.

Nancy King'in üzerinde kullanmayı planladığı aletleri.

---

[*] Çok sağlıklı.

58

JFK Havaalanı, New York

Jack'in uçağı JFK'daki dördüncü terminale tam zamanında iniş yaptı. Howie dışarıdaki arabada kocaman bir kucaklama ve ufak tefek birini kızdıracak bir ense tokadıyla onu bekliyordu. Doğruca ofise giderlerken yolda havadan sudan söz ettiler. JFK yakınlarındaki trafik karmaşasından kurtulduklarında Howie, "Herhangi bir yerde oda ayırttın mı?" diye sordu.

"Hayır, henüz değil. Doğrusu Roma'dan uçak bulmak pek kolay olmadı, bu yüzden vakit bulamadım. Janie ya da diğer sekreterlerden biri, bir yer ayarlayabilir mi?"

Howie, ona bakıp suratını astı. "Asla olmaz. Hiç şansın yok dostum, en azından bu akşam bizimle kalıyorsun." Howie'nin teklifi bir miktar nezaket içerse de, asıl sebebi yeniden işe dönmenin ve konu hakkında konuşacak kimsesi yokken yalnız bir gece geçirmek zorunda kalmanın Jack'te nasıl bir etki yaratacağından endişelenmesiydi.

Jack bacaklarını uzatmak için koltuğunu geri kaydırdı. "Carrie ile seni sıkıntıya sokmak istemiyorum."

"Sokmazsın. Dinle, şu anda evde bir arkadaşım kalsa iyi olur. Ve lanet olsun, Tanrı bilir ne zamana kadar bir daha seni görmeyebilirim."

"Çok naziksin, sağ ol." Şehir, arabanın ön camında kendini göstermeye başlarken tanıdık binalar Jack'in gözüne ilişiyordu. "Biliyor musun, sinirlerim harap olduktan sonra New York'a ilk defa geliyorum. Vay be, üç yıl önce Nancy'yle İtalya'ya giden uçağa binerken bir daha buraya döneceğimi, hele iş için, asla düşünmezdim."

Howie, bir yandan haritaya bakıp, bir yandan araba kullanmaya çalışan aptal turistlere korna çaldı. "Bir dahaki sefere aptal bir taksiye bin, seni aptal moron!" diye bağırdı.

Jack kahkaha attı. "Hiçbir şey değişmemiş."

Howie de kahkaha attı. "Hiçbir şey dostum. İşte sevdiğin o her zamanki New York."

Araba yolculuğu Jack'e iyi gelmişti. Ortama alışmasını ve kendisini bekleyen şeylere hazırlanmasını sağlamıştı. "Görüntüleri uçağa binmeden hemen önce seyrettim," dedi. "Korkutucu. Yeni bir şey var mı?"

Howie, "Biraz," dedi. "Fernandez'le birlikte şu Tarık denen pisliği görmeye gittik. Altın kaplama bir bok deliğiydi ama onu biraz korkutunca bülbül gibi öttü."

"Bilgi mi verdi?"

"Evet, sivri zekâlılık yapmaya çalıştı ama sorun olmadı. BRK Tarık'a bir internet sitesi adresi ile şifre içeren bir e-posta göndermiş, canlı yayınladıkları görüntüleri bu adresten alıyorlarmış."

"Şimdi internet sitesini kuran kişiyi mi arıyoruz?"

"Elbette ama böyle basit siteleri on iki yaşındaki çocukların bile kurabildiğini ikimiz de biliyoruz. BRK servis sağlayıcıya sahte kimlik vermiş olmalı. Test aşamasında mutlaka masumane görüntüler göndermiştir. Beklemiş ve gerçek görüntüleri ancak Pan Arabia'ya e-postayı gönderdiği gün yayınlamıştır. Teknik bölümde çalışan çocuklar donanım kilidi koyduğunu söylüyorlar."

Jack, "Ne diyorlar?" dedi. "Pipini fermuvara sıkıştırmak gibi bir şey mi?"

Howie güldü. "Görüntülerin sadece kısa bir müddet yayınlanmasını sağlayan bir bilgisayar şifreleme numarası. Donanım kilidi tıpkı bombalardaki zaman ayarlayıcısı gibidir; vakti geldiği anda bom! Yok eder ve veriye bir daha ulaşamazsın."

Jack, "O halde pipini fermuvara sıkıştırmak gibi," dedi.

Federal binaya vardıklarında Howie'nin cep telefonu çaldı. "Evet, alo," diyebildi direksiyonu döndürürken.

"Patron, benim Fernandez. Myrtle'dakiler bir ceset bulmuşlar. Stan Mossman'e ait olduğunu düşünüyorlar, kurye çocuk."

59

FBI Bölge Ofisi, New York

Herkesin elini sıkmak Jack'in on dakikasını, kucaklaşıp, öpüşmek ve eski bayan iş arkadaşlarına merhaba demek bir yirmi dakikasını daha aldı.

Howie, "Dostum, hakikaten tuvalete gidip, temizlenmen lazım," dedi. "Hafta sonu izninde pavyona giden heriflerin bile üstünde başında seninkinden daha az ruj lekesi vardır."

Tavsiyesine uymaya karar veren Jack, "Popüler olmanın ufak bir bedeli," diye espri yaptı. "Toplantı odasında görüşürüz."

Büyük bir toplantı yapılacaktı.

Şakaklarında grileşmeye başlayan saçları ve çoğu politikacının kampanya bütçesinin yarısını harcamaya razı olacağı doğal bir gülümsemesi olan, kırklı yaşlarının başlarındaki, ufak tefek, zayıf, FBI Bölge Ofisi Müdürü Joe Marsh toplantıya başkanlık ediyordu. Sağ tarafında ise; fıçı gibi gövdesi, kısa kesilmiş kızıl saçları ve imajı haline gelen sıvanmış gömlek kollarıyla, NYPD Operasyon Komiseri Steven Flintoff vardı. Yuvarlak masada onlardan sonra Davranış Bilimleri Uzmanı Howie Baumguard ile Angelita Fernandez ve onları takiben Roseanne Barr'a benzeyen NYPD Basın Danışmanı Elizabeth Laing ile FBI'ın Yerel Basın Danışmanı Julian

Hopkins oturuyordu. Jack King içeri girip, "Herkese günaydın!" derken birbirlerine kahve ve su ikramında bulunuyorlardı.

O an kendiliğinden başlayan alkış yağmuru sırasında Joe Marsh ayağa kalkıp elini uzattı. "Geri döndüğünü görmek çok güzel Jack. Gel yanıma otur."

Jack, "Geri dönmek de güzel," dedi. "Aslında sanki hiç gitmemişim gibime geliyor. Aynı olay, aynı oda, değişen sadece birkaç yüz var."

Elini sıkmak için masanın üstünden uzanan profilci, "Angelita Fernandez," dedi. "Görüntülü konuşmada karşılaşmıştık."

"Evet karşılaşmıştık. Şahsen tanıştığıma memnun oldum," dedi Jack.

Odadaki diğerleri sırasıyla elini uzatıp kendilerini tanıttıktan sonra Marsh asıl konuya geldi. "Basın danışmanları için söylüyorum, Jack King bize danışmanlık yapmak üzere burada. İsminin basında geçmesini aslında hiç istemiyoruz, ama gerçekçi olmak gerekirse, o kadar iyi tanınıyor ki, burada birkaç gün geçirdikten sonra gazetelerin sizlere onun sahnede yeniden ne işi olduğunu soracaklarına emin olabilirsiniz. Jack'le röportaj yapılmayacak, Jack yorum yapmayacak, buraya sadece eski dostlarını görmeye geldiğini söyleyeceğiz. Anlaşıldı mı?"

Laing ile Hopkins başlarını salladılar.

Marsh, "Güzel," dedi. "Bir iki dakika sonra Quantico'dan Malcolm Thompson'a bağlanıp, önümüzdeki birkaç günün stratejisini belirleyeceğiz. Jack, Şiddet Cinayetleri Analiz Birimi'nin yeni başkanı Malcolm. Şu an hâlâ takımını kurmaya çalıştığından sersem gibi ama bir kez yerleştikten sonra düzelecektir." Marsh ellerini masaya hafifçe vurduktan sonra, "Pekâlâ, Howie, Angelita; Mal'i aramadan önce, son haberler nedir?" dedi.

Söze Howie başladı. "Gazeteci Tarık el Daher ile görüştük. Gönülsüz bir başlangıç yaptıktan sonra yelkenleri suya indirdi." Howie başıyla

Örümcek

NYPD Operasyon Komiseri Flintoff'u gösterdi. "Stevie'nin adamları şu an ofisini kayıt cihazları, telefonlar, bilgisayarlar ve kameralarla donatıyorlar."

Marsh, "Peki bunu kabul etti mi?" diye sordu.

"Kesinlikle. Tam bir işbirliği örneği sergiledi," diyen Howie masadaki herkesin anlayacağı biçimde sırıttı.

Jack, "Görüntüler hâlâ internette yayınlanıyor mu?" diye sordu.

Fernandez, "Hayır," dedi. "Tarık on dakika önce bizi aradı ve erişim şifresinin artık işe yaramadığını söyledi."

Jack bir an için donanım kilitlerini, saatli bombaları ve fermuvarları düşündü. "Şifrenin bir özelliği var mı?" diye sordu. "898989 herhangi birine bir şey ifade ediyor mu? Pan Arabia'nın ofis numarası mı, telefon numarası olarak kontrol ettik mi, sayıyı internette araştırdık mı?"

Fernandez, "Ben Google'da aradım," dedi.

Marsh, "Ve?..." diye sordu.

"Yüz on altı bin kayıt çıktı. Yaklaşık yirmisine baktım."

Odadaki herkes güldü.

"898989 numarası birisinin adına kayıtlı. Kanuna uygun, konuyla hiçbir bağlantısı yok. Ayrıca İngiltere'deki bir bahçecilik merkezine ve 'Sadece Merak' adlı bir internet sitesine ulaşılıyor." Fernandez etkili olması için duraksadıktan sonra devam etti. "Üzgünüm millet ama o da yasal. Ben de heyecanlanmıştım çünkü giriş sayfasında 'Yabancılara Yardım Eden Yabancılar' yazıyordu."

Flintoff, "O da ne öyle?" diye sordu.

"İsimsiz olarak bir soru soruyorsun ve tüm dünya cevap verip sana tavsiyelerde bulunuyor," diye açıkladı Fernandez.

Howie, "Kulağa inanılmaz geliyor," dedi. "Oraya bizden de bir soru gönder, tüm dünyaya sadece BRK'nın nerede olduğunu merak ettiğimizi söyle, biri onu görmüş olmalı." Herkes bir kez daha güldü.

Jack, "Fena fikir değil," dedi. "BRK'nın ne kadar bencil bir herif olduğunu bildiğim için, bu siteyi ziyaret edip cevap verebilir diye düşünüyorum. Ama ne yazık ki, milyonlarca insan cevap yazar."

Marsh, "Başka ne var?" dedi. "Devam edelim."

Howie yeniden söze başladı. "Bugünün kötü haberi olası tanıklarımızdan biri, sapığımızı tespit edebilecek çocuk ölmüş. Myrtle'dakiler UMail2Anywhere'de çalışan Stanley Mossman adlı kuryenin peşindeydiler. En iyisi gerisini size Fernandez anlatsın; Myrtle ile az önce görüştü."

Hikâyeye Fernandez devam etti. "Adamımız Stan, Myrtle yakınında kendi arabasının bagajında bulunmuş. Tüm ayrıntılarıları bilmiyorum ama, Gene Saunders'ın dediğine göre BRK onunla orada buluşma ayarlayıp öldürmüş. Çocuk kendi aracının arka tarafında dururken boğazı kesilmiş, sonra katil bagajı açıp onu içeri tıkıştırmış."

Marsh, "Trafik kameralarından, adli tıptan haber var mı?" diye sordu.

Fernandez başını salladı. "Evet efendim, çalışmalar sürüyor. Doktor otopsi incelemesini yarın yapacak ama cesedin durumunu görmüş. Kısa ve keskin bir bıçakla öldürüldüğünü söylüyor. Arka taraftan saldırıp kesilmiş. Çabuk ve sert bir hareket." Kesme sesini çıkarırken parmağını boğazının önünden geçirdi.

Howie, "Serinkanlı bir cinayet," dedi. "Sanki çocuğu arabasının arkasına bir şey koymak için kandırmış, sinsice arkadan yaklaşıp bir çeşit sustalı bıçakla Stan'in şahdamarını kesmiş gibi."

Marsh, "Tüm bunların kameraya kaydedildiğini düşünmek çok fazla şey ümit etmek mi olur?" diye sordu.

Fernandez gülümsedi. "Galiba siz zihin okuyabiliyorsunuz patron. Park yeri değilmiş; Jetport Yolu'nun birkaç blok arkasındaki eski bir binanın önüymüş."

Jack, "Bu ilginç," dedi. "Yani kamerası olmayan bir park yeri seçmek, kameralı olanları elemek. Myrtle'dan birisi havaalanına yakın tüm araba kiralama şirketlerini arayıp, son üç haftalık kamera kayıtlarını saklamalarını söylesin, bir ihtimal kameraya yakalanmış olabilir."

Marsh, "Horry County'deki ağzı süt kokan detektifler için iyi olur," dedi.

Jack kendisine su koyduktan sonra, "Herhalde Myrtle arabaya el koymuştur?" diye ekledi.

Fernandez, "Adli tıp kendi parkına çekti bile," dedi. "Eğer saç, lif veya herhangi bir delil varsa bulacaklardır."

Howie, "Tek bir engel var," dedi.

Jack, onun yerine cümleyi tamamladı, "Eşleştirme yapabileceğimiz bir şüphelimiz yok."

60

Marine Park, Brooklyn, New York

Nehir kenarında, çatısı samanla kaplı küçük beyaz bir kulübede oturuyorlardı ve çocukları papatyalarla dolu çayırlara giden taş patikada birbirlerini kovalıyordu. Lu Zagalsky halüsinasyon görüyordu ve gördüğüne memnundu. Ramzan'la evlenmişti ve tıpatıp onlara benzeyen biri kız biri erkek iki güzel çocukları vardı. Hiçbir şeye ihtiyaçları yoktu, yazın hiç bitmediği ve kimsenin kimseyi çırılçıplak soyup köpek gibi ölüme terk etmediği mükemmel bir yerdeki, mükemmel bir evde, mükemmel bir hayat yaşıyorlardı.

Bodruma hapsedildiğinden beri çok fazla rüya görmüştü ama çok azından bunun kadar memnun kalmıştı. Rüyaları genellikle çok acı, aşağılanma ve ölümle ilgili olmuştu. Bazıları o kadar dehşet vericiydi ki, artık uyumaya korkuyordu.

Son bir saattir Ramzan'la ilgili hayaller kuruyordu. Birkaç gün önceki hayatında gözüne ilişip başını döndüren uzun boylu, yakışıklı bir garsondu. Bugünse onu sevgilisi, kocası ve çocuklarının babası olarak hayal ediyordu. En çok, son düşünce canını acıtmıştı çünkü şimdi artık asla anne olamayacağını, rahminde çocuklarını taşıyamayacağını ve bebeklerinin yüzündeki gülümsemeyi göremeyeceğini fark ediyordu.

Örümcek

Gözlerini açan Lu, üzerine eğilmiş parlak fare gözlü kameranın asılı durduğu siyah plastik tavana baktı. Bazen onun hâlâ evde olduğunu, kapının arkasında bir yerden onu izlediğini, daha iyi görmek için kameraları döndürdüğünü ve hiç şüphesiz kendisi ölüme yaklaşırken herifin mastürbasyon yaparak kendini tatmin ettiğini düşünüyordu. Geçmişte sadist, mazoşist, skopofili ve koprofili gibi bazı sapıklarla karşılaşmıştı, ama bu adam tam bir manyaktı ve tecrübelerini aşıyordu.

Birinin açlıktan ölmesini izleyince insan neden uyarılır? Ne tür bir sapık beyin bunu tahrik edici bulur?

Lu'nun midesine bir besin maddesi girmeyeli seksen yedi saat olmuştu, ki o da vanilyalı buzlu süttü. Artık açlık ve susuzluğun etkileri daha da belirgindi. Bilincini kaybetmesi ve halüsinasyonlar görmesinin yanı sıra, Lu'nun vücut ısısı da artık tepe noktaya çıkmıştı. Hiç yemediği halde kusuyordu; midesi tamamen boş ve mide zarı parşömen kâğıdı kadar kuru olduğundan doktorlar buna kuru bulantı diyorlardı. Her öğürme krizinde karnına ve göğsüne felç edici kramplar giriyor, ağrılar saplanıyordu. İdrar yapmayı neredeyse tamamen kesmişti ama yaptığında, geriye kalan onurunun son kırıntılarını yakarak yok eden bir asit damlası gibi oluyordu.

Belki biri seni bulur Lu. Belki de onu yakalamışlardır ve buraya doğru yola çıkmışlardır ve sonra ön kapıyı kırarlar. Bodrum merdivenlerinden aşağı indiklerini her an duyabilirsin.

Peki ya sonra?

Bom! Olacağı bu.

Her tarafa kablo çektiğini ve dev bir alev topuna dönüşerek patlayacağını, herkesi diri diri yakacağını söylememiş miydi? Yine de yanarak ölmek böyle ölmekten daha iyiydi. Ama o zaman başkaları da ölür Lu. Seni kurtarmaya çalışırken masum insanlar ölür, istediğin bu mu? Bu kadar çaresiz ve değersiz biri mi oldun?

Düşünceleri ona bu şekilde işkence ederken, dinlenmesine asla izin vermeden her türlü ümidini kırıp, hep en kötüyü hayal etmesine yol açtılar. Onların işi bitince, suçluluk duygusu başlıyordu.

Yaşadığın günahkâr hayat yüzünden Tanrı seni böyle cezalandırıyor. Bir say Ludmila, işlediğin tüm günahları; hırsızlıklar, yalanlar, zina... Tanrı'nın çiğnemediğin bir emri kaldı mı? Geriye bir tek cinayet kalmıştı ve şimdi ona bu cehennemi yaşatan ucubeyi memnuniyetle öldürebilirdi.

Lu'nun görüşü şimdi kalıcı olarak bulanıklaşmıştı ve gözleri o kadar acıyordu ki, doğru düzgün kapatamıyordu. Sürekli zorladığından başındaki kayış gevşemişti ve artık bir taraftan diğerine hareket ettirebiliyordu, ama sürtünmekten derisi tahriş olmuştu. Cildinin büyük kısmı tamamıyla hissizleşmişti. Vücudundaki doğal yağ ve elastikiyeti kaybolmuş, kuruyup çekilmeye başlamıştı. Ama bu çocukluğunda hissettiği karıncalanma gibi bir uyuşukluk değildi. Bu yüksek voltajlı bir karıncalanmaydı, öylesine sersemleticiydi ki öleceğini hissediyordu.

Lu artık fazlasıyla hastalandığını, şimdi, tam şu anda onu kurtarmaya gelseler bile adamın ona yaptıklarından ötürü yine de öleceğini düşündü. Artık vücudunun kendi kendini yediğinin farkındaydı; vücudu onu öldürecek bir silah haline gelmişti.

Adalet bu Ludmila, yaşadığın hayat yüzünden. Vücudunu yabancılara satarsan Tanrı seni uygun biçimde cezalandırır, göze göz, dişe diş; bunu unutmaman gerekirdi. Bunu gerçekten unutmaman gerekirdi.

Lu dudaklarını yalamaya çalıştı ama bu bile acı verici bir çabaydı. Dili içeri kaçıp acıyla yarıldı. Artık boğazı tamamen tıkanmıştı ve hava almakta bile zorlanıyordu. Son birkaç saattir kırık burnu çok kötü kanamaya başlamıştı. Kanama kısmen adam onu dövdüğü içindi ama sürekli yükselen vücut ısısı hiç yardımcı olmuyordu, ayrıca burun mukozası tamamen kuruyup, alçı gibi çatlamıştı. Pıhtılaşan kan her iki burun deliğini de tıkayınca Lu kırık bir kamıştan nefes alıyormuş gibi hissetti.

Örümcek

Yeniden olumlu düşünmeye çalıştı. Kırlık alandaki kulübe, nehir kenarında oynayan çocuklar ve belki bir de, topunun fırlatılması için zıplayıp havlayan uzun tüylü, sarı bir köpek.

Ve sonra oldu.

Yeniden başlayan karıncalanma etini sızlatıyor, sinirlerini felç ediyordu. Bu kez her zamankinden daha güçlü ve acı vericiydi.

Lu'nun tüm vücudu kasıldı.

Dünya karardı.

Ve artık nefes alamıyordu.

Monitörün önünde oturan Örümcek, koltuğun kenarına ilişmiş, fanatik bir taraftar gibi heyecandan büyümüş gözleriyle kızın kasılmalarını seyrediyordu. Birbirine kenetlediği parmaklarına dayadığı çenesiyle, öne doğru uzandı. İstediğinden daha erken ölecek gibiydi ama önemli değildi, planlarını duruma göre ayarlayabilirdi.

Elini uzatıp, nazikçe ekranda gezindirirken elektriğin çıtırtılarını parmak uçlarında hissetti. Onu bir amaç için seçmişti, şehvetin ve arzunun ötesinde bir nedeni vardı ama şu anda tıpkı diğerlerini istediği gibi onu da istiyordu. Mücadeleyi bırak benim sevgili Şekerim. Son nefesini ver ve "Daha İyi Bir Yer"e git.

Kızın vücudunun istem dışı sarsılıp, kaslarının kaskatı kesilişini ve sonra birden gevşemesini seyretti. Geniş açılı kamera tüm vücudunun bez bebek gibi titrediğini, deri kaplı masanın üstünde tepeden tırnağa etten bir topmuş gibi aşağı yukarı sıçradığını gösteriyordu.

Ölümün eşiğindeydi ve Örümcek orada yanında olup dudaklarını onunkilere bastırmak, vücudunu ona yaslayıp, yaşamın o kıymetli son çırpınışında bedenini terk edişini hissetmek istiyordu.

Titremeler şiddetlendikten sonra Lu, siyah deri işkence masasına birden kendini bıraktı.

Michael Morley

Başının üstündeki kamera yüzünü yakından gösterdi. Kıpırdamıyordu.

Örümcek ölen sevgilisinin yüzünü tutarmış gibi, ellerini şefkatle monitörün iki yanına koydu. Ve Lu'nun gözlerine daldı.

Çocukların oynadığı bilyeler kadar donuk ve cam gibi. Göz çukurları nasıl da içine gömülmüş. Yanakları ne kadar da güzel çöküyor. Ve cildi... muhteşem değil mi? Bembeyaz, öylesine solgun. Annen bu kızı onaylardı Örümcek. Annen de onu seçerdi.

Örümcek sakat eliyle onun yüzünü okşadı ve yanağını onunkine yasladı. Monitörü yarım dakika kadar tutup, onun yakınlığını hissetti ve hayatının son dakikalarını paylaştı.

Çok güzel, şaşılacak kadar güzel.

Vücudu masanın üstünde kendini bırakmış bir halde yatıyordu. Kollarındaki ve bacaklarındaki kelepçeleri çıkarmak istedi. Onu yıkamak, pudralamak ve güzelce giydirmek için büyük bir istek duyuyordu. Sonra hüzünlendi. Bunca zamandır üstünde çalıştığı bir plan yüzünden, bu kızı saklayamayacak, onu keşfedemeyecekti.

Zaman hep bir sorundu. En sevmediği kelime ise çürüme idi.

Örümcek diğer Şekerlere olanları yazdığı bir günlük tutuyordu ve biliyordu ki, bir saat sonra onun o parlak mavi gözleri, kan damarlarının topaklanacağı ve kırmızı kan hücreleri kümeleneceği için değişmeye başlayacaktı. İki gün içinde korneasında tuhaf sarı üçgen benekler belirecek, ardından kahverengiye ve siyaha dönüşecekti. Örümcek bodrumun sıcaklığını, vücut ısısıyla aynı olan otuz yedi dereceye ayarlamıştı, bu şekilde cesedin doğal soğuma sürecini yavaşlatmayı amaçlıyor ve ölümünün ardından vücudun sertleşmesini yaklaşık kırk sekiz saat uzatacağını biliyordu. Ama kanın ve diğer vücut sıvılarının yerçekimi etkisiyle çökmesini engelleyecek hiçbir şey yapamayacağını biliyordu. Sıvılar, kız deri masanın üstünde yatarken sırtına, omuzlarına ve kalçalarına inip yayılacak ve Örümcek'in sonradan kapatıcı kremler ve pudrayla kapatmasını gerektiren kırmızımsı mor lekeler bırakacaktı.

Plana uy. Onunla vakit geçirmenin bir yolunu bul.

Örümcek oturup hayal kurdu. Çok uzun zamandır yalnızdı ve bir eşe ihtiyacı vardı. Yapabilseydi gece gündüz onun yanında kalır, ona sarılır, samimi anlar geçirir, onunla birlikte uyur, birlikte uyanırdı. Mükemmel balayı bu şekilde olabilirdi. Ama plan bu değildi.

Sonra ekrandaki bir şey dikkatini çekti.

Lu'nun sol eli seğiriyordu.

Bu ölüm sonrası bir kasılma mıydı, vücut gevşerken cansız kaslar mı geriliyordu?

Yoksa küçük fahişe hâlâ yaşıyor muydu?

61

West Village, SoHo, New York

Jack yatağa hiç gidemedi.

Birkaç bira içip, bir de Ambien yuttuktan sonra, daha çok koma denilebilecek kadar derin bir uykuya daldı. Howie, onu kanepeden misafir odasına geçirmeyi aklından geçirse de bunun imkânsız olduğuna karar verdi. Jack'in başının altına bir yastık tıkıştırıp, üstüne hafif bir battaniye attıktan sonra kendisi de yatmaya gitti.

Yatakta oturan *Carrie, Law and Order*'ın[*] sonunu seyrediyordu, ki bu Howie'nin seyretmek isteyeceği son şeydi. Banyoda temizlendikten sonra, yatağa yanına girince, karısının her gün biraz daha ince göründüğünü fark etti.

Pekâlâ, demek ki kendisinin yapamadığı diyet işini o yapmıştı, ama her gece yüzüne sürdüğü o kremler, kilo vermesinin tüm anlamını yitirmesine sebep oluyordu. Howie'ye göre kadınlar hayatlarındaki erkeğe daha çekici görünmek için kilo verip, ince kalıyorlardı. Eğer bu doğruysa, suratını bembeyaz kreme bulamanın ve yatağa Riker's Adası'ndaki mahkûmların bile bir tarafını kaldırmayacak geceliklerle girmenin manası neydi? Elbette başka biriyle yatmıyorsa. Jeton, Howie'nin kafasına adeta büyük bir binanın tepesinden aşağı bırakılan piyano gibi düştü. Uzaktan kumandayı eline alıp, televizyonu kapattı.

Carrie, "Hey, ne yapıyosun be?" diye ciyakladı. "Ben seyrediyordum."

"Bana doğru söyle Caz. Kiminle düzüşüyorsun?"

Kanın yüzünden çekildiğini ancak bu bembeyaz bulamaç saklayabilirdi.

Carrie kalbinin birkaç yavaşlamasını beklerken; yalan söylemekle, büyük ve çirkin kocasına sonunda bu büyük ve çirkin sırrı keşfettiği için şükran duymak arasında gidip geldi. Zaman kazanmaya çalışarak, "Neden bahsettiğini anlamıyorum," diye yalan söyledi.

Howie şu ana dek bir kadına vurmayı hiç aklından geçirmemişti. Sebep başka bir herifle yatması değildi, ki ailesinin bazı üyelerine göre bu şıllığı öldürmek için yeterli bir sebepti; hatta sebep kendisinin şimdiye dek anlamayacak kadar aptal olması da değildi. Hayır, onu asıl kızdıran, sırf karısına çekici görünüp, onu yatağından kaçırmamak için on kilo verene kadar canım yemekleri yiyememesiydi.

Canı cehenneme! Artık onu kahrolası yatağında istemiyordu. Howie'nin intikam dürtüsü kontrolü ele geçirince, ayağa kalktı ve kocaman elleriyle yatağı kendi tarafından tutup yukarı kaldırdı.

Yataktan yere yuvarlanan Carrie, acıyla duvara çarptı.

"Seni dalavereci erkek düşkünü sürtük!" dedikten sonra yatağı bıraktı.

Yatak yere çarptığında ufak bir gürültü çıkarttı ve yatağın Howie'den taraf olan ayakları kırıldı.

Evlilik yataklarına bakan Howie alaycı bir ifadeyle güldü. "Görünüşe bakılırsa bunun tutacak yeri kalmamış."

YEDİNCİ BÖLÜM

7 Temmuz Cumartesi

62

West Village, SoHo, New York

Gecenin son griliği, şafağın ilk kırmızılığına karışırken Howie, Jack'in horladığı koltuğun karşısındaki kanepede ağrıyan kemiklerini esnetti. O ve Carrie yatak odasında birbirlerine bağırmışlar, mutfakta birbirlerini azarlamışlar ve hatta arka bahçede birbirlerine eşya fırlatmışlar ve saat dörde gelirken nihayet kavga etme güçlerini tüketmişlerdi. Mahallenin çoğunu uyandırmaya yetecek bir gürültü olmasına rağmen, Jack yaşadığı duygusal deprem yüzünden deliksiz uyumuştu. Sabahın parlak ışığında Howie kendini göründüğü kadar harap hissediyordu. Başı, şimdiye kadar akşamdan kaldığı zamanlarda bile olmadığı kadar ağrıyordu; kendini karamsar, öfkeli ve lisede duş alırken biri kıyafetlerini çaldığından bu yana hissetmediği kadar aşağılanmış hissediyordu.

Ofise giderlerken Jack ters giden bir şeyler olduğunu anlamıştı. Uyku hapının mayhoşluğuyla savaşırken esneyerek, "Carrie'yi böyle kızdıracak ne oldu?" diye sordu. "Bu sabah ikimiz de konuşmuyoruz."

Acıyla iç çeken Howie, radyonun sesini kıstı. "Dün gece bana başka biriyle birlikte olduğunu söyledi. Bütün gece didiştik durduk ama sen hiç duymadan uyudun."

"Üzgünüm dostum," dedi Jack. "Uyku haplarından nefret ederim ama artık sekiz saat uyuyabilmek için arada bir kullanıyorum."

"Ne için üzgünsün? Uyuduğun için mi, yoksa karım başka biriyle yattığı için mi?"

Her ikisi de güldü. Jack hızlı düşünmeye başlamıştı. "Sanırım bu gece sırada ikinci raunt var, bu yüzden ben Holiday Inn'de veya başka bir yerde kalayım."

Howie, "Düşünürüz," dedi. "Aslında iki oda ayırtıp indirimden de faydalanabiliriz, herhalde benim de otelde kalmam gerekecek."

"O kadar kötü mü?"

"Galiba. İşin üzücü yanı şu ki, durumu düzeltmek istediğimden emin değilim. Herhalde bizimkisi bu kadarmış. Belki de artık gücümüz tükendi."

"Tavsiye ister misin?"

"Devam et."

"Aceleye getirme. Belki haklısın, belki bitirmek en iyisidir ama çocuklarınızı düşünmelisiniz. Bu her ikiniz için de bir uyandırma çağrısı olabilir."

"Şu anda en son istediğim şey uyandırma çağrısı, sekiz saat horlarım daha iyi," diye espri yaptı Howie. Hoparlörden haber müziği duyulunca içgüdüsel olarak radyonun sesini açtı. "Bakalım salak basın bizim bilmediğimiz ne biliyormuş."

Haber spikerinin kasvetli ses tonundan ilk haberin trajik olduğunu anladılar ve haklı olarak konunun kendilerini ilgilendirmesinden endişelendiler. "Tartışmalı haber kanalı Pan Arabia bu sabah, esir tutulduğu ve Amerika'da bir yerde işkence edilerek yavaşça öldürüldüğü iddia edilen genç bir kadına ait daha fazla rahatsız edici görüntü yayınladı. Arap haber ağının İngilizce konuşulan kanalından yarım saat önce yayınlanan görüntülerde, yirmili yaşlarının ortalarında ve beyaz olduğu sanılan kadının bir tür işkence masasına çıplak halde bağlandığı görülüyordu. Pan Arabia'nın Suç Haberleri Editörü Tarık el Daher, kanalının daha fazla görüntü yayınlamasını savunarak..."

Sesi biraz daha açan Howie, "Bu iyi olmalı," dedi.

Tarık'ın sesi sakin ve kayıtsızdı. "Pan Arabia, görüntülerin yayınlanmasının hem Amerikan halkının hem de rehinenin lehine olduğuna inanıyor. Ayrıca bu görüntüleri yayınlamakla demokrasinin ilkeleri olan konuşma özgürlüğü ve sansürsüz haber verme hakkını sürdürmekle kalmıyor, Amerika'daki FBI ve polis güçlerinin rahatının sona erdiğini kanıtlıyoruz. Eğer bu genç kadın ölürse, kanı onların elinde kalır. Tüm polis yetkililerini, bu kadının yaşamına öncelik tanımaya çağırıyoruz. Eğer Amerika bugün savaşa harcadığı kadar parayı bu kadını bulmaya harcarsa, kadın akşama kadar evine, sevdiklerinin yanına döner."

Direksiyona yumruk atan Howie, "Orospu çocuğu!" diye küfretti.

Spiker haberi toparlamak için söze girmişti. "Terörist bir grup, El Kaide kaçırılma olayıyla ya da Pan Arabia'da yayınlanan görüntülerle bir ilgileri olmadığını açıkladılar. Bireylere işkence yapılmasını daima kınadıklarını üstüne basarak belirttiler."

Howie radyonun sesini kıstı. "Üstü kapalı Ebu Garip'ten mi bahsediliyor?"

"O kadar da üstü kapalı değil," dedi Jack.

Howie sinyali parmağıyla itip, aynadan yolu kontrol etti ve arabayı döndürürken lastikleri öttürdü. "Haydi gidip dostumuz Tarık'ı görelim. Taşmak üzere olan öfkemi dışa vurmak için harika bir fırsat olabilir."

63

Roma

Orsetta Portinari çok öfkeliydi. Jack King'i onlarca kez aramış ama domuz tek bir kez bile geri dönme nezaketini göstermemişti. Canı cehenneme! Massimo da ondan haber almadığını söylemişti ama bu onu rahatlatmıyordu. Ona göre Jack, flört ederek kendini küçük düşürdüğü için Orsetta'yı ekarte etmiyor, profesyonel davranmıyordu. Jack King çekici ve akıllı biriydi belki ama bazen cahil bir aptal olabiliyordu.

Orsetta arabasının kapısını çarparak kapatınca kendini daha iyi hissetti. Onun ani ayrılışı Orsetta'yı kızdırmıştı. Onun yardımını isteyen İtalyan polisiydi, İtalyan polisine söz vermişti ama sonra meseleyi Massimo'yla veya onunla tartışmaya bile gerek görmeden, aniden kıymetli Amerika'sına uçmuştu.

Kendini ihanete uğramış hissediyordu. Reddedilmiş hissediyordu. Her şeyden önemlisi, onun gitmekle hata yaptığını düşünüyordu.

Sahiden de New York'a gidince kaçırılan bu kadını kurtaracağını mı sanıyordu? Kadının Amerika'da bulunduğunu gösteren bir kanıt var mıydı ki? Orsetta'nın daha önce de söylediği gibi, dünyanın her yerinde herkes bir *USA Today* alabilirdi. Çekimdeki gazete görüntüsü kanıt sayılmazdı, kızın Amerikalı olduğunu ve Amerika'da tutulduğunu göstermezdi. Suç mahalli bal gibi İtalya'da da olabilirdi. Belki bu siyah cehennem Cristina Barbuggiani'nin öldürüldüğü aynı odaydı. Belki Cristina'nın Livorno'daki evinden birkaç kilometre uzakta bir yerdeydi. Belki de Roma'da, merkezdeki insanların burnunun dibinde bir yerdeydi. Orsetta, Massimo'nun kesinlikle haklı olduğunu düşündü. Amerikalıları boş verin. Orsetta sanki onlar yokmuş gibi olay üstünde çalışacak ve var gücüyle her bir ayrıntıyı inceleyecekti çünkü bir başka masum kadının hayatı onun çabalarına bağlı olabilirdi.

64

FBI Bölge Ofisi, New York

Özel Ajan Angelita Fernandez nekrofili araştırmasını, görev grubunun en yeni elemanı Sebastian Hartson'a uzattı. Akademiden yeni çıkmış delikanlının ağzı süt kokuyordu. Kötü bir tavsiyeye uyarak kısacık kestirdiği saçları kepçe kulaklarını öylesine ortaya çıkarmıştı ki fincan kulpu gibi duruyordu. Fernandez, ona, "Uzat şu saçlarını, şu fincan kulplarını kapat," demişti.

Onun deyimiyle "Toksik Tarık"ı benzetirlerken Jack ile Howie'nin yanında olmayı çok istiyordu ama Howie ona bu sabahki görevinin, dava dosyasındaki eksikleri tamamlamak olduğunu söylemişti. Manny Lieberman listenin en başında geliyordu. FBI'ın kendi bünyesinde adli tıp doküman inceleme uzmanları vardı ama Manny'yi tanıyan herkes ondan yardım almayı tercih ederdi. Seksen iki yaşında olmasına karşın gözleri lazerli bir tüfeğin kırmızı nokta görüş sistemi kadar keskindi.

Fernandez, onu telefonla aramanın bir faydası olmayacağını biliyordu. Manny meşgul olduğunda telefona bakmazdı; doğrusu her şeyi duymazdan gelirdi. Eşyalarını toplayıp, çağrı yönlendirmeyi etkinleştirdi ve Yahudi Mezarlığı'nın yanındaki Liberty Bulvarı'na doğru yola çıktı. Buzlu camın üstündeki siyah harfler, işyerinin Lieberman ailesine ait olduğunu gösteriyordu. 'Son kısım iki yıl önce Annie, yani onun "prensesi" okuldan mezun olup babasıyla çalışmak istediğine karar verince eklenmişti. Babasıyla tahnit sanatı arasında yazı tura atmış, Manny de kızının doldurulmuş hayvan işine girmesini engellemek için zenginliğini ve aile bağlarını kullanmak zorunda kalmıştı. Ne diyebilirdi ki? Lieberman'lar el yazısı analizi, sahte imza tespiti; vasiyet, tapu ve her türlü evrakta yapılan değişikliklerin belirlenmesinde uzmanlaşmışlardı.

Küçük kabul salonunun duvarları kendisinin tespit ettiği ve polislerin başarılı takiplerinin hatırası diye ona verdikleri yüzlerce sahte çekle kaplanmıştı. Çeklerin en altındaki toplamda, tahsil edildikleri takdirde iki milyon dolar edecekleri görülüyordu. Manny'nin oğlu David telefonlara cevap veriyor ve büro işleriyle uğraşıyordu. David son derece yakışıklı olmakla birlikte Elton John'dan daha efemineydi. Büyük kayıp olduğunu düşünen Fernandez, onun kahverengi gözlerine dalmış telefonu kapatmasını bekliyordu.

Eliyle telefonun ahizesini kapatan David Lieberman fısıltıyla, "Girebilirsiniz Ajan Fernandez, babam aldırış etmez," dedi.

"Teşekkürler," diyen Fernandez onu döndürmenin mümkün olup olmayacağını düşündü. Her neyse, yapılabilir bile olsa denemeyecekti.

Ucuz bir tahta kapıyı yumrukladıktan sonra, iterek açtı ve daha da ucuz görünüşlü bir odaya girdi. Manny lüzumlu şeyler dışında hiçbir şeye para harcamazdı ve bu bütçe, sadece iş için gerekli olan malzemelere ayrılmıştı. Son zamanlarda oldukça zor duyuyordu; kapı eşiğinde durmuş içeri davet edilmeyi bekleyen Fernandez'e başını kaldırıp bakmadı bile.

Yaşlı adam düzenli masasının arkasında, tepedeki parlak ışıkların altında, masanın üstünde lolipop gibi bırakılmış uzun saplı pahalı bir büyüteçle oturuyordu. Üzerinde lacivert bir ceketle, beyaz bir gömlek ve özenle bağlanmış lacivert kravatı vardı. Ailesine daima, "Profesyonel görünün, profesyonel davranın," derdi.

Fernandez, "Günaydın Bay L," diye cıvıldadı.

Seyrelmiş beyaz saçlı kafa ona doğru dönerken, bir gözü hâlâ büyütecinde ve altında duran kâğıttaydı.

"Günaydın Ajan Fernandez. Yaşlı bir adamı taciz etmeye mi geldiniz?"

"Hiç öyle bir niyetim yok," diye yalan söylerken odanın ortasına doğru yürüdü. "Aslında onu mutlu etmeye geldim." Elini çantasına daldırıp, sadece Staten Adası'nda yaşayan ailesinin evinin yakınlarındaki fırında satılan mücevher şeklindeki şeker kaplı bisküvi paketini çıkarttı.

Lieberman şimdi tüm dikkatini ona vermişti. "Ah, sen cennetten yere inen bir meleksin," derken bisküvileri elinden aldı. Şeker kaplı bisküviler, birlikte çalıştıkları ilk davadan bu yana aralarında bir espri konusuydu. Manny, Angelita'nın Manhattan'daki büyük bir hırsızla sahtekâr bir kuyumcuyu yakalamasına yardım etmişti. Kuyumcu zengin müşterilere kaliteli elmaslar satıyor ve hırsıza mücevherin bulunduğu adresi veriyordu. Hırsız mücevherleri çalıp geri getirince, kuyumcu ona değerleri üzerinden belirli bir pay veriyordu. Sonra kuyumcu diğer eyaletlerdeki mağazalarında bu mücevherleri yeniden satıyordu.

Manny gözleri parlayarak konuştu. "Biliyor musun Angelita, yirmi beş yaş daha genç, bekâr ve özgür olsaydım, o zaman sen ve ben..."

Fernandez, "Evet," diyerek kahkaha attı. "O zaman benim yaşım tutmadığı, sen de yaşlı ve sapık bir adam olduğun için hapsi boylardın."

İkisi birden güldü. Minik bisküvilerden bir tane alan Fernandez, şeker kaplamasını dişiyle kırdı. "Benim için bir şey var mı Bay L? Yoksa bir daha mı gelmem gerekecek?"

Manny Lieberman içini çekti. Küstah genç ajan tarafından sıkboğaz edildiğini biliyor ama bunun her dakikasından hoşlanıyordu. İncelediği evrakı bir dosyaya koyup, masasının çekmecesine kaldırdı. Liberman başka bir dosya çıkarırken, Fernandez dikkatle kesilmiş kartonu ve üstündeki siyah keçeli kalemi tanıdı. Sarah Kearney'nin başının içine konulup FBI'a gönderildiği pakete aittiler. Manny ayrıca BRK'nın İtalya'da yazdığı notun fotokopisini çıkarıp, kartonun yanına yerleştirdi.

"Siz gençlerin dikkatini verme süresinin kısa olduğunu biliyorum, bu yüzden elimden geldiğince kısa ve net anlatmaya çalışacağım." Ellerini kavuşturdu. "Aynı adam, aynı yazıyı, aynı kalemle yazmış. İtalya'daki paketle Amerika'daki paketin adresi de aynı el tarafından yazılmış."

Onun kısa özetini dinleyip, sindirmeye çalışırken Fernandez'in gözleri büyüyordu. "Emin misin?"

Manny, altın çerçeveli gözlüklerini alıp taktı. "A, demek o kadar da kısa olmayan açıklamayı dinlemek istiyorsun."

"Sanırım öyle."

"Tamam, o zaman önce kullandığım yöntemlerle başlayalım. Bildiğin gibi benim yöntemlerim biraz eski modadır ama bugüne kadar beni hiç yanıltmadılar. Bana verdiğin her iki örnekteki yazıdan bir miktar mürekkebi iğneyle kazıdım. Sonra bu örnekleri, boya ve lif analizlerinde her zaman güvendiğim gaz kromatografisine tabi tuttum. Bu işlemde ortaya çıkan son program benzersizdir. Herhangi bir mahkemede her iki örneğin eşleştiğini söyleyecek kadar kendime ve yöntemlerine güveniyorum."

Sağlam deliller toplamaya başlayan Fernandez, "Güzel," dedi. "O halde bu bize aynı tür kalemin, belki de aynı kalemin kullanıldığını gösteriyor ama bu, aynı adamın yazdığı anlamına gelmiyor değil mi?"

"Hayır, doğrusu o anlama gelmez. Çünkü aynı kalemin kullanılması aynı adam olduğunu göstermez. Ama bunu ispatlamak için bana geldin."

"Bay Lieberman başka nereye gidecektim, siz en iyisisiniz."

"Övgülerin, sevgili Ajan Fernandez, kalbinden geçen her şeyi sana getirecek." Manny dosyadan bir kopya kâğıdı çıkarttı ve BRK'nın İtalya'da ellerine geçen mektubuna iliştirdi. "İlk önce harfleri tepe noktasından analiz ettim ve bu izleri, katilin harfleri yazmaya nasıl başladığını gösterecek şekilde işaretledim. Görebiliyor musun?"

İyi görebilmek için Fernandez onun arkasına geçti. Kopya kâğıdı minik işaretlerle doluydu. İlk işaretler harflerin en üst noktasına konulmuştu. "Anladım," dedi.

"Tamam. Sonra ikinci tepe noktalarını işaretledim. Yani mesela, B harfinde ilk işareti B'nin tepesine koydum, ikinci işareti üst yarım dairenin dikey çizgiyle ilk kesiştiği yere koydum. Bunu anladın mı?"

Fernandez kopya kâğıdına yakından baktı. "Evet Bay L, dinliyorum."

Manny bir an için geriye yaslandı. "Harflerdeki tüm tepeleri ve ara noktaları bu gördüğün şekilde işaretleyip, noktaları birleştirdim ve bir tür grafik elde ettim. Göstereyim." Kopya kâğıdına geri dönüp, parmağını kalemle yapılmış çizginin üstünden geçirdi. Fernandez bunu kalp elektrosu veya yalan makinesinin çıktılarına benzetmişti. "Sonra bu izi BRK'nın mektubundan alıp, buradaki New York ofisinize gönderilen kutudaki adres yazısının üstüne yerleştirdim." Manny kopya kâğıdını karton örneğin üstüne kaydırıp, tutturdu. "Büyük ihtimalle el yazısı tanınmasın diye büyük harflerle yazdığı halde bize yeterince kanıt bırakmış. Tüm harflerin yüksekliği aynı, harflerin orta noktaları aynı, harfler arasındaki mesafe, kelimeler arasındaki mesafe, satırlar arasındaki mesafe aynı. Dediğim gibi aynı adam, aynı mesajı aynı kalemle yazmış."

"Bay L, böyle zamanlarda keşke elli yaş daha büyük olsaydım diyorum," diyen Fernandez başının tepesine bir öpücük kondurdu.

Birden tüm sezgiler, tüm kuşkular doğrulanmıştı, artık bir gün jürinin önüne ortada iki ayrı katil bulunmadığını söyleyebilecek kadar güçlü kanıtları vardı. Sadece bir katil vardı. Black River Katili gerçekten de kıtaları aşmış ve İtalya'da cinayet işlemişti.

65

Pan Arabia Haber Kanalı, New York

Jack ile Howie'nin sabahın köründe nezaketle kaybedecek vakitleri yoktu. FBI rozetini Pan Arabia'nın resepsiyonundaki güvenlik görevlisinin gözüne sokan Howie, hoşlarına gitse de gitmese de arkadaşıyla birlikte doğruca el Daher'in ofisine gittiklerinin iyice anlaşılmasını sağladı.

Asansördeyken her ikisi de karşılarına bundan sonra çıkacak manzarayı tahmin etmeye çalışıyorlardı. Metal kapılar kayarak açılınca bir başka resepsiyonu bulunan büyük bir ofis gördüler. Howie bir kez daha rozetini çıkarttı. "FBI. Tarık el Daher'in ofisi neresi?"

Yirmili yaşlarının ortalarındaki genç bir kadın içinden onları oyalamayı düşündü ama çabuk pes edip dile geldi, "Soldaki en son oda. Sekreterini arayıp..."

Jack ile Howie o cümlesini tamamlamadan gitmişlerdi. Bilgisayarlarının tuşlarına vuran gazetecilerle, renkli teksir kopyaları basan sekreterlerin yanından geçtiler. Cam bölmenin ardındaki ofisin kapısını iterek açarlarken, Tarık el Daher başka bir adamla televizyon seyrediyordu.

Gazeteci gözlerini ekrandan ayırmadan, "Bir randevunuz olduğunu bilmiyordum Bay Baumguard," dedi.

"Gerek var mı?" diyen Howie parmağını televizyonun kapatma düğmesine bastırdı. "Dün bir anlaşma yaptığımızı sanıyordum. Sonra işe gittim ve radyodan bir dolu saçmalık dinledim, o kadar keyfim kaçtı ki doğruca buraya gelmem gerekti."

Tarık başını yavaşça çevirip Jack'e baktı. "Televizyonu yeniden açacak kadar kibar olursanız, sizi ilgilendirebilecek bir şey göstereceğim."

Howie ona, insanı taşa döndürecek bir bakış fırlattıktan sonra televizyonu açtı.

Tarık'ın arkadaşının yanına oturan Jack, dev vücuduyla yayıldı. Kibar olmaktan öte sinir bozucu bir sesle, "Selam," dedi. Ellili yaşlarının sonundaki profesyonel görünüşlü adam dönüp ona baktı ama bir şey söylemedi.

Uzaktan kumandanın düğmesine basan Tarık, görüntüleri başa aldı. "Bu sabah resepsiyonu arayıp benimle görüşmek istediğini söyleyen biriyle görüştüm. Normalde isimsiz arayanlar bağlanmaz ama resepsiyona, kendisinin 898989 olduğunu söylemiş. Çağrıyı kabul etim. Bana dün tıkladığım bağlantı adresinin beş dakika içinde yeniden etkinleşeceğini ve beş dakika sonra devre dışı kalacağını söyledi. Polis takibini etkisiz kılmadığım müddetçe benimle çalışmayacağını da sözlerine ekledi."

Jack, "Sesi nasıldı?" diye sordu.

Tarık ona kaşlarını çattı. "Siz kimsiniz?"

Jack de ona bakıp kaşlarını çattı. "Sana soruyu soran adamım. Sesi nasıldı?"

Tarık, "Ağzını bir şeyle kapatarak konuşuyordu," dedi. Üstü cam masayı işaret etti. "Telefonuma kaydettim. Size bir kopyasını çıkartırım."

Howie, "Yaa, teşekkürler," dedi. "Ne dedi?"

Sorularına cevap vermek için sanki büyük bir çaba sarf ediyormuş gibi içini çekti. "Bu kadar. Siteye erişim için sadece beş dakikam olduğunu söyledi. Sanırım otuz saniyesini kaçırdık, belki de bir dakikasını. Siz geldiğinizde görüntüleri yeniden izliyordum."

Howie, "Bu sabah sekiz bülteninde ekrana verdiğin görüntüler mi?" diye sordu.

Tarık, "Evet," diye doğruladı. "Ama sanırım eğer radyodan dinlediyseniz, aslını görmediniz."

Howie, "Evet, sanırım haklısın," dedi.

Tarık uzaktan kumandanın oynatma düğmesine bastı ve ilk görüntü ekrana geldiği anda dondurdu. "O halde ben size göstereyim ama bu haliyle yayınlamadığımızı bilmenizi isterim. Bandın en az rahatsız edici kısımlarını seçip, sadece yirmi saniye gösterdik."

Jack alaycı bir edayla, "Çok etik," dedi.

Uzaktan kumandayı kucağına bırakan Tarık bir kez daha Jack'e bakıp kaşlarını çattı. "Sen Jack King'sin öyle değil mi? Reuters'ta çalışırken bir fotoğrafını görmüştüm, bundan dört beş yıl önce. Doğru mu?"

Jack, ona küçümseyici bir ifadeyle baktı. "Bunu konuşacak vaktimiz yok. Bize videoyu göster."

Tarık onun yüzünü inceledi. Haklı olduğuna emindi. Oynatma düğmesine basınca görüntü akmaya başladı.

Howie ile Jack, kızın kasılmalarıyla sarsılma sahnelerini izlerken hiç tepki vermediler. Her bir film karesini milim milim, işe duygularını karıştırmadan inceliyor, onlara kızın yerini, çekimlerin ne zaman yapıldığını ve yaşayıp yaşamadığını gösterecek ipuçlarını ve muhtemel delilleri arıyorlardı.

Jack, orada kurbanın yanında olmaktansa, kameralarla kayıt yapmasının nedenlerini bulmaya çalıştı. Neden basit bir kamerayla kendisi çekim yapmıyordu, bu şekilde kurbanın çok daha yakınında olabilirdi?

Belki de seçeneği olsa öyle yapardı. Bu da kızı tuttuğu binada olmadığını gösteriyordu.

O neden binada değildi? Gündüzleri çalışıyor muydu? Yoksa, onu cinayetle ilişkilendirmek mümkün olmasın diye kız öldüğünde suç mahallinden uzakta mı olmak istiyordu?

Bant yaklaşık dört dakika oynadıktan sonra kurbanın yaklaşık otuz saniye boyunca hiç kıpırdamadığı sahne gelince Howie durdurulmasını istedi. "Durdur. Bir saniye dondur. Ne düşünüyorsun Jack? Öldü mü?"

Ensesini kaşıyan Jack, Tarık'ın arkadaşı ilk defa ağzını açtığında cevap vermek üzereydi. "Ben kendimi tanıtayım, ismim Doktor Ian Carter; Dünya Sağlık Örgütü'nün eski bir üyesiyim. Ben bandı üç dört kez izledim, kızın korkunç bir sarsıntı geçirip, bayıldığını söyleyebilirim. Öldüğünü söyleyemem. Ama ne yazık ki, kendimden emin bir şekilde hâlâ yaşadığını da söyleyemem."

Jack, "Ne zamandır bu halde?" diye araya girdi.

"Büyük ihtimalle bu görüntüler bir süre önce çekildi ve kız şimdi ölü. Ama belki de yeni çekimlerdir. Eğer öyleyse, uzman görüşüme göre size şunu söyleyebilirim ki, kız komadan çıktıysa bile şu an ölüme çok yakın olmalı."

Howie, "O, daha ne kadar süre yaşayabilir, doktor?" diye sordu.

Carter bir süre bunu düşündü. "En fazla kırk sekiz saat."

SEKİZİNCİ BÖLÜM

8 Temmuz Pazar

66

Holiday Inn, New York

Howie ikinci raunt için eve, Jack de Lafayette Caddesi'ndeki Holiday Inn'e gittiğinde sabahın erken saatleriydi.

Jack, Büro'nun masraflardan kıstığını düşündü çünkü küçücük odada tam anlamıyla temizlik yapılmamıştı ve hâlâ kendisinden önce kalanların kokusu vardı. Kendini yatağa bırakınca, yatağın mağara adamları tarafından kazınmış oymaları bulunduğunu fark etti. Resepsiyonu arayıp, bir sandviçle bir bardak süt istemeyi denedi. Adamın kahkaha atıp söylediği İspanyolca şeyin "imkânsız" anlamına geldiğini tahmin etti. Telefonu bıraktığında burnundan soluyordu ama sonra gece yarısı atıştırmamanın daha iyi olacağını düşündü. Ardından videodaki kızı düşünüp kendini suçlu hissetti. Zavallı kız mini bardaki çikolata bir yana dursun, odadaki bir şişe su için bile canını verirdi, o ise oturmuş oda servisinin olmayışına hayıflanıyordu.

Ayakkabılarını fırlatan Jack saatine bakıp Nancy'yi aradı. New York' ta saat bire geliyordu, yani Toskana'da yedi olmalıydı. Zamanı öyle mükemmel ayarlamıştı ki, Nancy'nin alarmı sustuktan hemen sonra telefonunu çaldırmıştı. Nancy alışkanlıklarından hiç vazgeçmezdi. Alarmı her zaman, tatildeyken bile aynı saate kurardı. Yatakta kalmanın hiçbir fayda

293

sağlamayacağını söyler, güne mümkün olduğunca erken başlamayı tercih ederdi. Fazla uzun konuşmadılar sadece birbirlerini sevdiklerini söylediler ve Jack ondan Zack'i kendisi için kucaklayıp öpmesini istedi. Telefonu kapattıktan sonra, üstünde takım elbisesiyle yatağa sırtüstü uzanıp, oğluyla karısının güne başladıklarını gözünde canlandırdı. Bu hayal uykusunu getirmeye yetecek kadar sakinleştirici ve güçlüydü, bu yüzden ağzına bir Ambien atıp, suyla yuttu. Biraz dinlenip, banyoya girecekti ama bunu hiç yapamadı. Gözlerini kapatır kapatmaz uykuya daldı.

Ve hemen ardından kâbus başladı.

Ama bu kez farklıydı.

Bu kez videodaki kızla aynı odadaydı. Kasılıyordu ve kızın vücudu, bağlı olduğu o tuhaf masanın üstünde sıçrayıp duruyordu. Jack, onu sakinleştirmek için elini göğsüne koydu. Zincirlerini çözüp, boğulmaması için yan yatırdı, sonra bir yerden battaniye bulup üstünü örttü. Kısa süre sonra oda sağlık görevlileri, polisler ve adli tıp uzmanları ile doldu. Sağlık görevlileri kızı nazikçe kaldırıp sedyeye yatırdılar, hemen bir serum bağlayıp ambulansa götürdüler.

Jack kendini iyi hissetti; kız iyileşecekti. Onu kurtarmıştı. Adli tıptakiler fotoğraf çekip, delilleri poşetlere doldururken odada etrafına baktı. Yerde bir şey görüyordu. Çok şaşırtıcı bir şey.

Jack uyanmıştı.

Bir düşünce aklına yıldırım gibi çarpmıştı.

Az önce gördüğü rüyada yerdeki gazeteye, USA Today'e uzanıyordu ve gazetenin üstündeki tarih 2 Temmuz'u gösteriyordu.

Sonra Jack birden Tarık el Daher'in ofisindeyken kendi kendine sorduğu soruların cevabını buldu.

Saldırgan ona daha yakın olabileceği şekilde amatör bir kamerayla neden kendisi kayıt yapmıyordu?

Örümcek

Tarık 5 Temmuz'da ilk videoyu aldığında yerdeki gazete olayın yeni olduğunu ispat etmek için bırakılmıştı. Ama Tarık ayın yedisinde ikinci görüntüyü aldığında görüntülerde yeni bir gazete yoktu.

Neden?

Cevabı basitti. Çünkü görüntülerdeki gazeteyi bıraktıktan sonra bir daha o odaya gitmemişti. Kızı açlıktan ölüme terk etmişti ve kameraların kaydıyla, görüntülerin gönderilmesi işlemlerini, faili meçhul suçların mükemmel aracı olan internet üzerinden yürütüyordu.

Peki ama şimdi neredeydi?

67

San Quirico D'Oricia, Toskana

San Quirico D'Orcia'da şafak adeta zamanı geri çeviriyor, köyün ilk kurulduğu ortaçağ günlerindeki gibi görünmesine yol açıyordu.

Terry McLeod, La Casa Strada'nın kapısından kimseye görünmeden sessizce sıvıştı. Diğer konuklardan henüz uyanan olmamıştı; Maria'nın gelmesine, makyajını yapmasına ve resepsiyondaki yerini almasınaysa daha çok vardı. McLeod, otelin etrafındaki altın renkli taş karolara basarken ses çıkmasın diye lastik tabanlı ayakkabıları seçmişti. Yeşil renkte bir kargo pantolon, kahverengi tişört ve güneş biraz daha yükseldiği anda üstünden çıkaracağını bildiği yeşil bir eşofman üstü giymiş ve gözlerini korumak için kahverengi kasket takmıştı. İleriki günlerde yaşanacakları sabırla beklerken yaşamını sürdürmesini sağlayacak yiyecek, içecek ve lüzumlu gereçlerle dolu orta boy, yeşil bir sırt çanta taşıyordu.

Sokaklar boştu ama yine de tarihle modern hayatın birbirine nasıl uyum sağladığını anlatıyorlardı. Yüzyıllık evlerin parlak renklere boyanmış duvarlarına; kadın yatak çarşafları, renkli gömlekler ve grileşmiş iç çamaşırların asıldığı ipler gerilmişti. Onların yanındaki cam vitrinli kafelerle restoranların üst üste yığılmış sandalye ve masaları, sokakların temizlenmesini bekliyordu. Yere düşen dondurma külahı, taşların üstünde rengârenk bir leke bırakmıştı. Kapı girişlerinde veya ara sokaklarda duran bisikletler asla bağlanmazlardı çünkü kasabalılar için hırsızlık yemeklerin ve şarabın kötü olması kadar imkânsızdı. Birkaç sokak ötedeki kilisenin çanları her yarım saatte bir çalıyordu; saat yedi olmuştu.

McLeod nereye gittiğini iyi biliyordu. Son birkaç gün içinde bugünün olayı için mükemmel yeri tespit etmişti.

Dante Alighieri Sokağı'nın Cassia Sokağı ile kesiştiği yere doğru güneydoğuya yöneldi, sonra ıssız turist yolundan çıkıp daha da güneye döndü. Kısa süre sonra kasabadaki birkaç meraklı çocuktan başka kimsenin bilmediği çalılık bir tepeye tırmandı. Buradaki otlar çok uzundu ve herhalde kasabalılar tarafından üstünde hiç gezilmemişti. Kasabanın antik duvarlarından bile daha koyu renkteki traverten kayalar, güneşten ve meraklı gözlerden mükemmel bir koruma sağlıyordu.

McLeod bulunduğu yere çıkan başka bir yol var mı diye etrafına baktı. Çevresini kolaçan ettikten sonra, kayalıklı arazide bukalemun gibi kaybolmasını sağlayan yeşil ve kahverengi kıyafetiyle oturdu.

Sırt çantasını kapağını açarak içinden iyi bir dürbün çıkarıp, yumuşak bir bezle lenslerini sildi ve sonra bakmaya başladı. La Casa Strada'yı hemen bulmuştu. Dürbünün odağını ayarladı. Sağ tarafa hafifçe hareket ettirdiğinde, Nancy King'in onu tersleyerek uzaklaştırdığı özel bahçeleri mükemmel biçimde görebiliyordu. Biraz sola çevirdiğindeyse, Nancy'nin hâlâ uyuduğu odasının penceresi görülüyordu. Panjurları kapalıydı ama arkasındaki pencerenin açık olduğu belliydi.

McLeod ayağa kalkıp büyük traverten kayalardan birinin arkasına geçti. Dürbünü biraz hareket ettirince otelin etrafındaki yolları ve Nancy'nin çocuğuyla her gün Pienza'ya gitmek için kullandığı yolu görebiliyordu. Durduğu noktadan memnundu. Bu avantajlı yerden, mükemmel çekim yapabilirdi.

Toskana güneşi mavi gökyüzünde, sırtında yeni bir günün yüküyle ezilmiş gibi yavaşça yükseldi. La Casa Strada'nın dış cephesini altın rengi ışınlarıyla boyayan güneş, koyu turuncu çatı kiremitlerini kan portakalına dönüştürdü. Saat yediyi biraz geçe Nancy King odasının penceresini açtı ve yeni doğan günün güzelliğini içine çekti.

Terry McLeod dürbününü bırakıp, Nikkor 1200 mm teleskopik lens taktığı Nikon D-80 fotoğraf makinesini aldı. Küçük tripodu açıp deklanşöre yarım bastı. Kameranın otomatik odaklaması devreye girdiğinde odada dolaşan Nancy'yi rahatlıkla görebiliyordu. Üstünde hâlâ geceliği vardı ama bu McLeod'un seksi bulduğu türden bir şey değildi. Deklanşöre basınca ilk karesini çekti. Bir an için kocasının pijama üstünü giydiğini sandı ama sonra özel dikim, çizgili bir gecelik olduğunu anladı, hiç şüphesiz pahalıya patlamış olmalıydı. Nancy pencerenin önünde saçlarını geriye atarak, lavanta kokulu havayı içine çekti.

Şıkırt! Nikon yine fotoğraf çekmişti.

McLeod, onun üstünü çıkarıp, harika bir çift meme göreceğini tahmin ettiği pozu vermesini ümit etti ama Nancy pencereden uzaklaşıp bir şey almak için yere eğildi.

Şimdi sadece gölgesi göründüğü için McLeod onun ne yaptığını tam çıkaramıyordu. Nancy pencereye kucağında bir çocukla dönerek onun şüphelerine son verdi. Şıkırt, şıkırt!...

McLeod, çocuğun, Paullina'nın anlattığı üç yaşındaki Zack olduğunu tahmin etti. Nancy, onun saçlarını karıştırıp, yanağından öptü ve birlikte etrafı izlediler.

Şıkırt, kamera her hareketini yakalıyordu.

Çocuğu yakından görmek güzeldi. Sahnede bir çocuk varsa McLeod, onu mutlaka kendi lehine kullanırdı. Evet, çocuğa yaklaşmak ödülü arttıracaktı.

68

Holiday Inn, New York

Cep telefonu çaldığında Jack hâlâ takım elbisesiyle uyuyordu. Uykulu gözlerini kısıp telefonun ekranına baktı ve Howie'nin numarasını gördü.

"Alo," diye homurdandı.

"Merhaba, giyin, duş al; on dakika sonra otelin önünde olacağım," dedi Howie heyecanla. "Çok ilerleme kaydettik. IAD'den[*] biri, videodaki kızın arkadaşı olan bir fahişeyi çalıştıran şu Rus pezevenkle ense tokat olan, Brooklyn'deki düzenbaz bir polisi sıkıştırdı."

Howie'nin sözleri onun anlayamayacağı kadar hızlıydı, sadece anahtar kelimeleri duyabilmişti –Brooklyn'den biri- videodaki kızın arkadaşı bir fahişe... "Tamam, hemen kalkıyorum. On dakika sonra görüşürüz."

Jack soyunup, sendeleyerek duşa girdiğinde hâlâ Howie'nin kendisine tam olarak ne söylediğini anlamaya çalışıyordu. Önemi yoktu. Bir yerden birisi kızı tanıyordu ve bu da, onu bulma şansını yakaladıkları anlamına geliyordu.

Jack yanında sadece bir takım elbise getirmişti, o da çıkarmadan uyuduğu takımdı. Ceketi şimdi, serserilerin Ayyaşlar Balosu için ödünç aldık-

_____
(*) Amerikan İçişleri Savunma Dairesi.

larına benziyordu. Ceketi yatağın üstüne bırakıp, kravat takmadan bir gömlek ve altına siyah pantolon giydi.

Dışarı çıktığında Howie kendisine korna çalan bir motorcuya parmağını sallıyordu. Jack yolcu koltuğuna oturdu. "Güne iyi haberle başlamak gibisi yoktur. Nereye gidiyoruz?"

"Brooklyn'de kahvaltıya gidiyoruz. Pete McCaffrey denen bir adamla buluşacağız." Howie kontağı çevirip, marşa bastı ve lastikleri öttürerek trafiğin içine karıştı. "McCaffrey İçişleri'nden ve bu işten anlayan az sayıdaki insanlardan biri. Arada bir hata yapıp hepimiz gibi yüzüne gözüne bulaştıran polislerle uğraşmaz, onun asıl hedefi gerçekten çürükleri ayıklamaktır."

Jack, "O zaman söylesene," dedi. "Bizim kızla bağlantısı ne?"

"Pete ile ortağı Gerry Thomas, George Deaver denen ahlaksız bir polisle ilgili duyumlar almışlar. Deaver Beach bölgesindeki fahişelerle bedavaya yatıyormuş. Rozetini gösterip para vermeyeceğini söyleyerek keyfine bakıyormuş."

Jack, "Bilinmeyen bir hikâye değil," dedi.

"Öyle ama dostumuz Deaver, Oleg Smirtin isimli Rus bir gangsteri çok kızdırmış. Bilinmeyen hikâye burada başlıyor. Smirtin, küçük Odessa'daki babalardan biri ve görünüşe bakılırsa Deaver onun kızlarıyla bedavaya yatıyormuş."

"Akıllıca bir hareket değil," dedi. "Sanırım arkadaşın McCaffrey, Smirtin işin içinde olduğu için birden ilgilenmeye başladı."

"Kesinlikle. Rus'un birkaç polise para yedirdiğini düşünüyorlar, Deaver'a ispiyoncuları olması için baskı yaptılar. Her neyse, Deaver onlara yattığı kızlardan birinin, bu görüntülerdeki kızın arkadaşı olduğunu iddia etmiş."

Jack, "İsim vermiş mi?" diye sordu.

"Henüz değil. Fernandez şu an Brooklyn'de milleti topluyor. McCaffrey ile Deaver'ı birlikte göreceğiz, sonra da fahişeyi. Gerekirse gidip Smirtin'i de görürüz."

Jack, "Buluşma nerede?" diye sordu. "Cumberland Caddesi'ndeki ofis hâlâ bizim mi?"

Howie, "Tabii ki," dedi. "Ayrıca köşedeki sandviççi hâlâ bu taraftaki en iyi kahvaltıları hazırlayan anne mutfağı."

69

San Quirico D'Orcia, Toskana

Terry McLeod saklandığı yerde bir saattir sabırla oturuyordu.

İtalya'da her şey iyi gittiğinde bile hiçbir şeyin hızlı hallolmadığını artık anlamıştı, özellikle de Toskana'da pazar günleri hayat salyangozdan bile daha yavaş ilerliyordu.

Kendi kendine, ne kadar çok beklersen, yakalamak o kadar keyifli olur, dedi.

Sırt çantasından çıkardığı şişeden su içti ve otelde olup bitenleri izlemek için askeri tipteki dürbününü kullandı. Bayan King evinin huzurlu ortamında dolaşırken oldukça mutlu görünüyordu.

Tadını çıkar, yakında küçük *mutlu* hayatını altüst edeceğim, diye düşündü.

Arkasına yaslanıp fırsat doğmasını bekledi.

Sabır, McLeod'un sahip olduğu önemli bir özellikti; gerekirse tüm gün bekleyebilirdi.

70

Brooklyn, New York

Brooklyn'e giden on kilometrelik yol en fazla on beş, yirmi dakika sürerdi ama Flatbush Bulvarı'nda trafik tıkanmıştı ve araba, Veronica ile Erasmus'un kesiştiği noktaya doğru ilerlerken değişen bir şey olmadı.

Arabayı park ederlerken Howie telefon etti ve Fernandez kahvaltı siparişlerini almaya birisini gönderdi; portakal suyu, kahve, küçük kek, gözleme ve karışık meyve. Meyve Jack'in fikriydi; Howie daha çok gözlemelerle ve küçük keklerle ilgileniyordu.

Fernandez, İçişleri'nden Pete McCaffrey, Gery Thomas ve yeni dostları George Deaver ile küçük bir odaya çekilmişti. Jack daha tanıştırılmadan kimin kim olduğunu anlamıştı. McCaffrey büyük, ahşap, kare masanın kenarında oturan adamdı. Kaba bir yüzü vardı ve siyah kravatını düz beyaz gömleğinde iyice yukarı çekmişti. Elindeki plastik bardaktan su içiyor, bir yandan da İçişleri'ndekilerin sadece onlara özgü tavırlarıyla Fernandez'i etkilemeye çalışıyorlardı. Maço beden dilini kullanıyor ve İçişleri'nin nefret edilen dünyasına bulaşmadan evvel neler yaptığını anlatıyordu. Patronunun daha genç bir kopyası olan Thomas, daha ucuz bir siyah takım giymiş ve daha gevşek ve ucuz bir kravat takmıştı. McCaffrey'nin her sözünü can kulağıyla dinliyordu. George Deaver aralarında tuhaf kaçanıydı. Asık suratıyla diğerlerinden ayrı oturuyordu. Kollarını kavuşturmuş ve sanki dünyanın tüm kasvetini omuzlarında taşıyormuş gibi duruyordu, ki enselenmiş ahlaksız bir polis olduğu, mahkemeye ve belki de hapse gideceği düşünüldüğünde bu doğru olabilirdi.

Howie, Jack'i tanıştırınca herkes tokalaştı. Sonra McCaffrey, Deaver'ı tanıttı ama insanlar bu kez sadece başlarını salladılar. Sınır çoktan çizilmişti ve bunu belli etmekten kendilerini alamıyorlardı.

Howie, "Kız nerede?" diye sordu.

Fernandez, "Yandaki ofiste," dedi. "Bir Cola verdik, ama sanırım ona doktor çağırsak iyi olacak. Dün akşam üstünden tank geçmiş gibi görünüyor. Kapıyı gözetleyen biri var, bu yüzden kaçmaya kalkışmayacaktır."

McCaffrey olayı anlatmaya başladığında, Jack sanki ilk kez duyuyormuş gibi kibarca dinlendi. Ardından Deaver, onlara Smirtin'i görmeye gittiğini ve onun kayıp fahişeyi aradığını söylediğini anlattı.

"Banttaki kızın adı Ludmila Zagalsky, ama herkes ona Lu diyor," diyen Deaver, ahlaksız bir polisten çok yardımcı olmaya çalışan bir polis gibi konuşuyordu. "Yirmi beş yaşında ve Rus, Moskova'dan geldiğini düşünüyoruz. Smirtin'le bir restoranda yüz yüze görüştük, özellikle kız hakkında konuşmak için gitmiştim, ama onun hakkında çok az şey anlattı. Yaşadığı tütün sorunuyla ilgili tavsiyelerde bulunabilecek Adalet Bakanlığı'ndan tanıdığım biri olup olmadığıyla daha çok ilgiliydi."

Fernandez, "Sigara içmek öldürür, doktorlar böyle söylüyor ve Smirtin gibi pisliklere verilebilecek tek tavsiye bu," dedi.

Deaver, onu duymazdan geldi. "Her neyse, ertesi gün, yani ayın altısında, beni arayıp Lu'nun yerini bildiğini söyledi; onu televizyonda görmüştü. Yani şu Araplar..."

McCaffrey, "Evet, o kısmını biliyoruz," diye araya girdi. "Arkadaşınla yaptığın konuşmayı anlat, sen sadede gelemeden buradakiler emekliye ayrılacak."

Deaver gücenmeyi bir yana bırakıp, hikâyesine devam etti. "O akşam kızın arkadaşı Grazyna Macowicz'ki kıza benziyor," dedi.

Howie, "Evet, ben de öyle düşünüyorum," dedi. "Sence hâlâ bu civarda mı?"

Jack, "Bunu bilmenin imkânı yok," dedi. "Daha da önemlisi, acaba hâlâ yaşıyor mu?"

Yemek gelince Jack küçük bir kekle gözleme koyduğu iki tabak ve biraz meyveyle iki fincan kahve aldı.

Grazyna'yı görmeye diğer odaya geçerlerken Howie, "Restoran işinde geçirdiğin senelerin sana garsonluğu öğrettiğini görmek ne güzel," diye espri yaptı. Howie kapıyı açınca karşı tarafta oturan kadın başını kaldırıp baktı. Kamburunu çıkartmıştı, yüzü bembeyaz ve bitkin görünüyordu.

"Bayan, ismim Howie Baumguard. Buradaki yemek arabası da Jack King. Size kahvaltı getirdi."

Jack nazikçe, "Günaydın Grazyna," dedi. "Arkadaşının bulunmasına yardım etmek için buradayız." Jack ona yemek isteyip istemediğini sormadan tabağı önüne koydu ve kahvenin kapağını açtı. Pek çok insanın, polislerin verdiği bir şeyi kabul etmek istemediği tecrübelerle sabitti, bu yüzden sormamak daha iyiydi.

Howie, kızın yanına oturdu. "Televizyondaki haberlerde gösterilen, bir yerde rehin tutulan kızın, arkadaşın Ludmila Zagalsky olduğuna şüphe duymadığın söylendi. Bu doğru mu?"

Grazyna kahveyi aldı. Eli öylesine çok titriyordu ki, kendini yakmamak için kahveyi geri koymak zorunda kaldı. İnce bir sesle, "Bu doğru," dedi. "Kardeş gibiydik, onu hemen tanıdım."

"Onu en son ne zaman gördün Grazyna? Hatırlıyor musun?" diye sordu Jack.

Grazyna bunu çok düşünmüştü, bu yüzden hemen cevap verdi. "Altı gece önce, saat bire gelirken, Beach Bulvarı'nda Primorski'nin restoranının önünde."

Howie ile Jack birbirlerine şaşkın şaşkın baktılar. Howie, "Nasıl bu kadar eminsin?" diye sordu.

Grazyna bu kez tereddüt etti. Dudağını ısırıp, başını başka tarafa çevirdi. "Prim'deki bir garsonla, Ramzan'la görüşüyordum. Lu da ondan hoşlanıyordu ama o ortalarda yokken ben harekete geçtim ve bunu ona söylemeye cesaret edemedim. Mesai bitiminde onunla buluşacaktım, sokakta o tarafa doğru yürürken Lu'yu camın önünde ona el sallarken gördüm. Yoldaki bir kapı eşiğine girip, bir süre saklandım."

Howie, "Bunu neden yaptın?" diye sordu.

Grazyna, "Bilmiyorum," dedi. "Belki de beni aldattığını düşündüğüm içindir. Bu yüzden dışarı çıkıp onu öpecek mi ya da başka bir şey yapacak mı görmek istedim."

Jack, "Peki yaptı mı?" diye sordu.

"Hayır yapmadı. Bir süre sonra Lu yeniden el salladı ve ardından ilgisini kaybetmiş gibi göründü. Birkaç dakika sonra arabasıyla bir adam geldi, restoranın tam yanındaki ATM'yi kullanırken Lu, adama iş attı."

Jack ile Howie'nin sezgileri işbaşına geçmişti bile.

"Galiba ATM çalışmıyordu çünkü Lu'nun yolun aşağısını işaret ettiğini gördüm. Sonra onu ayartmaya çalıştı, bilirsiniz flört etti falan. Ben de kendi kendime, aman hadi sen git biraz daha mangır kazan dedim. Tabii birkaç saniye sonra adamın arabasına binip uzaklaştı."

Howie, "Hangi yöne doğru?" diye sordu.

Grazyna bir an kaşlarını çattı. "Yön konusunda iyi değilimdir. Biraz düşüneyim." Ellerini ileri uzattı. "Doğuya döndü. Evet, eminim. Doğuya doğru gittiler."

Howie nefesini tutmuştu. "Plakasını aldın mı?"

Grazyna yüzünü ekşitti. "Hayır. Sarı bir Hyundai idi, arkadaki armayı gördüm."

Howie, "Tek kapı mı, çift kapı mı?" diye sordu.

İlham gelmesi için tavana baktı. "Çift."

Odadan ayrılan Howie, Fernandez'e çift kapılı bir Hyundai arama başlatmasını söyledi. Hem sarı hem de beyaz arabaları aramalarını tembihledi, sokak lambalarını renk algılayışını yanıltmış olabilirdi.

Jack'in başı, duyduğu heyecandan vızıldıyordu.

Sonunda bazı kritik sorular cevaplanmıştı. Artık kurbanın bir adı vardı: Ludmila Zagalsky; nereden alındığı biliniyordu: Beach Bulvarı ve olası kaçırılma olayının saati: 2 Temmuz gecesi saat bir.

Cevaplanmayan en önemli soru onun hâlâ yaşayıp yaşamadığıydı.

71

Brighton Beach, Brooklyn, New York

FBI ile NYPD, plakaları araştırmaya, yol kameralarının kayıtlarını incelemeye ve Hyundai galerileriyle ikinci el araba satıcılarını dolaşmaya başlamıştı.

Fernandez, Lu'nun birlikte gittiği adamı tarif etmeye çalışan Grazyna Macowicz ile birlikte kalmıştı. Bir polis ressamı adamın vücut yapısı ve duruşu üstünde çalışırken, bir kadın polis yüzünün parçalarını bir araya getiriyordu.

Bu sırada Beach Bulvarı'ndaki kaldırımda duran Jack, Primorski'nin camına burnunu dayamış, Lu'nun bir hafta önceki özgür hayatının son dakikalarında neler yaptığını hayal etmeye çalışıyordu. Kızın içinde bulunduğu ruh halini, onun kendini riske atmasına neden olacak zihin yapısını anlamak Jack için önemliydi. İlk önce Lu'nun Ramzan'ı restoranın içinde gördüğü anı hayal etti. Kapıya gelip belki onu içeri davet edeceği ümidiyle ona el sallıyor, gecesini, bu yakışıklı ve düzenli bir işi olan, uzun boylu adamın kollarında sonlandırmayı diliyordu. Ama bir nedenden ötürü adam yanına gelmemişti.

Ne olmuş yani, def olsun gitsin! Sıradan bir günün sıradan sonu.

Örümcek

Lu'nun kendini reddedilmiş hissederken cama arkasını döndüğünü hayal etti. Peki sonra ne olmuştu?

Jack, onun yalnızlık acısını hissetmeye ve bundan sonra ne yaptığını tahmin etmeye çalışarak Primorski'nin camına arkasını döndü.

Adamın biri yanındaki ATM'yi kullanmak üzere geliyordu. İyi vakit geçirmek isteyen kızlar için ATM makineleri en iyi müşteri toplama yeriydi. Lu için mükemmel bir çılgınlık olacaktı. Neden olmasın? Adam zararsız görünüyordu. Fırsat ayağına gelmişti.

Bir erkek tarafından reddedilmişken, bir diğerinin parasını ve gücünü kullanarak özgüvenini yeniden kazanacaktı.

Grazyna doğru mu söylüyordu? Makine bozuk muydu?

Jack kontrol edilmesi için not aldı. Sahte bir hesap numarası girmiş olsa bile, saat kaçta nerede olduğunun kesin bir kanıtı sayılırdı ve Jack hep, bu orospu çocuğunun günün birinde basit bir hata yapmasını beklemişti. ATM'ye baktı; çalışmadığı takdirde kullanıcıları başka bir yerdeki makineye yönlendiren bir talimat yoktu. Elbette BRK için bunun önemi yoktu. Makine çalışıyor olsa bile, çalışmıyormuş gibi davranacaktı, asıl mesele kızı arabaya atmaktı.

Yani diğer makinelerin yerini biliyor muydu? Bu bölgeyi daha önce yoklamış mıydı? Belki de birkaç gündür Lu Zagalsky'yi takip ediyor, onun hayatına girmek için doğru anı bekliyordu.

Jack bunun gelişigüzel bir kaçırma olduğuna inanmıyordu.

BRK bu kızı gün boyunca, hatta belki de günlerce takip etmiş olmalıydı. Sokaklar boşken ve kız yalnızken onun sırası gelmişti. Arabasını kaldırıma çekip ona doğru yürümesi yetecekti. Kız yüzünü restoranın camından çevirdiği anda öldürme girişimine başlamış olacaktı.

Öldürme girişimi; bu kelimeler Jack'in beyninde asılı kalmıştı. BRK gibi seri katiller için avlanma ve öldürme dürtüsü, masum insanların tanışıp çıkma dürtüsü kadar güçlü ve kontrol edilemezdi.

Michael Morley

Jack bakışlarını dükkânın duvarlarında gezdirip bir güvenlik kamerası ararken, en azından ATM makinesinde bir tane olacağını ümit ediyordu ama yoktu.

Peki Lu, sonra ne yaptın? Jack yeniden onun bulunduğu yere ve zamana dönerek, ölümcül bir hata yapmasına yol açacak düşüncelerini tahmin etmeye çalıştı.

Adam yeterince zararsız görünüyor; birazdan elinde bir tomar para tutacak. Akşam eve geç kalmış ve para çekiyor, belki de biraz eğlenmek için harcama yapabilir. Hey, ben eğlenceli görünmüyor muyum? Haydi biraz harekete geçelim. Önce biraz konuşalım, ona diğer ATM'nin yerini gösterelim, sonra da cuk-cuk... teşekkürler ve geceye elveda demeden önce cüzdanına fazladan para girsin.

Jack, Beach Bulvarı'ndan yavaşça doğuya doğru yürüdü. Karşısında duran polis arabası, onu istediği yere götürmek için hazır bekliyordu.

Gezinirken Howie'yi aradı ve en yakın iki ATM'nin yerini öğrendi. Kapanan bir DIY^(*) dükkânıyla, yeni açılan bir Rusça video kiralama dükkânı arasında durup düşüncelerini toparladı.

Lu, onu nereye götürecekti? Sokak arasına mı? Belki de işini çabuk halletmek için onu bir duvara yaslayacak ya da bir çöp tenekesinin yanında oral seks yapacaktı. Hayır, bir sebepten böyle olduğuna inanmıyordu. Lu'nun düşünceleri beynine fısıldarken Jack bir dükkân duvarına yaslandı.

Olaya şöyle bak Jack; bu yavşak herif az sonra bir tomar mangır çekecek, masum gibi görünmeye çalışsa da kimseyi kandıramaz, onun da bu paranın bir kısmını bana harcayacağı kesin. Adama bak, kolay lokma, otuzlu yaşlarının ortalarında, belki de kırklı bir şey, bir işi varmış gibi görünüyor, yakınlarda bir otele, motele ya da kiralık bir yere götürecektir. En azından sokaklardan daha lüks bir yer olacak.

(*) Do it Yourself (Eşyalarınızı kendiniz monte ediniz.)

Örümcek

Jack kaldırımda kıpırdamadan duruyordu. Yanından geçen alışverişe çıkmış insanlara ve turistlere sanki transtaymış gibi baktı. Aklı bambaşka bir dünyaya gitmiş bir adam gibiydi.

Artık Lu'nun düşünceleri işine yaramayacaktı. Bu noktadan itibaren tuzak işe yaramış, avcı avını yakalamıştı. Şu andan itibaren Jack'in katil gibi düşünmesi gerekiyordu.

Katil gibi hissetmeliydi.

Zihninin içinden görüntüler hızla akıp geçti; hazırladığı oda, kullanacağı kelepçeler ve en önemlisi kendini nasıl hissettiği; heyecanlı, keyifli ve engellenmez...

Akan trafiğe baktı ve kendisinin Hyundai'yi kullanırken, yanındaki koltukta oturan Lu'ya dönüp bakan BRK olduğunu hayal etti.

Evim buraya uzak değil, oraya geri dönebiliriz.

Jack irkildi. Sağ gözü seğirmişti. Yorgunluktan mı, sıkıntıdan mı? Bunu yapmaya hazır mıydı? Dikkatini vermek için kendini zorladı. Kızı nasıl bir yere götürdü ve neredeydi?

Buradan fazla uzak değil, uzağa gitmemize gerek yok.

Onu götürdüğü yer her neresiyse, fazla uzak bir yolculuk yapmış olamazlardı. Avcı mümkün olan en kısa sürede avıyla baş başa kalmak isteyecekti. Öldürmek için yanıp tutuşuyordu.

Gözünün seğirmesi hızlanmıştı, sanki görünmeyen bir iğneye bağlı iple, derisi çekiliyordu. Jack parmağını sağ şakağına koyup ovuşturdu.

Sokak kızları aptal değildirler. Birkaç kilometre giderler ama on, on beş dakikalık mesafeden fazlasını kabul etmezler.

Seğirme yavaşlamıştı.

BRK'nın aklından geçenleri yapabilmesi için onu ıssız bir yere götürmesi gerekirdi. Gözlerden ne kadar uzaksa, o kadar iyiydi. Ama aynı zamanda saygın da olmalıydı; kızı korkutmayacak bir ev. Hiçbir kadın gecenin köründe ahır ya da depo gibi bir yere girmezdi. Ayrıca kızı her nereye götürdüyse, arabasını da saklaması gerekecekti. Bir garajı, ek binası veya büyük bir odası olmalıydı.

Diğer şeyler için kullandığı bir oda.

Uzuvları kesmek ve cesetleri parçalamak için.

Garajı olan büyük ve eski bir ev ve altında bir bodrum.

Kızı bodrumda tutuyordu.

Genç Rus kadının, şu an bulunduğu yerden en fazla on beş dakika mesafedeki bir evin bodrumunda yavaş yavaş ve acı içinde kıvranarak öldüğünü düşününce Jack'in midesine ağrılar saplandı.

Şimdi motorların gürültüsü ve doğru düzgün yanmadan cızırdayan neon ışıkları yüzünden başı zonkluyordu. Ardından sesler geri geldi. Acıyla feryat edip, yardım için çığlık atan çaresiz sesler... Jack ellerini şakaklarına koydu.

Çok erken. Nancy haklıydı. Buna hazır değilsin.

Jack kendinden duyduğu şüpheyi gidermek ve yeniden dikkatini verebilmek için elleriyle yüzünü ovuşturdu. Beach Bulvarı'nda aşağı yukarı bakındı; bulunduğu noktadan on beş dakikalık araba yolculuğu mesafesi on kilometre çapında bir alan demekti.

Yüksek sesle, "Kahretsin!" derken kalbi yerinden fırlayacak gibi oldu. Brooklyn, New York'un en büyük bölgesiydi; tüm şehir nüfusunun üçte biri burada yaşıyordu. Ludmila Zagalsky, aranması gereken bölgedeki iki buçuk milyon insandan biriydi.

İki buçuk milyonda bir; onu canlı bulma şansları gerçekten ama gerçekten çok düşüktü.

72

San Quirico D'Orcia, Toskana

McLeod'un Nikon'dan çıkardığı telefoto objektif, Georgetown'daki başsız iskeletin fotoğrafını çekmek için kullandığı objektifti.

Hem fotoğraf makinesinin hem de objektifin kapaklarını kapatıp, kendi bez torbasına koyduktan sonra sırt çantasındaki diğer gereçlerinin yanına yerleştirdi. Sarah Kearney'nin mezarına ait bu fotoğraftan bir servet kazanmıştı ve onu polislerden önce oraya gönderen isimsiz muhbire minnettardı.

McLeod; Crime Channel, Court TV, *Crime Illustrated* ile tüm diğer cinayet dergilerine ve yayınlara fotoğraf çekip hikâyelerini satarak para kazanan kıdemli bir fotomuhabirdi. Fısıltılarla tüyoları değerlendirmeyi çok iyi bilirdi. Tüyolar genellikle polislerden, ambulans ekiplerinden ve bazen canilerin kendilerinden gelirdi. Genellikle "kaynak" en sonunda kendisinin de görülmesini isterdi, ama Kearney davasında para talebinde bulunan kimse çıkmamıştı.

Georgetown'daki işten kazandığı yüklü miktar, BRK davasına ilgisini arttırmış ve bu davanın baskısı altında ezilerek düşüp bayılan polise ne olduğunu düşünmeye başlamıştı. McLeod davayı baştan sona okumakla gün-

313

ler geçirmiş, sonunda Toskana mutfağı hakkındaki bir internet sitesinden King'lerin oturduğu yeri öğrenmişti. Yükselen yıldız Şef Paolo Balze yazının asıl konusuydu ve ne büyük bir şans ki, mülk sahipleri Jack ile Nancy King'e cömertçe teşekkür etmişti. İşte kurt gazeteci şimdi kendi yazısını hazırlamayı planlıyordu ve bu cafcaflı bir derginin hayat hikâyeleri anlatan sayfasının bir haberi olmayacaktı.

Eski iş arkadaşları, onun sırtını döndüğü kurbanlardan birinin mezarının açılması davasıyla uğraşırken, o, Toskana'da keyifli bir emekli hayatı sürüyor. Bu muhteşem bir dedikodu gazetesi haberiydi. *National Enquirer*'in ilk sayfasında yayınlanabilir, Court TV'de fotoğraflar bir gösteriye dönüştürülebilirdi. Tek sorun King'in orada olmayışıydı.

McLeod ilk başta haberi yapamayacağından korkmuş ama sonra sabırla düşünmeye başlamıştı. King'ler ayrılmış olabilirdi, belki de anlatacak daha dramatik bir hikâye vardı: *BRK davasını bırakan polis, kendisine her zaman destek olan eşini terk etti!*

Habere, babası onları bıraktığı için üzülen çocuğa bakan yalnız annenin birkaç fotoğrafını serpiştir ve sonra yayın yönetmenleri kapında kuyruğa girsin.

Üstelik bir de, İtalyan polisinin eski FBI ajanından bir davada yardım istediklerini öğrenmişti. Bu da iyi bir başlık olabilirdi. *Maaşını ülkemizden alan "emekli" FBI ajanı bize yardım edemiyor, ama İtalyanlara ve kendine faydası dokunuyor!*

Son başlığın üstünde çalışılması gerekiyordu ama McLeod yine de satacağını biliyordu. Doğrusu BRK hakkındaki her şey satardı. Aklında bu düşünceyle saklandığı yerden çıktı ve kocasının nerede olduğu hakkında Nancy King'le konuşmak üzere La Casa Strada'ya doğru gitmeye başladı. Haberini bağlamak için gerekli olan cevapları alacak ve kimsenin onu durdurmasına izin vermeyecekti.

Bayan King ne derse desin önemi yoktu. McLeod artık pek çok kişinin uğrunda öleceği haberi yazacak kadar malzemesi olduğunu biliyordu.

73

Livorno, Toskana

Livorno'ya vardığında Orsetta Portinari'nin aklında iki soru vardı: 9 Haziran'da Cristina Barbuggiani son olarak ne yapmıştı ve Jack King ile BRK arasındaki bağlantı neydi?

Yerel cinayet ekibinden Marco Rem Pici, onu içten bir gülümsemeyle ve yanağına kondurduğu öpücüklerle tren istasyonunda karşıladı. İtalyan standartlarına göre bile ufak bir adamdı ama her zaman, koyu renkte kısa saçları, geniş omuzları ve üçgen bedeniyle uyumlu koyu renk takım elbise giyerdi. Orsetta'yı Cristina'nın dairesine götürdü. Tepedeki ucuz evin muhteşem bir Medici yapımı liman manzarası vardı; tabii teleskopun varsa. Çirkin beton bina, tarihi kasaba merkezindeki antik kalelere tezat bir görüntü oluşturuyordu. Hâlâ beyaz çizgili yeleklerle bol paça pantolonların moda olduğunu sanan, altmışlı yaşlarındaki şişman ve kel ev sahibi onları üçüncü kata çıkardı. Ağır metal kapıyı açtıktan sonra tek kelime etmeden onları işleriyle baş başa bıraktı. Cinayet işleriyle...

Orsetta etrafına bakarken içinden Jack'e küfretti. Hiç konuşmadan, haber vermeden çekip Amerika'ya gitmek yerine, bu yolculuğu onunla yapmalı ve uzman görüşünü paylaşmalıydı. Bir kurbanın evine girmek, onun hayatının bir kısmını mikroskop altına almak kimsenin göremediği önemli sırlarını açığa çıkarmak gibiydi. Jack'in etrafta olmasının çok büyük faydası dokunurdu.

Orsetta tüm daireyi kaplayan açık renkli mermer zemine, kurutulmuş çiçek dolu toprak vazonun durduğu şöminenin önündeki sarı pufla, sarı keten kanepeye göz gezdirdi. Şöminenin yanındaki rafta bazı arkeoloji kitapları, odanın karşı tarafındaki mermer sehpanın üstünde küçük bir televizyon duruyordu. Hepsi bu kadardı. Görünürdeki renkler sadece sarı ve beyazdı. Sakin ama canlı, basit ve düzenli diye düşünen Orsetta ölen kadını hissetmeye başlamıştı.

Eliyle kitapları göstererek, "Bunların hepsine baktın mı?" diye sordu. "Her bir kitabın, her bir sıkıcı sayfasına tek tek baktım. Bizi ilgilendirecek bir şey yok," dedi Marco.

Banyoyu kontrol ettikten sonra Orsetta mermer zeminde topuklarını tıkırdatarak ilerledi ve mutfağı incelemeye başladı. Evyenin yanındaki duvarda ince bir takvim asılıydı. Raptiyeden çıkarıp, sayfalarını çevirmeye başladı. Her aya ayrılan sayfanın altında, mevsimine uygun olarak başka bir yemek tarifi yazıyordu. Orsetta yemek pişirme tariflerini merak etmiyordu. Haziran sayfasını açtığında, ayın dokuzuna ve onuna herhangi bir işaret atılmadığını görünce hayal kırıklığına uğradı.

Takvime bakmaya devam ederken, "Onu ayın dokuzunda en son kim görmüş bir daha söylesene," dedi.

Marco usanmış bir şekilde içini çekti. Bu bilgiyi o kadar çok tekrarlamıştı ki, artık tersten bire söyleyebilirdi. "İki arkadaşı. Mario ile Zara Mateo, onu saat yedi gibi arayıp akşam yemeğine davet etmişler. Teşekkür edip, tekliflerini geri çevirince onlar da tek başlarına gitmişler. Restorandakiler onların gece yarısına kadar oturduklarını, biraz sarhoş olup eve taksiyle döndüklerini söylediler. Ertesi gün neler olduğunu zaten biliyoruz.

Örümcek

Annesi Cristina'dan ilaç almasını istemek için cep telefonunu altı yedi kez aramış ama cevap veren olmamış. Akşama doğru annesi endişelenmeye başlamış, bu yüzden Cristina'nın babasıyla birlikte evine gelmiş ve kayıp ihbarı yapmışlar. Yerel polise telefon saat 08.33'te gelmiş."

Başını sallayan Orsetta takvimi karıştırmaya devam etti. Takvimde neredeyse hiçbir şey yoktu, sadece mayısın son haftasına, "Diyet ve koşu bugün başlıyor!" yazılmıştı. Orsetta gülümserken hüzünlendiğini hissetti. Takvimi raptiyeye yeniden taktı ve Marco'nun peşinden yatak odasına gitti. Çift kişilik bir yatak, ucuz bir tuvalet masası ve bahçede durması gerekiyormuş gibi görünen beyaz plastik bir sandalyenin ancak sığdığı küçük bir odaydı. Orsetta çamdan yapılmış gömme dolabın raylı kapağını açtı. İçi boştu. "Giysiler laboratuvarda mı?" diye sorarken cevabı zaten biliyordu.

Marco, "Hı-hı," dedi. "Laboratuvara götürdüğümüz her şeyin fotoğrafıyla listesini getirdim. Görmek isteyeceğini biliyordum."

Orsetta, onun elindeki kâğıtları aldı. İlk resimde fotoğrafçının dolabı açar açmaz gördüğü manzara vardı. Askılığın solunda kotlar, ardından düz renk pantolonlar, bluzlar, elbiseler ve son olarak elbiseler. Sade ve kullanışlıydılar; hiçbiri pahalı ya da yeni görünmüyordu. Diğer fotoğraflara bakarken aradığını buldu. Ayakkabılar. Orsetta'nın gözleri büyümüştü.

"Sadece bunlar mı var?" diye sordu kuşkucu bir tavırla.

Marco, onun omzunun üstünden baktı. "Evet, öyle görünüyor." Bir çift topuklu, iki çift düz kahverengi, iki çift düz siyah ve bir çift siyah bot. Yanlış bir şey vardı. Orsetta bunu tam olarak açıklayamıyordu ama bir şeyin yanlış olduğunu *biliyordu*.

Elindeki fotoğrafları tuvalet masasının üstüne bıraktı ve hızla üç çekmeceyi aradı.

Hiçbir şey yoktu.

Tuvalet masasına oturup, kendisini rahatsız eden şeyin ne olduğunu bulmayı bekledi. "Bu çekmecelerden laboratuvara giden bir şey oldu mu?"

317

Marco bunu biraz düşündü. "Hayır. Sanmıyorum."

Orsetta'nın gözleri odayı en ince ayrıntısına kadar tararken, aradığı ipucunun çok yakınında olduğunu biliyordu. "Peki çamaşır sepeti?"

"Bakıldı," diyen Marco, Orsetta'nın düşüncelerinin nereye gittiğini anlamıştı. "Üç tane külot, birkaç tişört ve kot pantolondan başka bir şey yok. Hiçbirinde kurbanınkiler dışında bir kalıntıya veya DNA izine rastlanmadı."

En alttaki çekmeceye yeniden bakan Orsetta, "Düşündüğüm bu değildi," dedi. İçindekileri yatağa döküp; külotlu çorapları, çorapları, külotları ve sutyenleri karıştırdı. Bir şeylere yaklaşmıştı, bunu hissedebiliyordu. Ama neye?

Orsetta giysileri çabucak kümelere ayırdı. Şık çamaşırları işe veya biriyle buluşmaya giderken, eski püskü olanları evdeyken ya da tek başınayken giydiğini farzetti. Bu şekilde ayırınca geriye, üçlü paketin içindeki iki çift beyaz Lotto koşu çorabı kalıyordu. Orsetta elini cebine daldırıp, kızın bedenini ve vücut şeklini hatırlamak için Cristina'nın bir fotoğrafını çıkarttı.

"Kirli çamaşırların arasında spor sutyeni veya bunlara benzeyen Lotto markalı çoraplar buldunuz mu?"

Marco biraz düşündü. "Hayır, bulmadık."

Orsetta birden heyecanlandı. Bir tahmini vardı.

Fotoğrafları eline alıp bir kez daha inceledi. "Koşu ayakkabısı yok. Gardırobunun fotoğrafında hiç spor ayakkabı görünmüyor," dedi zafer dolu bir edayla. Orsetta o anda Cristina'nın son gecesini hayalinde canlandırabildi. "Sanırım dışarıda koşu yaparken kaçırıldı, büyük olasılıkla buraya çok uzak değildi. İncelediğimiz eşyalar arasında eşofman, spor sutyeni veya spor ayakkabı yok; ayrıca eminim üçüncü çift Lotto çorabı ayağındaydı."

Örümcek

Marco meseleyi anlamıştı. "Yani, sence arkadaşlarının saat yedideki davetini reddedip, hemen ardından koşuya mı çıktı?"

Orsetta düşüncelerini toparladı. "Evet. Diyet programına başlamıştı, bu yüzden onların davetini kabul etmedi ve muhtemelen hemen ardından koşuya çıktı, hava daha kararmadan. Bu yüzden saat yedi ile dokuz-dokuz buçuk arası dışarıdaydı diyebiliriz."

Birbirine bakan iki polis memuru ne kadar önemli bir an yaşadıklarını fark etmişlerdi. Cristina Barbuggiani'nin, katiliyle karşılaşmadan önceki son anlarını kabaca ne zaman, nerede ve nasıl geçirdiğini keşfetmişlerdi. Tanık ifadelerinde eleme yapabilecekleri ve ayın dokuzunda Cristina'nın evinin civarında görülen kişilere yoğunlaşabilecekleri bir aşamaya gelmişlerdi.

Ev sahibi kapıyı kilitlerken Orsetta'yı düşündüren tek bir şey kalmıştı: Jack King. Ve eğer onunla Cristina'nın katili arasındaki bağlantıyı bulmasına Jack yardım etmeyecekse, belki karısını ziyaret etmek işe yarayabilirdi.

74

San Quirico D'Orcia, Toskana

Terry McLeod malzemelerini oteldeki odasına geri taşıyıp, valizini topladı. Nancy King'le yüz yüze görüşmesi kötü giderse, onu bir saat içinde otelden attıracağına hiç şüphe yoktu.

McLeod önemli bir şeyi unutmamak için banyoyu, gardırobu ve komodinleri kontrol ettikten sonra valizini kilitleyip kapının yanına bıraktı.

Eski fotomuhabir, fotoğraflarının kelimelerinden daha kuvvetli olduğunu biliyordu, bu yüzden Bayan King'e sorularını yönlendirmeden önce provasını yaptı. Otel ve restoranları konu alan yeni bir dergi için yazı hazırladığını, yemekleri ve otel hizmetlerini test edene kadar da kimliğini saklı tutmak zorunda olduğunu söyleyecekti. Ona bir ya da iki sayfa ayırmaya söz verecek, sonra da ailenin geçmişi hakkında biraz bilgiye ihtiyacı olduğunu uyduracaktı; mesela buraya ne zaman taşındıklarını, oteli bugünkü haline getirmek için neler yaptıklarını, İtalya'da hayatın nasıl olduğu gibi sorular soracaktı. Sonra da asıl sorularına geçecekti şu anda eşi neredeydi, İtalyan polisine tam olarak ne hakkında yardım ediyordu, yeniden FBI ile çalışmaya başlamış mıydı, yoksa sadece bir danışman olarak mı görev yapıyordu? Ve tabii ki, ikisinin arası acaba nasıldı?

Örümcek

McLeod, diktafonundaki mikro kasetin en başa sarılı olduğunu kontrol ettikten sonra, onun söylediği her şeyi gizlice kaydedebilmek için aleti kolunun altına sıkıştırdı.

Pazar öğle yemeği inanılmaz yoğundu. Verandada gölgelerin serinliğinde dört beş dakika içi geçen Nancy hak ettiği gibi dinleniyordu. Aniden uyanıp, Zack'i arayan gözlerle etrafına baktı. Gözlerini kapattığında mutlu bir şekilde bisikletine biniyordu.

Bahçeyi arşınlarken, "Zack, neredesin hayatım?" diye seslendi.

Saklambaç oynayacak halde değildi. Şimdiye kadar zaten defalarca oynamıştı, ayrıca Paolo'ya, onlar Gio ile Pienza'ya gidip gelene kadar, bu akşamın özel mönüsünü gözden geçireceğine söz vermişti.

"Haydi hayatım, annen çok meşgul. Haydi içeri gidip, çikolata alalım." Rüşvet genellikle işe yarardı. Ama bu kez Zack inat etmişti ve onu biraz daha aratacaktı. Mutfak kapısının kolu onun ulaşamayacağı yükseklikteydi, bu yüzden bahçede bir yerde olduğunu biliyordu.

Kırmızı sandaletlerini ağaç gövdelerinin birinin arkasında göreceğini düşünen Nancy onu elma, portakal ve şeftali ağaçları arasında aradı. Ama hiçbir şey göremedi. Eğer sebze bahçesindeyse, Nancy ona kızacaktı. Bunu daha önce konuşmuşlardı. Eğer otların arasına oturmuş, ağzına tıkıyorsa o zaman başı belada demekti.

Oğluna yasak koyduğu bölgeleri ararken ciddi bir sesle onu çağırıyordu. "Zack! Olduğun yerden hemen çık!"

Cevap yoktu.

"Oyun bitti Zack, çık lütfen."

Nancy'nin annelik içgüdüleri ayaklanmıştı. Gözleriyle tüm bahçeleri, patikaları ve ağaçları taradı.

Zack yoktu.

Sonra bir şey gördü.

Taraçanın kenarında, toprağın çöktüğü ve Peyzaj Mimarı Vincenzo'nun inceleme yapmak için geçici çitleri kaldırdığı yerde Zack'in devrilmiş bisikleti duruyordu.

75

FBI Bölge Ofisi, Brooklyn, New York

Jack ile Howie odalardan birindeki mobilyaları boşaltmış, yere pek çok farklı harita sermişlerdi. Askeri haritalardan Brooklyn'nin otobüs haritalarına kadar tüm haritaları bulmuşlardı, ama duvarlara iğneleyecek kadar ne yer ne de zaman vardı. Her ikisi de risk almaya karar vermişti. Brooklyn'in tamamını aramalarına imkân yoktu bu yüzden ekipleri öncelikli bölgelere göndereceklerdi.

Jack'in gözleri şehrin batı tarafına kaydı. Hunters Point; buradan Manhattan'a feribot kalkıyordu ve buradaki evler birbirinden uzakta, ücra köşelerdeydiler. Doğu Nehri'nden kuzeye çıkıldığında köprü bölgesi yakınındaki Williamsburg ümit vaat ediyordu. Fulton Ferry ile Brooklyn Heights da iyiydi.

Howie de benzer seçimler yapıyordu: hayvanat bahçesi yakınlarındaki Prospect Parkı da uygun bir yerdi. "278'in yanındaki Greenwood Mezarlığı'na ne dersin, yakınlarında konutlar da var. Ayrıca artıklardan kurtulmak için ideal."

Jack, "İyiymiş," dedi. "Onu listenin başlarına al."

Örümcek

"Ve belki 72. Sokak civarındaki Dyker Heights, ikametgâh bölgesi ama aynı zamanda ücra bir yer," diye ekleyen Howie bölgeleri siyah kalemle işaretliyordu.

Başını eğip haritaya bakan Jack, Brighton Beach'e odaklanmış, daha yeni gittiği Beach Bulvarı'nı inceliyordu. Bölgeyi sanki bir helikopterden görüyormuş gibi hayalinde canlandırdı. Alışveriş yapılan caddede park edecek yer arayan arabaları görebiliyordu. Cipler kumsala doğru gidiyordu. Ofis çalışanları karınca sürüsü gibi Manhattan'a doğru ilerliyorlardı. Turistler ellerinde sandviçler ve içecekleriyle Coney Adası'na doğru gidiyorlardı. Ve sonra kelimeler zihninde bir kez daha yankılandı: Bir sokak kızı asla bir yabancı tarafından uzak bir yere götürülmeyi kabul etmez. Katil, onu arabasında gereğinden uzun süre tutmak istemeyecekti. Bulundukları yerden fazla uzak olamazdı.

Jack'in gözleri haritada doğuya kaydı. Buradaki ücrada kalan yeşil alan dikkatini çekmişti. Parmağını Belt Parkı yolu boyunca ilerletti; dört kavşak sonra Brooklyn Marine Park çıkışına ve Gerritsen'da ikametgâhların bulunduğu yere geliniyordu. Marine Park'ın karşı tarafından kuzeye doğru gidince, dümdüz Brooklyn Köprüsü'ne çıkan Flatbush Bulvarı'na ulaşılıyordu. "Gelip şuna baksana," dedi.

Hâlâ dizlerinin üstünde duran Howie, ona doğru topalladı.

Parmağını haritaya saplayan Jack, "Marine Park'a bak," dedi. "Burası ideal. Flatbush ile Belt hızlı kaçış imkânı veriyor. Burası ücra bir yer ve JFK hemen yolun aşağısında. Bunun dışında sahil bu noktadan on dakika uzakta ve hemen sonra küçük Odessa ayaklarının altında. Adam burada olabildiğince iyi saklanır."

Howie heyecandan ağzının kuruduğunu hissetti. "Yine de aranması gereken pek çok ev var."

Jack bacaklarını esnetmek için ayağa kalktı. Kan beynine fışkırmış, şakaklarına korkunç bir ağrı saplanmıştı.

Kaşlarını çatıp ona bakan Howie, "Sen iyi misin?" dedi.

"Evet. Sadece biraz hızlı ayağa kalktım," diye yalan söyledi Jack. Harita karmaşasına bakıp, "Daha ücrada kalan evleri arayacağız, büyük garajı ve iki odalı olanlara bakacağız. Kolay kaçabileceği ve dışarıda olan biteni kolay takip edebileceği bir sokak tercih etmiştir. Bu yüzden diğer evlerle iç içe değil de, uzakta kalan yerlerdeki evlere bakacağız."

"Arama ekiplerini hemen toplayalım. Konuşmamız biter bitmez onlara bilgi vereceğim."

Jack'in bu konuda endişesi vardı. Bölgeye ekip arabaları ve Ford Crown Victoria'lar göndermek onu ürkütebilirdi. "Dikkatli olmaları gerek. Evde kameralar olduğunu biliyoruz, bu yüzden mutlaka dışarıda da vardır. Eğer içerideyse geldiğimizi görecektir."

Howie ayağa kalkarken dizleri çıtırdadı. "Sence konut ona mı ait yoksa kiraladı mı?"

"Güzel soru. Bu adam kırkının üstünde olmalı, bu yüzden otuz beş yaşın üstündeki seçmen ve tapu kayıtlarını inceleyelim. Aynı nüfus yapısına uygun olarak mortgage ve banka hesapları da incelensin. Elbette sahte kimlik kullanmış ve kendini olduğundan daha genç veya daha yaşlı tanıtmış olabilir."

Howie, "Peki ya kiraladıysa?" diye sordu.

Jack, "Sanmıyorum," dedi. "Kendi evde yokken ev sahibinin gelip oyuncaklarını bulmasını istemeyecektir."

Howie bu kadar basit olduğundan emin değildi. "Ben bu tür sapıklıkları kendi evinde yaptığını sanmıyorum. Senin de her zaman dediğin gibi bu adam çok dikkatli biri. Tehlike anında veya baskında kaçmak isteyecektir, bu şekilde kimliğini saklamış olur."

Jack'in başında yeni bir patlama oldu ama bu kez ağrısını belli etmedi. Kendi kendine, dikkatini ver, aklını başına topla, daha sonra dinlenecek vakit bulursun, şimdi kafayı çalıştırma zamanı, dedi.

Örümcek

Howie bazı haritaları karıştırırken Jack, ihtiyacı olan molayı vermişti. "Haklısın. Tabii ki haklısın," dedi Jack. "Emlakçılara bir ekip gönder. Ben evin sahibi olduğuna bahse girerim ama evi bir emlakçıya vermiş ve sonra da sahte bir kimlikle yine kendisi kiralamış olmalı. Yani başka bir deyişle, hem ev sahibi hem de kiracı."

"Emlakçıya giderken büyük ihtimalle sahibi olarak sahte bir isim kullanıyordu," dedi Howie.

"Büyük ihtimalle," diyen Jack gözünün yeniden seğirdiğini hissetti. "Evi kendine kiralamak gerçekten zeki bir numara. İlk iş sahte evrak hazırlamak, bundan sonra sahte kira sözleşmeleri ve faturalarla sahte banka hesapları açabilir, sahte kredi kartı başvurusu yapabilir ve kendine bir dizi sahte kimlik edinebilir."

Telefon açmaya giden Howie, "Baktıracağım," dedi.

Jack, "Başka bir şey daha var," dedi. "Kiracı ismi birkaç kez değişmiş olabilir. Bu isim değişiklikleri kurbanlarımızın ölüm tarihleriyle çakışıyor olmalı. Cinayetlerin her birinin ardından eski kimliğinden sıyrılıp, yepyeni bir kimliğe bürünmüş olmalı."

Fernandez'e bilgi vermeye giden Howie, "Birazdan dönerim," dedi.

Jack yalnız kaldığına memnundu.

Terleyip derisinin yağlandığını hissediyordu. Dizlerinin bağı çözüldü ve görüşü bulanıklaştı.

Kendi kendine yavaş ve derin nefes al, dedi, gözleri kararıp midesi bulanırken bir sandalyeye tutundu.

76

San Quirico D'Orcia, Toskana

Nancy, Zack'in bisikletinin durduğu ve bahçenin aşağı doğru üç metreden fazla indiği taraça kenarına koştu.

Hiçbir şey göremiyordu.

Paniğe kapılıyordu.

Kendi güvenliğini bir an bile düşünmeden, gevşek topraktan aşağı, çukurun içine indi. Tanrım, elbette buraya tek başına gelmiş olamaz, öyle değil mi? Sonra, kendi odalarındaki ebeveyn banyosuna girip, onu odada tek başına bıraktığında, tuvalet masasının üstünde dans ederken bulduğunu hatırladı.

Üç yaşındakiler her şeyi yapabilir.

"Zack! Zack, aşağıda mısın hayatım?" diye bağırdı.

Nancy, bahçenin aşağısında keşfettikleri eskiden kalma, mağaramsı girişe gözlerini kısarak baktı. Bir yeraltı kuyusu ya da havuz bulunmasını ümit ettiği yerin şimdi oğlunun hayatını tehlikeye atmayacak kadar sığ ve kuru olması için dua ediyordu.

Bir kez daha, "Zack!" diye seslendi.

Örümcek

Nancy daracık girişten içeri baktı. Gözlerini kısıp elinden geldiğince içeriyi görmeye çalıştı.

Sonunda zifiri karanlıkta onu gördü. Kendi oğlunun yüz hatlarını ayırt edebiliyordu.

Dehşete kapılmış gibi görünüyordu.

Yavaşça ona doğru yürüdü. "Sorun yok tatlım, annen geldi," dedi. Ama ona yaklaştığında kanının donduğunu hissetti.

Zack'in elleri önünde bağlanmıştı. Boynunaysa kement geçirilmişti.

77

Brooklyn, New York

Howie geri döndüğünde Jack kendine gelmeyi başarmıştı.

Howie, "Kâğıt gibi bembeyaz olmuşsun dostum, iyi misin?" diye sordu.

"Galiba burası biraz sıcak, temiz hava yok," diyen Jack yaşadığı andan kurtulup, işe devam etmek istiyordu. "Bana anahtar getirdin mi?"

Elini ceketinin cebine daldıran Howie, araba anahtarlarını fırlattı. "Kendini fazla yorma, tamam mı?"

Başını sallayan Jack, otoparka doğru yürüdü.

Zaman akıp gidiyordu.

Her ikisi de ödülün genç bir kadının hayatı olduğu, zamana karşı bir yarışa girdiklerini biliyordu.

Son videoyu izleyen doktor en fazla kırk sekiz saat vakti kaldığını söylemişti.

Sadece kırk sekiz saat...

Jack'in artık Büro'da bir statüsü kalmamıştı, ne rozeti ne de silahı vardı; Howie brifingi tek başına vermeli ve ekipleri kendi başına toplamalıydı. Marsh'e bilgi verdikten sonra en iyi adamlarını göndermeleri için NYPD'yi

arayacaklardı. Ardından SWAT'ın[*] dengi olan ESU'dan[**] memurlar ata-
yacaklar ve sonunda FBI'ın liderliğinde birleşmiş bir saldırı timi oluştu-
racaklardı. Jack aynı zamanda, Bronx'taki özel eğitim kampı Rodman's
Neck'i yöneten eğitmenler Josh Benson ile Lou Chester'ın da getirilmesini
önermişti. Chester dünyadaki en iyi nişancılardan biriydi, Benson ise en
zor kent eğitim projelerini yürütüyordu; binalara baskın yapıp, rehineleri
kurtarmakta üstüne yoktu. Polisler, Howie ile Jack'in haritada raptiyeyle
işaretlediği tüm bölgelerde BRK'yı arayacaklardı. Bu sırada Jack, Marine
Park'a doğru gidiyordu. Burası NYPD'nin 61. ve 63. bölgelerine yayılan,
Mill Basin ile Gerritsen Beach arasındaki geniş bir bölgeydi ve suç ista-
tistikleri pek yüksek değildi. Önceleri Hollandalı yerleşimcilerin yaşadığı
bu yer Amerika'nın ilk su değirmenine ev sahipliği yapmıştı. O günden bu
yana bataklık araziler, parklar ve tarım arazileri tanınmayacak derecede
değişmişti. Burası altmış yetmiş yıl önce yapılmış evlerde yaşayan New
York'lu İtalyanlarla Yahudilerin mahallesi olmuştu.

Jack, sırasıyla Cyrus, Florence ve Channel'ın etrafında dolaştıktan
sonra Gerritsen'a doğru kuzeye döndü. Yolun sonuna geldiğinde sağa
Fillmore'a saptı ve oradan 33. ve 34. sokakların etrafından dolaştı. Yolunu
biraz şaşırmış, bu sırada Kings Plaza Alışveriş Merkezi'nin önüne gelmişti.
Birkaç kez lanet okuduktan sonra Hendrickson ile Coleman caddelerinde
aşağı yukarı giderken, Marine Park'ın kadife yeşili golf sahasında gezi-
nen golf arabalarını gördü. Boşuna uğraştığını hissediyordu. Arabadan inip
etrafına baktı. Sıcak bir gün olmasına karşın, Jamaica Körfezi'ne doğru
kuvvetli bir rüzgâr esiyordu. Temiz havanın ona iyi gelmesini, durmadan
bastıran bulantı hissini engellemesini umdu.

Bu bölgede medeni, dürüst, saygın ve iyi giyimli insanlar vardı. Pa-
raya boğulmamıştı ama açlıktan karınlarının zil çalmadığı da ortadaydı.

(*) Special Weapons Attack Team (Özel Silahlar Saldırı Timi).
(**) Emergency Service Unit (Acil Servis Birimi).

Kısacası burası herkesin kendi işine baktığı ve başkasına karışmadığı bir yerdi. Burası değil Jack, burası fazla açık, çok fazla ev ve görülebileceği çok fazla pencere var.

Jack'in aklına düşünceler hücum etmişti; korkutucu bir odanın karanlığında kalakalmış, ölmekte olan kızın çıplak görüntüleri; bu oda kesinlikle bulunduğu yere uzak değildi.

Arabada arkasına yaslanıp, bazı notlar aldıktan sonra geldiği yola geri döndü. Cep telefonu çaldığında ön bahçelerindeki çimleri biçen ve arabalarını yıkayan bir sokak dolusu insanın yanından geçiyordu. Arayan Howie idi.

"Bir şey bulduk."

"Devam et," diyen Jack yeniden kenara çekip, not defterini eline aldı.

"Fernandez emlakçıları araştırdı. Brooklyn'deki çok eski bir acenta olan *Nultkins* aynı evi yaklaşık yirmi yıldır kiraya veriyormuş. Ev sahibi bekâr bir adammış ve kayıtlar kiracıların da bekâr erkekler olduğunu gösteriyormuş. Bu senin çizdiğin profile tıpatıp uyuyor."

Jack heyecandan tüylerinin ürperdiğini hissetti. "Kalemim var, adresi versene."

78

San Quirico D'Orcia, Toskana

Zack'in boynundaki ip, karanlığın içinden bir şey tarafından çekiliyormuş da birazdan asılı kalacakmış gibi birden daraldı.

Herhangi bir duygu izi taşımayan bir erkek sesi, "Dediklerimi yap yoksa onu öldürürüm," dedi.

Nancy'nin gözleri oğlunun yüzüne kilitlenmişti.

Gözleri ışıksız ortama alışınca karanlıkta daha iyi görmeye başlamıştı. "Ne istersen yapacağım, lütfen bebeğimi incitme," diye yalvardı.

Gözyaşları Zack'in yüzünden aşağı akıp, kirli çizgiler oluşturmuştu. Nancy, onun ip yüzünden canının acıdığını ve korktuğunu çok iyi anlayabiliyordu. Görebiliyordu. Ona koşup sımsıkı sarılmak için can atıyordu.

Örümcek, ona, "İleri doğru yavaşça iki adım at ve yüzü gün ışığına bakacak şekilde arkanı dön," dedi. "Sonra ellerini arkanda birleştir."

Nancy itaat etmeden önce son bir kez daha Zack'e baktı. Ağlayıp bağırmadığı için onun ne kadar cesur olduğunu düşündü. İleri adım attığı sırada Zack'in ağzının kalın yapışkanlı bantla kapatıldığını ve nefes almakta zorlandığını görünce dehşete kapıldı.

"Lütfen onun canını yakma. Lütfen bebeğimin canını yakma," diye bir kez daha yalvardı.

Örümcek cevap vermedi. Yapışkanlı bandı hızla Nancy'nin bilekle-rine dolayıp onu etkisiz hale getirdi. Cebinden çıkardığı Stanley çakısının keskin bıçağını açtı ve bandı kesti.

Nancy, onun kendisini bağladığını hissettiğinde titremeye başlamıştı. Jack'in bahsettiği şey bu muydu? Tecavüz ve cinayet böyle mi başlıyordu? Tanrım, çocuğuma ne olacak?

Kollarını onun önüne geçiren Örümcek, ağzını bantladı. Nancy içgü-düsel olarak başını geri çekince bandın yarısı burnuna yarısı ağzına yapıştı. Örümcek bandı çekip çıkarınca Nancy çığlık attı.

Örümcek, "Kötü Şeker!" diye bağırıp, ona tokat attı.

Nancy yeniden bağırırken ağzına yapışan bant, sesini bastırdı. Güç-lükle nefes alabiliyor, havayı burnundan çekmeye çalışıyordu.

Örümcek bandı kesip ayırmak için bıçağını kullandı. Sonra onu bağla-dığı ellerinden tutup karanlıkta bir şeye doğru eğildi.

Nancy birden bacağının üst kısmında bir acı hissetti. Örümcek, ona hipodermik iğne saplamış, iğneyi de orada bırakmıştı. Avını vuran oka gu-rurla bakan bir avcı gibi iğneye bakıyordu.

Daha derine nüfuz et, daha derine!

İğnedeki son Lidocaine'i zerk ederken dozun istediği kadar etkili olup olamayacağını merak ediyordu.

Ama belki de aşırı doz onu anında öldürecekti.

79

Marine Park, Brooklyn, New York

Jack olabildiğince turist gibi görünmeye çalışıyordu. Haritayı eline alıp, güneş gözlüklerini taktı ve Howie'nin arabasından indi. Fernandez'in tarif ettiği hedef evin karşısındaki yolun kenarına yürüdü. Çıkmaz bir sokağın kavşağında duruyordu. Yüzünü öbür tarafa çeviren Jack, yolun karşı tarafına geçti. Gözlüklerinin ve haritasının arkasına saklanarak, gözetleme yeri olarak kullanabileceğini ümit ettiği bir evin sundurmasının altında durdu. Sağ tarafındaki kısa garaj yoluna girip, kapıyı yumrukladı. Altmışlı yaşlarının sonunda kısa boylu bir kadın kapıya gelmişti. Bukleli beyaz saçları, altın çerçeveli gözlükleriyle akla gelebilecek her türlü filmde büyükanne rolünü oynayabilirdi. Jack, "Günaydın," dedi.

Kadın çatlak sesiyle, "Hiçbir şey almıyorum," dedi.

Jack gülümsedi. "Ben bir şey satmıyorum bayan. İsmim Jack King ve yardımınıza ihtiyacım var." Elini cebine sokup Howie'nin kartvizitini çıkarttı. "Eski bir FBI ajanıyım ve bu kişiyle birlikte çalışıyorum, çok ciddi bir cinayet davasının çözülmesine yardımcı oluyorum ve bunu yapmak için evinize girmem gerekiyor."

Kadın kartı ona doğru geri iterken, "İçeri girmiyorsun," dedi. "Sen şu dolandırıcılardansın. Senin gibileri biliyorum."

Jack'in cep telefonu çaldı ama o duymazdan geldi. "Lütfen! Lütfen kartı alın," diye yalvardı. "Gerçekten ben kötü adamlardan değilim. Kartı alıp evinize girin, kapıyı kilitleyin ve bu adamı arayın. FBI'ın neden yardımınıza ihtiyacı olduğunu size anlatacaktır. Ben burada bekleyeceğim."

Kadın gözlüklerini kaldırıp, Jack'e baktı.

Bir kez daha, "Lütfen bayan," dedi.

Kadın kartı alıp içeri gitti ve Jack kapının kilitlendiğini duydu. Beklemek ona acı veriyordu. Dönüp tam arkasında duran, belki de ölmek üzere olan kızın bulunduğu evi incelememek için kendini zor tutuyordu. Etraftaki tüm evlerin bir bodrum katı bulunacak kadar büyük olduklarını fark etmişti. Burası doğru yer gibiydi. BRK gibi bir katilin seçeceği türden bir yerdi.

Yaşlı kadının kapısı açıldığında yeniden karşısındaydı. Daha cana yakın bir tonla, "İçeri gelin," dedi.

İçeri adım atan Jack, kadının kapıyı kapatmasını bekledi. Haşlanmış patates ve et kokuyordu.

"Ben de kendime kahve yapıyordum Bay King, ister miydiniz?"

İçeride olmanın rahatlığıyla, "Evet alırım," dedi. "Ama önce size bazı sorular sormam gerek, sonra da beni yukarı yatak odanıza çıkarmanızı isteyeceğim."

Yaşlı hanım gülümsedi. Yoana Grinsberg'in evine hayli uzun zamandır böyle yakışıklı bir adam girmemiş ve doğruca yatak odasına çıkmak için sabırsızlanmamıştı.

80

San Quirico D'Orcia, Toskana

Terry McLeod öfkelenmeye başlamıştı.

Resepsiyondaki salak fakat güzel kız Maria dışında, tüm otel boşalmış gibiydi. Lanet olsun! Eğer gerçekten bir otel ya da restoran dergisinden geliyor olsaydı, bu yerin hizmetlerine eksi beş verirdi.

Öğle yemeği az önce bitmişti ve yemek salonu boştu. Tüm kirli tabaklar, çatal bıçaklar ve masa örtüleri kaldırılmıştı.

Aramaya devam etti. Arka merdivenlerin orada bir araba dolusu kirli çarşaf duruyordu, bu yüzden oda hizmetçilerinden bir kısmının üst katta yatak çarşafı değiştirip, kullanılmış havluları topladıklarını tahmin etti.

Mutfağın çift kanatlı servis kapısını iterek açtı. Çalışmaktan yüzü al al olmuş, önlüklü bir delikanlı yerleri paspaslarken başını kaldırıp baktı. *"Si?"* dedi.

"Selam. Bayan King'i arıyordum. Onu nerede bulabileceğimi biliyor musunuz?"

Giuseppe paspaslamayı bırakıp omuzlarını silkti. Biraz düşündükten sonra, *"Signora* King, bahçede oğluyla birlikte olabilir," diye cevap verdi.

McLeod, "Peki teşekkürler," dedi. "Bu taraftan gidebilir miyim?" derken özel bahçeye açılan mutfak kapısını gösteriyordu.

Giuseppe koruyucu bir tavırla önünde durup, süpürgeyi silah gibi tuttu. "Hayır, buradan olmaz, üzgünüm. Burası özel. Resepsiyonda bekleyin, ben Bayan King'e, onu aradığınızı söylerim."

McLeod öfkeyle ona baktı. Lanet olsun, eksi on bile bu yer için fazla cömert olurdu. Eğer imkânı olsaydı, bu iğrenç yeri tamamen kapattırırdı.

81

San Quirico D'Orcia, Toskana

Örümcek avını karanlığın içine doğru itip kakıyordu.

Nancy King ile oğlunu günlerce güvenli bir mesafeden takip etmiş, günlük zaman çizelgelerini ve davranış alışkanlıklarını incelemiş, işiyle annelik vazifeleri arasında yıpranan fazlasıyla meşgul annenin yanından özgür ruhlu çocuğun ne zaman ayrıldığına dikkat etmişti.

Örümcek, Livorno'daki genç kadını kaçırma, öldürme ve cesedini parçalama niyetiyle satın aldığı eski Fiat karavanıyla onun arabasını takip etmişti. Karavan sayesinde ev kiralamak veya otelde kalmaktan kurtulmuştu. Böylece hem izinin sürülemesi korkusu olmamış hem de kendini daha özgür hissetmişti; ayrıca kurbanlarıyla vakit geçirme imkânı da bulmuştu. Livorno'daki kızı orada öldürmüştü. O küçük haylazlığın ne kadar iyi gittiğini hatırlayınca gülümsedi. Akşamın erken bir saatiydi. Issız bir orman yoluna park etmiş, bölgeyi incelerken dikiz aynasından karavanın arkasında yürüyen kızı görmüş, güzelliği karşısında heyecanlanmıştı.

Tam senin tipin. Koyu renk saçlar, ince beden, biçimli vücut. Annen onaylardı.

Yanına bir harita alıp dışarı çıkmıştı. Etrafta kimseler yoktu, onu kurtaracak kimse olmadığını biliyordu. Haritasını sallayarak, karısıyla birlikte kaybolduklarını, harita üzerinde şu an bulundukları yeri gösterip gösteremeyeceğini sormuştu. Biraz ışık sağlamak için karavanın arkasını açıp, kıza kitapçığı uzatmıştı. Kız parmağını sayfanın üstünde gezdirirken onu arkadan yakalayıp, kloroformlu mendiliyle çırpınışlarına son vermiş ve araca atmıştı.

Aynı şeyi Nancy'ye de yapmayı planlıyordu ama bu kadın aptal değildi. Hiç yalnız kalmıyordu. Geceleri hariç.

Son birkaç gündür Nancy ile Zack yataklarında yatarken, Örümcek onlardan sadece yüz metre uzakta, sessizce az sonra yapacağı şey için bahçedeki yeraltını hazırlıyordu. Buradaki rutubetli ve kokuşmuş karanlığa araç gereçlerini saklamıştı; bazı özel elektronik eşyalar, çeşitli uzunlukta ipler, kalın koli bantları, keskin bıçaklar, kırk santimlik testere ve bir silah. Silah Roma'daki Porta Portese'den gelmişti. Yerel halkın *mercato delle pulci*[*] dediği küçük dükkânlarda yasadışı satılıyordu. Yalnızca Avrupa'nın en büyük bit pazarı değil, ikinci el giysiden, uyuşturucuya ve silaha kadar tüm kıtanın en iyi ne-ararsan-var dükkânlarının bulunduğu yerdi.

El fenerini yakan Örümcek, Lidocaine'in King'in karısında etkisini göstermeye başladığını gördü. Bacakları bükülmeye başlamıştı. Yakında uyuşturucu onun yürümek bir yana, hareket kabiliyetini de engelleyecekti. Kadınla çocuğu karanlık dehlizin derinliklerine, kaderlerine doğru iteledi.

(*) Bit pazarı.

82

Marine Park, Brooklyn, New York

Jack, su ısıtıcısını yeniden çalıştırmak için ısrar eden Yoana Grinsberg'ün küçük mutfağında sabırla bekliyordu.

Yaşlı kadın, FBI davasına karışma fikriyle heyecanlanmış bir halde, "Ben nasıl yardımcı olabilirim?" diye sordu. Jack, onun sorulara hızla ve doğru cevaplar vermesi için dua ediyordu. "Yolun karşısında oturan adamı tanıyor musunuz? On beş numarada yaşayan adamı?"

"Tanıdığımı söyleyemem. Onu arada sırada görüyorum. Ama bir kere bile konuşmadım."

Yaşlı kadınla sabırlı bir oyun oynaması gerektiğini anlayan Jack, "Ne zamandır burada yaşıyor?" diye sordu.

Yoana düşünürken suratını buruşturmuştu. "On beş, belki yirmi yıldır. Ne tuhaf. Onca zamandır burada ama bir gün bile selamlaşmadık."

Parçalar bir araya gelmeye başlamıştı. Jack biraz daha ileri gitti. "Sarı bir arabası, dört kapılı bir Japon arabası var mı, mesela üç dört senelik?"

Yoana başını iki yana salladı. "Hayır, yok, onun arabası öyle değil."

"Emin misiniz?"

"Arabaları tanırım," diyen Yoana eskiyi hatırlayarak gülümsedi. "Arabalar çocukluğumdan beri beni büyülemiştir. Kocamın bir zamanlar bir Buick'i vardı. Bir Oldsmobile; çok güzeldi. Sanırım aptal firma artık onlardan üretmiyor."

Jack'in yüreği burulmuştu. Kadın oldukça yaşlıydı ve yanılıyor olabilirdi. "Gerçekten emin misiniz?"

Yoana, "Kesinlikle," dedi. "Yolun karşısındaki adamın bir Hyundai'si var, ama Japon değil Güney Kore malıdır. Ve ayrıca sarı değil beyaz. Ben burada hiç Japon arabası görmedim. Bay Cohen ve ben..."

Jack araya girerek, "Sözünüzü kestiğim için üzgünüm," dedi. "Ama biz yanılmış olabiliriz. Tam olarak modelini biliyor musunuz?"

Yoana hiç tereddüt etmedi. "Hyundai Accent SE. Özel bir model değil, çelik jantları bile yok. Ben hep bunun biraz tuhaf olduğunu düşünmüştüm."

Jack nazikçe, "Neden?" diye sordu.

Yoana tereddütle, "Şey..." diye başladı. "...dediğim gibi, adamın adını bilmiyorum, hiç ortalarda görünmüyor ve onunla hiç yüz yüze gelmedim, ama arabalarının hep değişik plakaları oluyor. Ben onun bir tür araba satıcısı olduğunu sanmıştım ama sonra plakaları arabalardan da önce değiştirdiğini fark ettim."

Jack bir heyecan dalgasına kapıldığını hissetti. Telefonu bir kez daha çaldı ama o yine duymazdan geldi, her kimse ve her ne istiyorsa bunun kadar önemli olamazdı. "Yoana, şu anki plakasının ne olduğunu bilmiyorsundur, değil mi?"

Kadın gülümsedi. FBI'a yardım etmek hoşuna gitmişti, kolay sorular soruyorlardı. "Yapmayın lütfen. Elbette biliyorum. B-898989."

83

San Quirico D'Orcia, Toskana

Dehlizin girişi yumuşak toprakla kaplıydı ama dar geçitte beş altı metre yürüdükten sonra ayaklarının altındaki toprak sertleşmişti. Örümcek fenerini duvarlara tuttu. Yukarıdaki yamaçtan aşağı damlayan yeraltı suları yüzünden duvarlar küflenip yeşermişti. Dar yolun sola kıvrılıp, mermer bir mezarın olduğu yüksek tavanlı geniş bir odaya açılan noktayı arıyordu. Hiçbir şeyin yaşamadığı kör karanlığın derinliklerinde ilerlerken temiz havanın son zerreleri de tükenmişti. Bu verimsiz toprakların nem kokusunda Örümcek kendini evinde hissediyordu. Bu, ölümün kokusuydu.

Kadınla çocuğu geriye doğru itip, onları Medici zamanından kalma bir askerle ailesinin kemiklerinin bulunduğu mermer mezara sırtlarını dayamaları için zorladı.

Elleri hâlâ önünde bağlı duran küçük Zack, korunma ve güven ihtiyacıyla annesine yanaşıp başını onun dizlerine koydu. Nancy'nin bilekleri arkasından sıkıca bağlanmıştı ama ona asıl acıyı kendi oğlunu avutamamak veriyordu. Vücudunu onun üstüne doğru eğip, yaralı yavrusunu yalayan bir hayvan gibi yüzüyle sırtını okşadı.

Michael Morley

Örümcek dizüstü bilgisayarını bekleme konumundan çıkardı. Vızıldayarak hayata geçen makine hemen başının üstündeki otelin kablosuz ağına kilitlendi. E-postalarına bakıp, kendi internet sistemine bağlandı.

Bilgisayar ekranına Lu Zagalsky'nin tepesindeki kameranın görüntüsü gelince, yüzünü görmek onu heyecanlandırdı.

Karıncalanan ensesinden bir damla ter belkemiğinden aşağıya süzüldü.

Gözlerini ekrandaki görüntüden güçlükle ayırıp, Zack'in küçük bedenini çaresiz annesinin yanından çekti.

Örümcek havadaki ölüm kokusunu alıyordu.

Çifte ölümün kokusunu...

84

Marine Park, Brooklyn, New York

898989

Arabanın plakası, BRK'nın Daher'e video görüntülerine erişmesi için verdiği şifreyle aynıydı. Jack hafızasını yokladı. Bu, ona neyi hatırlatıyordu?

HA! HA! HA!

İşte ona bunu hatırlatıyordu. H alfabenin sekizinci harfiydi ama dokuzuncu harf A değildi. Jack ne olduğunu birden anladı.

Hi! Hi! Hi!

BRK merhaba diyordu. Onun hastalıklı esprilerinden biriydi.

Jack haberi vermek için Howie'yi aradığında, saldırı timinin toparlanıp Marine Park'a gelip pozisyon almasının yarım saat daha süreceğini öğrendi. Gecikmenin ölümcül olmamasını diledi.

Yoana Grinsberg, onu, 15 numarayı gözetlemeyi umduğu yukarıdaki yatak odasına çıkarırken sürekli konuşuyordu. Aşırı sıcak oda, eski giysiler ve dergilerle doluydu. Aylar önce atılması gereken potpuri odayı toprak kokutmuştu. Pencerelerdeki çifte kilitleri fark eden Jack, aşırı ihtiyatlı bayan Grinsberg'ün kocası öldüğünden bu yana kilitleri açmadığını tahmin etti.

Yüzünü cama yasladı. Pencereleri açması bile işe yaramayacaktı. Hedef evi net bir şekilde görmek mümkün değildi. Her iki köşedeki ağaçlar evin önündeki yol dışında tüm manzarayı kapatmıştı.

Odadan çıkıp, merdivenlerden aşağı inerken, "Görünmüyor," dedi. "Ama yine de teşekkürler bayan, işbirliğinize müteşekkirim."

Jack kapıyı kapatırken, eğer BRK evin içindeyse, ürküp kaçmaması için yolu Howie'nin arabasıyla nasıl kapatacağını düşündü. Bu senaryo üstünde çalışırken telefonu yeniden çaldı.

Küçük ekranda Nancy'nin cep numarası yanıp sönüyordu.

Jack'in başının dertte olduğunu biliyordu. Eğer çağrılarına kasıtlı cevap vermediğini anlarsa Nancy deliye dönerdi.

Kendini bir patlamaya hazırlarken kaşlarını çatarak, "Alo," dedi.

Kelimeleri taneyle konuşan bir erkek sesi, "Merhaba Jack," dedi.

Arayan numaraya bir daha bakıp, "Siz kimsiniz?" diye sordu.

Örümcek kısa bir kahkaha attı. "Ah, sanırım kim olduğumu biliyorsun, öyle değil mi?"

Kor gibi sıcak ağır bir bomba Jack'in beynine düşmüştü. Ne olabileceğini düşünürken zorlandı.

"Karın burada benimle birlikte. Onunla konuşmak ister misin?" Örümcek plastik bandı ağzından çekince Nancy ağzını açarak derin soluklar aldı. Cılız bir sesle, "Jack!" dedi. "Jack, Zack de burada..."

Örümcek elini onun dudaklarına götürdü. "Üzgünüm Bay King ama karınız şu an pek iyi durumda değil. Ona uyuşturucu iğne yaptım, bu yüzden konuşmakta zorlanıyor." Telefonu omzuyla kulağı arasına alan Örümcek, yapışkanlı bandı yeniden Nancy'nin ağzına yapıştırdı. "Biliyor musun Jack, ailenle daha çok ilgilenmeliydin. Öyle değil mi?"

Jack hiçbir şey söyleyemedi. Beyni zonkluyor, midesi bulanıyordu. Onu kızdırma, tek bir yanlış kelime edersen ölürler. Tarafsız ol, profesyonel davran, duygusal olma.

Örümcek, "Soruma cevap ver!" dedi. "Ailenle daha çok ilgilenmeliydin dedim."

Jack oyununu görmüş ve onunla birlikte oynamaktan başka çaresi olmadığını anlamıştı. "Evet," dedi yalandan utanmış gibi yaparak. "Onlarla daha çok ilgilenmeliydim. Ailem benim için çok değerli. Benden ne istersen yaparım, ama onlara zarar vermeyeceğine söz vermelisin."

Örümcek, "Söz vermek yok," dedi. "Ama seninle aynı aile değerlerine sahip olduğumuzu görmek beni sevindirdi."

Jack gözlerini sımsıkı kapattı. Zihninin açılması ve onun sözlerine zeki cevaplar vermek için dua etti.

Dizüstü bilgisayarından, evin dışındaki kamera görüntülerine bakan Örümcek, "Brooklyn'deki evimin yanından geçen yolda olduğunu görüyorum," dedi. "Aferin, beklediğimden biraz daha erken vardın. Zamanı geldiğinde seni oraya yönlendirmeyi ben planlamıştım. Tüm dünyanın Jack King'in bir cinayeti daha engelleyemediğine şahit olduğu zaman."

Jack yine yıkılmıştı. Başını kaldırıp yan taraftaki evin duvarlarında kamera aradı.

"Ağaçlar King. Kameraları ağaçlara bağladım, elektriği kapımın önündeki lambalardan alıyorlar." Nancy ile Zack'e göz atan Örümcek, sonra yeniden dizüstü bilgisayarın ekranındaki Jack'e döndü. "Yirmi dört saat içinde o güzelim Arap haber kanalında yeni görüntüler yayınlanmasını planlamıştım; çifte etkisi olacak bir şey. İlk önce FBI'dakilerle senin kurtaramadığın küçük Rus fahişenin ölümünü gösteren son perdeyi verecektim. Sonra Jack, aklımda çok daha eğlenceli bir şey vardı." Örümcek kötü kahkahalar attıktan sonra bakışlarını Jack'in yüzüne sabitleyip, "Bu kez o özel görüntüler sevgili karının ölümünü gösterecekti."

Jack kendini daha fazla tutamadı. "Eğer öyle bir şey yaparsan..."

"Cık cık... Jacky oğlum, ağzını bozup, yaptığın tüm iyi işleri çöpe atma. Onu öldüreceğimi biliyor olmalısın, yoksa seni ta Amerika'ya göndermemin ve benim de buraya İtalya'ya gelmemin bir anlamı olmazdı, öyle değil mi?"

BRK, Jack'i ailesinden uzaklaştıracak ve onları öldürürken Jack'in de olanları eli kolu bağlı izleyeceği titiz bir plan hazırlamıştı. Bu planın kurbanı olduğunu fark eden Jack'in kalbi iki kat hızlı atmaya başlamıştı. Peki ama neden?

Jack'in parçaları bir araya getirmesini seyreden Örümcek gülümsedi. "Seninle kedinin fareyle oynadığı gibi oynadım King. İtalya'daki cinayet seni saklandığın yerden çıkarmak için tasarlanmış bir yemdi ve sen de itaatkâr bir köpek gibi ortaya çıktın. Sonra da FBI'daki geri zekâlı arkadaşların benim geri döndüğümü iyice anlasınlar diye, zavallı Şeker'i mezarından çıkarmak zorunda kaldım. Ve son olarak seni kaçtığın şehre geri getirmek için canlı bir yem bıraktım. İşte buradayız, tahmin ettiğimden biraz daha erken ama tam planladığım gibi oldu."

"Bunu neden yapıyorsun?" diye soran Jack, mide bulantısını bastırmaya çalışıyordu. "Ailemin senin ilgini neden çektiğini anlamıyorum."

"Aa Jack. Bu soruyu sormanı çok uzun zamandır bekliyordum." Örümcek konuşmaya başlamadan evvel, vızıltılı uzun bir sessizlik oldu. "Richard Jones ismi sana bir şey çağrıştırıyor mu?"

Jack kim olduğunu çıkaramamıştı. Beyni Richard Jones, Dick Jones ve Dickie Jones isimlerini taradı. Hiçbir şey bulamamıştı. "Üzgünüm. İsim bana bir şey ifade etmiyor."

"İfade edeceğini sanmıyordum," dedi Örümcek. "Ama benim için her şey demek. Her şey. Otuz yıl önce Richard Jones bir araba kazasında öldü. Sahte bir 911 ihbarından dönen polis arabası tarafından ezilmişti. Düşünebiliyor musun? Hiç işlenmemiş bir suçun peşinde koşan polisler tarafından öldürüldü. "

İsim Jack'in zihninde belli belirsiz çağrışımlar yapmaya başlamıştı.

"Richard Jones," diyen Örümcek'in sesi duyguyla çatallaşmıştı. "O benim babamdı. Karısı, yani annem kanserden öldükten birkaç hafta sonra öldürülmüştü. O kahrolası katil polis beni yetim bıraktı, bu kokuşmuş dünyada ailesiz bıraktı ve kokuşmuş bir yetimhanede büyümeme sebep oldu. Hâlâ anlayamadınız mı Bay FBI Ajanı? Direksiyonun arkasındaki katil, babamı öldürdüğü için hiç pişmanlık duymayan o moron polis senin babandı. Şimdi anladın mı?"

Jack duyduklarını yavaş yavaş kavrıyordu. Hikâyenin bazı kısımlarına ait resimler gözünün önünden hızla geçmişti ama bütün resmi hâlâ göremiyordu. Beyninde yeni bir bomba patladı. Yüzünü elleriyle kapatıp, Howie'nin arabasına yaslandı. Acı dayanılmaz bir hal almıştı ve bayılmaktan korkuyordu.

Örümcek, "Babama..." diye ağladı, "...öyle hızlı çarpmıştı ki, vücudu yolun üstünde yuvarlanıp durduğunda ve arabalar üstünden geçmeyi bitirdiğinde başı vücudundan tamamıyla ayrılmıştı. Bunu hayal edebiliyor musun? Söyle, hayal edebiliyor musun?"

Jack'in nutku tutulmuştu, yaşadığı şokun etkisiyle zihni durmuştu.

Örümcek gözlerini elinin tersiyle silip, yine Nancy ile Zack'e baktı. Nancy bilincini tamamen yitirmişti, oğlansa sımsıkı annesine yapışmıştı. Ağzı tıkalı olduğu halde, küçük çocuğun korkmuş bir köpek yavrusu gibi inlediğini duyabiliyordu. Dikkatini yeniden telefona verdi. "Aptal olduğunu biliyorum King, bu yüzden hikâyenin gerisini ben sana anlatacağım. Babanın emeklilik haberini gazetede okudum. İlk başta seninle ilgili bir şey sanmıştım. Gazetede hakkında çıkan tüm haberleri ve beni yakalamaya yaklaştığınla ilgili tüm saçmalamalarını okuduğumu eminim tahmin ediyorsundur. Sonra bir daha baktım. Ve diğer polislerle birlikte fotoğrafta sen de olduğun halde, bunun babanla ilgili olduğunu anladım."

Duyduklarını anlamakta hâlâ güçlük çeken, bundan sonra diyeceklerini tahmin etmeye çalışan ekrandaki Jack'i inceledi.

"Jacky oğlum bilmediğin şey, NYPD'nin babamı öldüren arabanın sürücüsünün ismini asla açıklamadığıydı. Babanın muhteşem kariyeriyle ilgili anlattıkça anlattığı o haberi nasıl bir mide bulantısıyla okuduğumu tahmin etsene. Otuz yıl önce Brooklyn'de yaptığı trafik kazasından, genç bir yayayı öldürdüğü kazadan hiç bahsetmeden, aldığı tüm resmi ödül ve terfileri ballandırarak anlatmıştı."

Jack yavaş yavaş babasının emekliye ayrıldığı günü ve kesinlikle kaza sonucu olan bir şey yüzünden çok büyük bir suçluluk hissettiğinden bahsettiğini hatırlamaya başlamıştı. Babası kamunun huzurunda özür dilemek ve vicdanını rahatlatmak istemişti.

"Senin için üzgünüm," diyen Jack'in sesinde samimiyet yoktu.

Örümcek alaycı bir tonla, "Teşekkürler," dedi. "Bu, benim için çok şey ifade ediyor, çünkü babanı benzer bir trajik kazada kaybettiğini biliyorum. Ne kadar zaman önceydi? Beş yıl mıydı?"

Jack kanının donduğunu hissetti.

"Ah, şimdi karşında olmayı o kadar isterdim ki," diyen Örümcek, Jack'in gözlerindeki acıyı daha iyi görebilmek için bilgisayar ekranına yaklaşmıştı. "Gözlerinin içine bakıp, yaşlı babanın arabamın lastikleri altında ezildiğini ve kafasının karpuz gibi yarıldığını söylemek isterdim."

Şokun etkisindeki Jack'in beyni uğulduyor, dizleri titriyordu.

Örümcek bilgisayar ekranını iki eliyle tutup, o anın tadını çıkarmaya karar verdi. Sağlam elinin parmaklarıyla ekranın kenarında tempo tuttu. "Ve Brenda, annen; söylesene onu hâlâ düşünüyor musun?"

Jack şaşırmışa benziyordu.

"Ah, lütfen polis bey. Gerçekten de uyurken kalp krizi geçirerek öldüğünü mü sanıyordun? Yapmaaa..." Örümcek, Jack'in başını şaşkınlık ve kederle ellerinin arasında sıktığını gördü. "Hayır King, yine bendim. Onu o büyük evde yalnız bırakmamalıydın, değil mi? Annesine değer veren bir oğul, onu karısı ve çocuğuyla birlikte aynı evde yaşamalarını sağlardı." Örümcek, sözlerinin etkili olması için biraz durup bekledi. "Neyse. Şimdi başka şeyler için endişelenmelisin. Çünkü birazdan karını öldüreceğim. Sonra da oğlunu bekleyen kaderi anlatacağım."

Jack'in içinde intikam duygusu alevlenmiş, öfke yüzünden vücudu adrenalin salgılamıştı. Zihni çalışmaya başlamıştı. Profesyonel davran, onu konuşturmaya devam et. Konuşması bittiği anda öldürmeye başlayacak. Ona bir şey sor; herhangi bir şey!

"Neden?" diye soran Jack, mide bulantısının geçtiğini, kendini kontrol edebildiğini hissediyordu. "Neden karımla çocuğuma zarar vermek istediğini anlamıyorum."

Örümcek yüzündeki ter damlasını sildi. "Sana bir şey anlatayım. Baban elimden her şeyimi aldı. Beni yetim bıraktı, büyük ihtimalle bugün olduğum kişi haline gelmeme neden oldu. Şimdi ben de aynı şeyi senin ailene yapacağım." Zack'e bakan Örümcek, çocuğun başının hâlâ annesinin koruyucu kolunun altında olduğunu gördü. "Annenle babanı öldürdüm, şimdi de karını öldüreceğim, sonra da sen oğlunu korumaya çalışırken öleceksin. Sana yakışan bir son. Ve buradaki bu küçük çocuk, benim kaybımı yaşayacak, tıpkı benim gibi ıstırap çekerek, acıyla büyüyecek. Her sabah annesiz babasız uyanacak ve böyle bir şeyin neden kendi başına geldiğini düşünecek."

Jack sinirlerine hâkim olamadı. "Seni manyak yaratık!" Artık düşündükleri apaçık ortadaydı. Yukarıdaki ağaca tutturulmuş kameraya doğru adım attı. "Yemin ederim, seni bu kahrolası dünyanın dibine kadar takip eder, bulur ve öldürürüm."

Örümcek yavan bir kahkaha attı. "Seni aptal, senin dünyan bugün sona eriyor, bunu anlayamıyor musun? Zamanın doldu."

Sokağın aşağısından gelen bir ses, Örümcek'in anlattığı cinayet gerekçelerine ilgisinin dağılmasına neden oldu. Bir saniye sonra ilk NYPD polis arabası köşeyi dönmüştü.

"Karın seni seviyor mu Jack? Tüm o kadınlar, hepsi beni sevdi. Beni o kadar çok sevdiler ki, hayatlarını bana verdiler. Bir erkek bundan daha fazla ne ister ki? Ve bana sundukları sevgi, yavaş yavaş içimdeki acıyı hafifletti."

İlk araba lastiklerini öttürerek durdu. Howie yolcu koltuğundan inerken, Jack dur dercesine elini havaya kaldırdı.

Örümcek bilgisayar ekranını gözden geçirdi. "Bakıyorum da arkadaşların gelmiş," dedi. "Bu güzel oldu; demek artık partiye başlayabiliriz. Konuşmamız sona erdiğine göre, bu işi bitirelim artık."

Karşısında dikilen Howie sesini çıkartmadan endişeyle bakıyordu.

Jack telefonu eliyle kapattı. "Bu o. Nancy ile Zack elinde. Onları öldürecek. Geri çekilin!"

Howie diğerlerinin yanına yürüdü. Jack, onun komuta aracını ikaz edeceğini, durum daha anlaşılır ve daha az riskli bir hale gelene kadar bekleteceğini biliyordu.

Örümcek, "Aradığın küçük fahişeyi evimde bulacaksın," dedi. "Ve orayı bulabilecek kadar akıllı olduğun için de sana bir ödül vereceğim. Onu senin öldürmene izin vereceğim. Ellerini boğazına geçirip, son nefesini verene kadar sıkmana izin vereceğim."

Jack, "Sen delisin," dedi. "Böyle bir şey olmayacak."

"Hayır hiç de deli değilim King. Belki biraz zalim olabilirim ama kesinlikle deli değilim. Ve böyle bir şey olacak, çünkü eğer yapmazsan, karınla birlikte oğlunu da sakatlayacağım. Belki ilk önce annesinin ölümünü seyretmesine izin veririm, sonra onu biraz keserim, ki birlikte geçirdiğimiz zamanı hatırlatan görsel bir anı kalsın. Belki ondan kesip almayı düşündüğüm yerin neresi olduğunu tahmin edebiliyorsundur."

Jack'in kalbi göğüs kafesinden fırlayacak gibi küt küt atıyordu. Öfkesi taşınca, yumruğunu Howie'nin arabasının kapısına indirip, göçertti.

Bunları bilgisayardan seyreden Örümcek gülümsedi. "Sinirlerine hâkim ol, Jacky oğlum. Haydi şimdi işimize dönelim. Cinayeti gerçekleştirmek için sadece beş dakikan var. Daha uzun sürerse bıçağımla testeremi karınla oğlunun üstünde kullanmaya başlayacağım. Günün ilerleyen saatlerinde internetten seyredersin. Teknoloji ne muhteşem şey değil mi? Sana Örümcek'le onun bütün hikâyesini anlatacak kadar vaktimin olmaması ne üzücü."

Arabanın etrafında topallayarak yürüyen Jack intikam duygusu ve nefret yüzünden doğru düzgün düşünemiyordu.

"Ah, son bir şey daha var. Öncelikle telefonun açık kalsın, bilirsin, seninle konuşmak isteyebilirim. İkincisi, işleri biraz daha ilginç kılmak için eve bubi tuzakları kurdum. Onları buradan ben de tetikleyebilirim, oradan kazara sen de tetikleyebilirsin. Ve son olarak, unutma, eğer kızın yanına gidip onu öldüremezsen her ikinizi de havaya uçurup buradaki işimi bitiririm. Anlaşıldı mı?"

Jack, "Evet evet, anlaşıldı!" diye haykırdı.

"Güzel," dedi Örümcek. "Annem bana büyük bir iş yapmadan önce daima ona kadar saymamı söylerdi. Başlayalım o zaman. On!"

Jack'in aklından bir dolu düşünce geçiyordu.

"Dokuz."

Ludmila çoktan ölmüş olabilir.

"Sekiz."

Ölmediyse bile, BRK ikimizin birden evden canlı çıkmasına izin vermeyecek.

"Yedi."

Kızın orada bulunmama ihtimali bile var. Belki bu da onun hastalıklı numaralarından biri.

"Altı."

Kız içeride olabilir, belki de eve patlayıcı döşememiştir, sadece blöf yapıyordur.

"Beş."

Eve patlayıcı döşemiş olabilir ve içeri adımımı attığım anda her şey havaya uçabilir.

"Dört."

Zack'i gerçekten de sakatlayacak mı? Oğlumu bahsettiği acı ve eziyetten kurtarmamın bir yolu var mı?

"Üç."

Her halükârda Nancy'yi öldüreceğini söylüyor.

"İki."

Ailem benim dünyam, hayatım, her şeyim.

"Bir."

Lütfen Tanrım onları kurtarmama izin ver.

"Sıfır."

85

Jack, "Howie, Howie! Lanet silahını bana ver!" diye bağırdı.

Neler olduğunu sorgulamayan FBI ajanı silahını kılıfından çıkarıp, ona doğru fırlattı.

Tabancayı kemerine sıkıştıran Jack, çıkmaz sokağın köşesinden dönüp evin ön tarafına vardı.

Kısa garaj yolunun sonundaki büyük bir garaj onu bekliyordu.

Hiç şüphesiz kilitliydi.

Böylece geriye patlayıcı döşenmiş olabilecek ahşap ön kapıyla, cumbalı pencere kalıyordu.

Pencereyi denemeliydi.

Perdeler kapalıydı.

Çekilmiş perdeler kötü bir sürprizi saklıyor olabilirdi.

Jack etrafında dolaşıp, bahçeyi kontrol etti.

Çiçeklerin etrafına dizilmiş süs taşları... Bunlar işine yarayabilirdi.

Taşlardan en büyüğünü alıp, pencerenin aşağı pervazına indirdi. Ve geri çekildi.

Hiçbir şey olmamıştı.

Pencerenin çerçevesi de arkası da sağlam olmalıydı.

Ceketini çıkarıp sağ koluna sardı ve camın, vücudunun geçeceği kadar bir bölümünü kırmak için kullandı.

Vakti olsaydı camı temizledikten sonra tırtıklı kenarların kesmemesi için ceketi üstüne giyerdi.

Ama vakit yoktu.

Kendini yukarı çekip, içeri tırmanırken sivri cam parçalarının ellerine ve dizlerine battığını hissetti.

Etrafına dolanıp onu yere yuvarlayan perdeleri kendinden iterek uzaklaştırdı.

Tahmin ettiği kadarıyla kendisine verilen beş dakikanın bir dakikasını harcamıştı bile.

Geriye iki yüz kırk saniye kalmıştı. Hepsi bu.

İçinde durduğu bomboş odada ne mobilya ne de bir halı vardı. Ahşap parkelerin üzerinde koşup, kapıya gelince durdu.

Kilitliydi.

Jack buraya patlayıcı döşenmiş olduğuna emindi.

Geri çekilip, Howie'nin silahının emniyetini açtı ve kurşunları menteşelerin her birine sıktı.

Hiçbir şey olmadı.

Silahı kilide doğrultup bir el daha ateş etti.

Yüksek sesli bir patlama oldu.

Alevler içinde patlayan kapının metal parçaları şarapnel gibi Jack'in üstüne yağdı.

Yüzünün yan tarafını sıyıran bir şey canını acıtmış ve yakmıştı.

Dizlerinin büküldüğünü hissedince elini uzattı.

Örümcek zevkle seyrediyordu.

Bir dakika yirmi saniye geçti.

Örümcek

King tam vaktinde kızın yanına ulaşabilir. Bu çok ilginç olmaz mı?

Örümcek, Nancy'yi sarstı. "Uyan da bak! Kocaların yüz karasının yeni beceriksizliğini seyret."

Nancy sarhoş gibiydi. Bakışlarını bilgisayar ekranına odaklamakta zorlanıyordu.

Jack dikkatli ol. Lütfen ölme. Lütfen ölmemize izin verme.

Düşünceleri karmakarışıktı. Başı dönüyordu ve her şeyi bulanık görüyordu.

Bedeninde dolaşan anestezi maddesi yüzünden bilinci kapanıyordu.

Zack, Zack nerede? Bebeğim nerede?

Jack kendini toplayıp, alevlerin içine daldı.

Nereye?...

Bundan sonra nereye?

Salon boştu.

Jack odanın mutfağa çıktığını görebiliyordu. O tarafa yöneldi.

Mutfak garaja çıkıyordur, bodrum merdivenleri o tarafta bir yerde olmalı.

Mutfakta üç kapı vardı.

Biri bahçeye mi açılıyor?

Diğeri garaja mı çıkıyor?

Peki ya üçüncüsü? Bodruma mı?

Jack üçüncü kapıyı inceledi. Kilitli olduğunu tahmin ediyordu. Aceleyle kapının yuvarlak tokmağını kontrol etti. Pirinçtendi ve diğerlerinden tamamıyla farklıydı.

Bu uymuyor Jack. En iyi elektrik iletkeni pirinçtir. Bu kapı tokmağını bombaya bağlamış. Dokunursan canlı canlı yanarsın.

Kapı kalın çamdandı, omuz atarak kıramayacağını biliyordu.

Mutfakta etrafına bakındı. Tezgâhın üstü ahşap bir bıçak setiyle kırmızı plastik bir bulaşık leğeni dışında boştu.

Leğen!

Onu alıp içini suyla doldurdu. Ardından, Howie'nin silahı kemerine sıkışmış bir halde, iyice geri çekilip, suyu kapının tokmağına döktü.

Kapının arkasından bir çıtırtı ve ardından elektrikli bir mekanizmanın kısa devre yaptığını umduğu "bızt" sesini duydu.

Güvenli.

Yoksa değil mi?

Eğer yanılıyorsa, yerdeki ve kapının etrafındaki su yüzünden onu elektrik çarpacaktı.

Bu riski alması gerekiyordu.

Howie'nin Glock'ını çıkarttı ve pirinç tokmakla kilidi havaya uçurdu.

Dört el sonra ağır menteşeler yerinden çıkmıştı.

Parçalanmış çam kapıyı tekmeleyince, kapı bodruma inen karanlığa doğru devrildi.

Eşikten adımını attı.

Karanlığın içine daldı.

Örümcek saatine baktı.

İki dakika geçti.

"Şuna bak! Jacky gerçekten de çabalıyor. Ne tatlı değil mi?" Nancy'yi saçından çekip yüzünü ekrana doğru yaklaştırdı.

Nancy bilinçsizce duruyordu. Uyuşturucu madde beynine nüfuz etmiş ve onu kendinden geçirmişti. Vücudu gevşemişti, etrafında olan bitenden kendisine, kocasına ve çocuğuna ne olduğundan haberi yoktu.

"Uyan! Uyan da seyret, seni kahrolası sürtük!" Örümcek, ona tokat attı. "Seni adi orospu, bunu görmen lazım." İçindeki öfke zirveye çıkmıştı.

Örümcek

Bilgisayarı onun sefil suratında parçalamak istiyordu. Bıçağını kullanmak istiyordu. Onu deşip, kendi içinde kıvranmaya başlayan acıyı dindirmesi gerekiyordu.

Onu hemen öldürürsen, acın diner!

Hayır!

Kendine hâkim ol.

Kendine hâkim olman gerektiğini biliyorsun. Annen sana yardım edecek.

Annen yanında.

Kadını daha sonra öldürebilirsin.

Onu yavaşça öldür.

Onu güzelce öldür.

Ama şimdi değil.

Şimdi onu ve çocuğu unut ve Jack King'in ölümünü seyret.

Parçalanan kapı bodrum merdivenlerinden aşağı kızak gibi kaydı. Karanlıkta görünmeyen bir şeye çarpıp durdu.

Jack bunun başka bir kapı olduğunu tahmin etti. Merdivenlerin aşağısında, yine kilitli olan ikinci bir kapıya çarpmış olmalıydı. Ve kızın bağlı olduğunu unutma. Onu neyle çözeceksin?

Hemen mutfağa dönüp ahşap ayaklı bıçak setinden büyük bir bıçak aldı. Tekrar bodrum merdivenlerine döndü ve karanlıkta basamakları ayaklarıyla hissederek aşağı indi.

Karşına çıkacak kapıya da patlayıcı döşenmiş olabilirdi. Dikkat et, sakın dokunma. Dikkat et, duvarlara da dokunma, bodrumdaki ikinci bir elektrikli mekanizmaya bağlanmış tırabzanlar da olabilir.

Jack gıcırdayan merdivenden aşağı bir basamak daha indi.

Sonra bir tane daha.

Birden yer ayaklarının altından kaydı. Tüm merdiven çökmüştü.

Jack başını sert bir şeye çarptı. Sırtına ve göğsüne sersemletici bir acı saplanmıştı. Mide bulantısı başlayınca bilincini kaybetmeye başladı.

Mücadele et! Mücadele et!

Bilincini kaybetmemen lazım.

Örümcek çocukluğundan beri ilk defa böylesine yüksek sesli kahkahalar atıyordu.

Bu harika!

Bu tam bir komedi!

Bu şapşal mükemmel zamanlamayla eşyaları düşüren bir sirk palyaçosu gibi.

Saatine baktı.

Üç dakika geçmişti.

"Kocanın başaracağını sanmıyorum," dedi hâlâ baygın olan Nancy'ye.

"Bunu görememen ne kötü. Kocan kendini son kez küçük düşürüyor. Hakikaten seyre değerdi."

Sonra Örümcek'in aklına çok daha şahane bir şey geldi.

Çocuğa da seyrettirebilirdi.

Evet, bu çok daha uygun olurdu.

Jack King'in oğlu, babasının ölümünü ve rezil oluşunu izleyecekti.

Teşekkürler anne, sen hep en iyisini düşünürsün.

Örümcek, çocuğa uzandı.

Ama orada yoktu.

Çocuk gitmişti.

Jack uzağa düştüğünü bilmiyordu. Bildiği bir şey vardı ki, merdivenle birlikte çökerken bıçağını ve silahını da düşürmüştü.

Zaman! Zamanın azalıyor.

Kendini yukarı çekip ayağa kalktı.

Işığı görebiliyordu.

Yüzünü yanlış yöne dönmüştü. Merdivenlerden yukarı mutfağa doğru bakıyordu. Jack arkasını dönüp, kendine gelmek ve gözlerinin karanlığa alışması için birkaç saniye bekledi.

Karanlık yavaşça grileşince, bodrum kapısını gördü.

Aşağı uzanıp ayaklarının etrafındakileri yokladı.

Elleriyle parçalanmış tahtalara dokunuyordu.

Dikkatini ver Jack. Zaman daralıyor.

Jack'in tüm duyuları parmak uçlarında toplanmıştı.

Kir, yer, tahta, toz, metal...

Metal!

Bıçağını bulmuştu.

Keskin tarafını hissetti.

Zaman Jack! Zaman tükeniyor!

Jack ellerini yeniden yere koydu.

Silahı yoktu.

Silahını bulamıyordu.

Aramayı bırakıp, kırık merdivenden dışarı çıktı.

Sadece birkaç santim önünde bodrum kapısı duruyordu.

Ve ardında Ludmila Zagalsky'nin hayatı.

Derin bir nefes alırken, bunun aldığı son nefes olabileceğini düşündü.

Kapıya patlayıcı döşediyse, her şey bitti demektir.

Ahşap yüzeyi omuzladı.

Kıpırdamamıştı.

İçindeki tüm gücü toplayıp, kuvvetini omuzlarına verdi.

Kapı çatırdadı.

Jack bir daha yüklendi.

Çok az kıpırdadığını hissetmişti.

Tüm gücü ve ağırlığıyla kapıya yüklenen Jack, "Aaah!" diye bağırdı. Kilit açılınca başı önde yere düştü. Elleri ve dizleri siyah plastik kaplamanın üstünde kaydı.

Tanrı aşkına! Bu da ne? Hangi cehennemdeyim?

Ayağa kalktığında tüm duvarlarla tavanın aynı siyah plastikle kaplanmış olduğunu gördü. Adeta gördüğü kâbuslardan birinin içine düşmüştü. Ardından, Ludmila Zagalsky'nin ölmek üzere olan, kolları ve bacakları açılmış, çıplak vücudunu gördü. Öldürmesi emredilen kadını.

Örümcek, çocuğun peşinden gitmeye zahmet etmedi. Uzaktan kumandalı fünyenin üstünde bekleyen parmağı, elektronik patlayıcıları tetikleyip, evi havaya uçurmak için kaşınıyordu.

Örümcek; Jack'in zincirleri yoklayıp, bodrumun beton zeminine çivilenmiş kalın metal halkalara bağlı olduklarını keşfettiğini görünce gülümsedi.

Dört dakika geçti.

Örümcek uzaktan kumandalı fünyeyi elinde çevirip duruyordu.

Bekle Örümcek. Eğer kendine hâkim olup beklersen çok daha özel bir şey olacak.

Işık Jack'in elindeki çeliğe vurunca, "O benim bıçağım King," dedi. "İznim olmadan bir şeyleri ödünç almaya hakkın yok."

Jack, Şeker'in ellerindeki ve kollarındaki deri bağları keserken Örümcek sabırsızlıkla seyrediyordu.

Onu öldürmeyecek; aptal yaratık, tam da ondan beklediğim gibi kızı kurtarmaya çalışacak.

Yeniden Nancy'ye baktığında hâlâ baygın olduğunu gördü.

"Uyan!" Onu öldürürken uyanık olmasını istiyordu. Belki kocasını öldürdüğü sırada onu da öldürürdü.

Örümcek

Nancy'nin gözkapakları kırpıştı. Örümcek, onun güzel dudakları olduğunu fark etti, vücudundan çıkan son nefesi emerken öpülecek güzel ve tatlı dudakları vardı.

Elindeki uzaktan kumandayı salladı. "Uyan!" Örümcek, Nancy'yi çekiştirip dik oturtmaya çalıştı.

Nancy'nin gözleri bir parça açılmıştı. Bu kadarı onun ayıldığını anlamasına yetmişti ve artık parmağını doğru düğmeye basabilirdi.

Mutfaktaki süpürgeli bir oğlan Terry McLeod'a ne yapacağını söyleyecek değildi. Otelin etrafından dolaşıp, ayaklarını vurarak özel ilan edilen bölgeye yürüdü.

Saygı; bugünlerde çocukların hiç saygısı yok.

Ufak kapıya varınca kilidi çekti ve kapıyı iterek açtı.

Bayan King, size karşı dürüst davranmadığımı itiraf etmeliyim. Ben aslında turist değilim, uluslararasında tanınan gezgin bir yazar ve fotoğrafçıyım ve sizin bu güzel işletmeniz hakkında bir yazı hazırlamak için buradayım. Şimdi size sormak istediğim birkaç soru var.

McLeod söyleyeceklerinin provasını yaparken, istediği her soruyu Nancy'nin cevaplayacağına emindi, tabii eğer bulabilirse. Mutfaktaki oğlan onun bahçede olduğundan emindi, bu yüzden bahçede olmalıydı. Meyve bahçesini ve etrafı tahtalarla çevrelenmiş bitkilerin olduğu bölümü aradı.

Yoktu.

Ardından sebze bahçesine girip, soğanların, domateslerin, salatalıkların ve turpların arasında dikkatle dolaştı. Toprağın çöktüğü kısma gelmişti. Burası onun için yeni sayılmazdı; hem Nancy onu bahçede dolaşırken yakaladığında burayı yakından incelemişti, hem de uzaktaki tepede kayaların arasında saklandığı yerden dürbünle buraya bakmıştı. Ama şimdi gördüğü şey onu hayrete düşürdü.

Aşağıdaki toprağın üstünde King'lerin çocuğu duruyordu.

Ağzına koli bandı yapıştırılmıştı. Elleri nedense arkasından bağlıydı. Boynunun etrafında bir ip vardı.

Jack son bağları da kesti.

Geri dönülmez noktaya geldiğini biliyordu. Ondan isteneni yapıp, bu kızı öldürebilir miydi? Sahiden de onu öldürmek oğlunun hayatını kurtaracak mıydı?

Başka seçenek var mıydı?

Jack bir şeyden emindi, kendi hayatı ve baygın bir halde önünde uzanan zavallı kızın hayatı şu anda pamuk ipliğine bağlıydı.

Her hareketinin izlendiğinin bilinciyle, yavaşça döndü ve kamerayı aradı. Bir tanesinin sağ tarafındaki duvarda, başının hizasında durduğunu gördü.

Telefonu çıkarıp arama düğmesine bastı ve omzuyla kulağı arasına sıkıştırdı. "Jones, beni duyabiliyor musun?"

Bir süre sessizlik oldu. Katilin aranmayı beklemediği için veya gerçek adının kullanılmasına alışık olmadığı için şaşırdığından şüphelendi.

Bakışlarını saatine indiren Örümcek, "Seni duyuyorum Jack," dedi.

Dört dakika elli saniye.

"Kızı öldürmek için on saniyen kaldı."

"Oyun değişti. Karımla çocuğumun sesini duymak istiyorum, bu kızı ondan sonra istediğin gibi öldürürüm. Bu kız umurumda değil, ailemi bırak yeter."

Ekrandaki Jack'i inceleyen Örümcek, çaresizliğinin yüzünün her çizgisine yansıdığını gördü.

Onu gerçekten öldürebilir mi? Belki... Anne baba sevgisi çok güçlüdür; sırf oğlu yaşasın diye her şeyi yapması, hatta kurtarmaya çalıştığı kadını öldürmesi mümkün.

Örümcek

Örümcek, "İyi dinle," dedi. Yapışkanlı bandı Nancy'nin ağzından çektikten sonra telefonu ona doğru tuttu ve saçından kavradığı tutamı sertçe çekip koparttı.

Nancy'nin çığlık attığını duyan Jack irkildi. İçindeki öfkeyle adrenalinin yeniden arttığını hissetti. "Şimdi oğlum. Oğlumun sesini duymak istiyorum."

Örümcek gittiğini bildiği halde, içgüdüsel olarak dehlizin derinlerine doğru baktı. "Anlaşma yok King. Bu kadarıyla yetineceksin. Yoksa bundan sonra karını öldürdüğümü ve oğlunun bıçağımın altında çığlık attığını duyarsın."

Jack telefonu elinden düşürdü.

Kendi kendine şimdi yap diyordu. Siyah plastikle kaplanmış yerde uzun süre düşürdüğü telefonunu aradı. Onun için dünyada hiçbir şey, karısının ve çocuğunun hayatı kadar önemli değildi.

Gözleri nefretle parlayıp, aklı korku ve şaşkınlıkla mücadele ederken kameraya baktı.

Kameranın hem onu hem de kızı rahatça göreceği şekilde işkence masasının karşı tarafına geçti.

Yap şunu! Hayatlarını kurtarmak için tek şansın bu.

Örümcek ekrana doğru eğildi.

Jack sol eliyle Lu'nun boynundaki saçları geri itti ve sonra başını geriye doğru kaldırdı. "Tanrım lütfen bunun için beni bağışla," dedi. Keskin mutfak bıçağıyla yavaşça, kızın tam boğazından geçen kanlı bir kesik açtı.

Örümcek'in yüzüyle ekran arasında sadece birkaç santim vardı ama yine de gördüklerine inanamıyordu. Olanlar zihninde yerli yerine otururken soluk soluğa kalmıştı.

Jack King, kızın boğazını kesmişti!

Michael Morley

Kan akıyordu!

Onun boğazını kesmişti!

Aşağıdaki çukura inen McLeod hemen çocuğun yanına koştu.

Yüce Meryem, kim böyle bir şey yapmış olabilir?

"Tamam evlat, endişelenme. Her şey düzelecek."

Çocuğun gözleri panikle büyümüştü. Yüzü kıpkırmızı olmuştu ve McLeod nefes almakta güçlük çekerken göğsünün inip kalktığını görebiliyordu.

Yapışkanlı bant ağzının etrafından birkaç kez geçirilmiş ve bir kısmı saçına yapışmıştı. Bunu çıkarmanın acısız bir yolu yoktu. Zack'e arkasını döndürüp, bandın başlangıç yerini aradı. Çocuğun sağ kulağının arkasında bandın üst üste binmiş kısmını bulmuştu. Birbirinden ayrılana kadar tırnağıyla kazıdı.

"Üzgünüm genç adam, bu biraz acıtacak."

Sol koluyla sımsıkı çocuğu tutan McLeod bandı çözmeye başladı. İlk kat kolay açıldı çünkü bandın üstüne yapıştırılmıştı ama son kat çıkarken çocuğun başının arkasından ince sarı saçlarını kopartmıştı. Bant çıkarken Zack'in tüm vücudu acıyla geri çekildi.

McLeod, onu titreyen omuzlarından tutup, gözlerinin içine baktı. "Cesur ol küçük adam, az kaldı, birazdan yüzünden çıkacak."

Çocuk korkudan koskocaman olmuş gözlerle bakıyordu. McLeod artık yapılacak en doğru şeyin, mümkün olduğunca çabuk şekilde çıkarmak olduğunu biliyordu.

Tek elini Zack'in yüzüne koydu ve yavaşça ama tereddüt etmeden koli bandının son katını çıkardı.

Ağzındaki bant çıkar çıkmaz Zack soluk almaya çalışmaya ve ağlamaya başlamıştı.

Örümcek

"An-neeee!" diye hıçkırırken McLeod ona sımsıkı sarılmıştı.

Çocuğun hıçkırıkları durulduğunda McLeod, onun küçük yüzündeki yaşları sildi. "Tamam evlat. O bandı ellerinden çıkaracağım, sonra da anneni bulmaya gideceğiz."

Zack, "Lü-lütfen anneme yardım et," diye yalvardı.

McLeod, "Annen nerede?" diye sorarken, parmağıyla bileklerindeki bandı tutmuştu. "Annen nerede?"

Zack başıyla yamaçtaki karanlık deliği gösterdi. "Annem orada."

McLeod, çocuğun bileklerindeki son bant parçasını da çıkarttı. Cildi kızarmış ve hassaslaşmıştı ama elleriyle bilekleri ciddi bir zarar görmüşe benzemiyordu.

"Annene yardım edeceğim Zack," dedi. "Ama önce senin güvenliğini sağlayacağız. Tamam mı?"

Zack cevap veremeyecek kadar korkmuştu, gözlerini yamaçtaki boşluktan hiç ayırmıyordu.

McLeod, onu kollarına alıp sarıldı. Sonra onu bedenine yapışık tutarak toprak yamaçtan yukarı tırmandı. Yumuşak toprak ayaklarının altından kaydığı için zorlu ve yavaş bir tırmanış oldu.

Çukurun tepesine çıktığında nefes nefese kalmıştı. Zack'i ayağa kaldırdı. "Eve doğru koş evlat! Koş ve yardım çağır."

McLeod, arkasını dönüp emniyetli otel mutfağına doğru olabildiğince hızlı koşmaya başlayan Zack'e hafifçe vurdu. Sonra Nancy King'i bulmaya kararlı bir halde, toprak banketten aşağı kayarak indi.

Örümcek, Lu'nun kanlı başını beşik gibi tutan Jack'i seyrederken zamanı unutmuştu.

Az önce gördüklerine hâlâ inanamıyordu.

Bilgisayardaki tuşlardan birine basınca, kamera Jack'in ellerinden aşağı, masaya ve yere damlayan kan gölüne yaklaştı.

Michael Morley

Boğazını kesti. Ancak şah damarını kesince bu kadar kan akar.

Ekranda, hıçkırırken göğsü inip kalkan Jack'in nefes almaya çalışırken titrediğini görebiliyordu.

Jack geriye doğru bir adım atınca, Örümcek, Lu'nun boynunun ve yüzünün kana bulandığını gördü. Jack sağ elini onun kol altına, sol elini dizlerinin altına geçirip, kendi kollarına aldı.

Aklına gelen bir düşünce Örümcek'i rahatsız etmişti. Çocuğu... King, çocuğunu sormamıştı.

Bakışlarını elindeki uzaktan kumandaya indirdi.

Yanlış giden bir şey var. Çocuğuyla karısını unutmuş olamaz.

Ekrandaki Jack kollarında sımsıkı taşıdığı Lu ile birlikte dizlerinin üstüne çöktü. Sanki onun cesedini taşırken, dua ediyor ve yaptıkları için af diliyordu.

Birden beyaz bir ışık demeti, yeri ve Örümcek'in yüzünü aydınlattı.

Bir kadın sesi, "Polis!" dedi. "Kollarını yana açıp ayağa kalk. Hemen şimdi! Yoksa vururum."

Orsetta Portinari, yerel polise La Casa Strada'yı gözetleme emrini vermişti. Livorno'daki cinayet mahallini, Milano ve Roma tren istasyonlarındaki kuryeleri ve hatta kendi merkezlerinin kargo bölümünü benzer şekilde takibe aldırmıştı.

Patronu İtalyan soruşturmasının Amerika'dakinden tamamen ayrı yürütülmesini istemişti. Orsetta bu yüzden BRK, İtalya ve Amerika arasındaki bağın Jack King'in kendisi olduğu içgüdülerine güvenerek şansını kullanmaya karar vermişti. Ve bu fikirden her ne kadar nefret etse de, Jack yurtdışındayken merakını yenmesinin tek yolu Jack'in karısıyla bir başka randevusuz görüşme yapmaktı.

İkinci kez, "Ayağa kalk, yoksa vururum!" derken, atış eğitimi aldığı halde şimdiye kadar hiç kimseye ateş etmediğinin bilincindeydi.

Örümcek

Örümcek yavaşça ayağa kalktı. "Tamam. Peki. Ateş etmeyin."

Fener ışığı parlak fakat inceydi. Orsetta, onun yüzünü net bir şekilde görmekle birlikte, sadece omuzlarının tuhaf şeklini seçebiliyordu.

Karanlıkta çok önemli bir hareketi göremedi.

Örümcek sağ elini onun sandığı gibi ayağa kalkmak için mermerin üstüne koymamıştı.

Bu hareketi makineli otomatik silahını almak için yapmıştı.

Seri bir hareketle kurşunlarını kadın polise yağdırdı.

İçgüdüsel olarak karşılık veren Orsetta geç kalmıştı.

Sağ omzu acıyla yandı. Kurşunun etkisi onu acıyla kıvrandırıp yere yığdı ve silahı onunla birlikte düştü.

Örümcek, onu pek çok yerinden vurduğuna emindi. Hareket etmiyordu ama öldüğüne ikna olmamıştı.

Onu öldürmeye yetecek kadar vakti vardı. Başına sıkacağı bir kurşunla onun işini bitirecekti. Ama şimdi önemli olan o değildi.

Örümcek bilgisayara bir kez daha baktı.

King nerede?

Hâlâ dua ediyor. Ah, Jacky oğlum, artık seni hiçbir Tanrı kurtaramaz.

Örümcek daha fazla ertelemeden kırmızı düğmeye basınca korkunç bir patlama oldu.

86

Jack, Lu'yu daha da sıkı kavradı ve harekete geçmeye hazırlandı.

Kameraya sırtı dönük bir halde, el yordamıyla telefonu arıyormuş gibi yaparken mutfak bıçağıyla kestiği sağ elinin parmakları şiddetli bir şekilde kanıyordu. Jack, kesiyormuş gibi yaparken kanın kızın boynunda bir hat oluşturacak kadar hızlı akmasını sağlamak için derinden kesmesi gerektiğini biliyordu. Kızı elleriyle kaldırırken kanı her yere bulaştırabilir ve onun ölümcül bir yara almış gibi görünmesini sağlayabilirdi.

Şimdi dizleri üzerinde dururken, zamanın elinden boşalan kan kadar hızlı aktığını biliyordu. Becerikli bir hareketle, omuzlarını indirip, ileri doğru düştü ve Ludmila'yla birlikte ağır ahşap işkence masasının altına, elinden geldiği kadar uzağa yuvarlandı.

Patlama odayı havaya uçurduğunda krom ayaklı, meşe plakanın altına girmeyi başarabilmişlerdi.

Jack, iri vücuduyla Ludmila'yı korudu.

Her tarafta keresteler, tuğla parçaları ve tozlar uçuşuyordu.

Molozlar Jake'in açıkta kalan başına ve sırtına isabet ediyor, onu beysbol sopası gibi dövüyor, boynuna, bacaklarına ve belkemiğine çarpıyordu.

Örümcek

Ludmila'yı sıkıca kavradı ve bu sefer gerçekten dua etmeye başladı.

Örümcek'in bilgisayarı kararmıştı.

Toz ve molozlar görüşünü tamamıyla kapatıyordu.

Dizüztü bilgisayarını alıp, daha iyi bir görüş elde etmek için farklı bir açıda tuttu.

Neredeler? Yüzlerini görmeliyim!

Örümcek'in tüm vücudu beklentinin yaydığı elektrikle titriyordu.

Film ekipleri tarafından patlamalara ve hatta tren kazalarına dayanıklı olarak tasarlanan, cam takviyeli muhafazalar içindeki kameraları bodruma yerleştirmişti.

Plazma ekrana gözlerini kısarak baktı.

Ekran aniden keskin kırmızı ve turuncu alevlerle doldu.

Cehennem alevleri. Alevler King'in pis kokulu vücudunu yaksın.

Örümcek bilgisayarı elinden bıraktı.

Öldüler. King ve kız öldü.

Şimdi kadın polisle, King'in karısının işini bitirebilirim.

Örümcek, önce Nancy'ye sonra da Orsetta'ya baktı. İkisi de, cenin pozisyonunda kıvrılmış bir halde, yerde yatıyordu.

Kurbanlık koyunlar.

Tabancasını almak için döndü.

Ama bunu gerçekleştiremedi.

İlk kurşun yüzüne isabet etti.

İkinci ve üçüncü kurşunlar midesinde delikler açarken, kulakları silah sesinden çınlıyordu.

Örümcek geriye doğru düşerken kafası mezar taşına çarptı.

Dördüncü ve beşinci kurşunlar göğüs kafesini parçalayıp kalbini deldi.

 F: 24

Terry McLeod, kadın polisin Beretta'sını ancak adamın öldüğüne kesinlikle emin olunca bıraktı.

Howie Baumguard ve ESU patlama bittiğinde hâlâ beklemedeydi.

Howie, BRK'nın uzaktan kameralarla şovu yönettiğini anlamış ve Jack ile Lu Zagalsky'nin hayatlarını tehlikeye atabilecek bir "saldırı emri" vermeye cesaret edememişti.

Ama patlama olduğunda, artık tüm bahisler kapanmıştı.

ESU her zamanki gibi sıradan bir REP[*] kamyonundan çalışıyordu ama sıradan REP kamyonları bile kuşatmalar ve küçük bina patlamaları için son derece donanımlıydı. Howie patlama mahaline koşarken, hafif silahlı birlikler onunla birlikteydi. Kurtarma birimindekiler kamyondan; yangın söndürücü, metal kesici ve insanları yerinden kaldırmak için kullanılan şişen hava yastıkları gibi bir sürü alet çıkarıyorlardı.

Önce, silahlarında güçlü arama ışıkları olan öncü polisler içeri girdi. Arkalarından silahlı korumalar ve sonra da kurtarma timi.

Alevleri gördükleri anda, birlikler ayrıldı ve yangın söndürücüleri taşıyan çocuklar etrafa köpük sıktılar.

Saniyeler sonra, gaz kazanı patlayınca ESU timi sakindi, çünkü bu bekledikleri bir şeydi.

Köpük bulutları, alevleri hemen söndürdü. Hiçbir panik işareti yoktu. Howie Baumguard kenara çekilip, uzmanların işlerini yapmalarına izin verdi. ESU sihirbazlarının; insanları, zincirleme araba kazalarındaki metal yığınları ve bina göçükleri arasından çekip çıkardıkları görülmüştü. Onlar işlerinin ehliydi. Oklahoma'daki bombalamadan, New Orleans'taki kasırgalara kadar her yerde çalışmışlardı. Jack ve Lu'yu bu kaostan ancak onlar kurtarabilirdi.

Birisi, "Buraya ışık getirin!" diye bağırdı.

(*) Acil Çağrı Devriyesi.

Uzman gözler molozların üzerinde dolaşırken, el fenerinin ışığında tuğla kaplı kırmızı siste dönüp duran toz ve sıvalar görünüyordu.

Kapıdan iki yüz metre kadar uzakta, kereste ve briketten oluşan bir piramit vardı.

Kapının yakınında bir alev parladığında bir polis memuru, "Daha çok köpük lazım!" diye bağırdı.

Bodrum merdiveninin en tepesinde, Howie'nin çalışmaya başladığını görmek istemediği ESU Uzmanı Bernie duruyordu.

Bernie bir iz köpeğiydi.

Ve uzmanlık alanı kadavra aramaktı.

Orsetta'nın sağ omuz kasına iki kurşun isabet etmişti ve çok kötü kanıyordu. Bilincini kaybetmişti. Şimdi kendine gelirken, kafası kımıldayamayacak kadar karışıktı. Filmlerde kahraman polisler vurulur ve sonra sanki sadece bir arı tarafından ısırılmış gibi koşmaya devam ederlerdi. Gerçek hayattaysa durum farklıydı. Kurşun yediğinde çoğu zaman insanın ayakları yerden kesilir ve sağlık görevlileri kaldırıp götürene kadar insan yerde kalırdı. Orsetta dik oturmakta bile güçlük çekiyordu.

Her iki eliyle, artık namlusu yere bakan tabancasını tutan McLeod, "İyi misin?" diye sordu.

Orsetta başını salladı. Bir an için sesini bile çıkaramadı.

"Öldü. Sanırım, öldü." McLeod silahını sallayarak, mezarın üzerinde yatan cesedi gösteriyordu.

Orsetta sırtını duvara yaslayarak ayağa kalkmaya çalıştı.

Sonunda konuşmayı başarabildi, sesi boğuk ama sakin çıkıyordu. "Ben bir polis memuruyum. Lütfen silahı bana ver." Biraz tuhaf bir şekilde arka cebinden kimliğini çıkarttı. "Onu dikkatli bir şekilde bana ver," diye ekledi.

McLeod usta bir nişancıydı. Geyik, tavşan ve birçok kuş vurmuştu ama daha önce hiç insan vurmamıştı. Şimdiyse elleri sanki bir kokteyl karıştırıyormuş gibi titriyordu. Tabancayı namlusundan tutup, Orsetta'ya uzattı. Kadın polis tabancayı kontrol edip, Örümcek'in yere devrilmiş bedenine nişan aldı.

İşini şansa bırakmayacaktı.

Orospu çocuğu kımıldadığı anda, şarjörün geri kalanını ona boşaltacaktı.

McLeod'a, "Ayrıca, yerde bir kadın var, lütfen gidip ona yardım et. Ben buna göz kulak olurum," dedi.

McLeod ürkekçe, "Pekâlâ, tamam, pekâlâ," dedi. Mezarın etrafında dolaştı ve yerde yatan bedenin Nancy King'e ait olduğunu hemen anladı.

Orsetta arkasından konuşmalar ve ayak seslerinin geldiğini duydu. Sesler, dehlizin girişinden geliyordu. Silah sesi yüzünden iyi duyamıyordu. Başının dönmeye başladığını hissetti ve dengesini kaybetti.

İtalyanca konuşmalar geliyordu.

Kendi kendine, güvendeyiz, dedi.

Polis telsizinin cızırtısını duydu ve sonra el feneri ışıkları karanlığı aydınlattı. Birisi ona her şeyin düzeleceğini söyledi. Omzunda birinin elini hissetti ve sonra birinin parmakları nazikçe elindeki silahı aldı. Fener ışığında McLeod'un Nancy King'in ellerindeki yapışkanlı bandı açmaya başladığını gördü.

Sonra zihni bulandı ve kendini bıraktı.

Binanın molozları arasından Jack ve Lu'nun bedenlerini bulmak yirmi dakikalarını aldı.

ESU'nun kıdemli memuru Wayne Harvey, "Buraya!" diye bağırdı. "Bu çöküğün altındalar." Patlama, tavanın bir kısmını aşağı indirmişti ve duvarlardan kopan patlak borulardan sular akıyordu. Elektrik kesilmişti, insanlar Harvey'e doğru koşuştururken el fenerlerinin parlak ışıkları ve baretlerin üzerindeki ışıklar birbirinin üzerine biniyordu. Bir düzine el; tuğla, tahta ve briket yığınına uzandı.

Lu Zagalsky'nin kanlı, çıplak ve baygın bedenini gören bir görevli, "Birini görüyorum!" diye bağırdı.

İşkence masası patlamanın gücünden fazlasıyla etkilenmişti, ağır meşe levhası kırılmamış, sadece arka bacakları düşen tavanın ağırlığı altında eğrilmişti.

Howie Baumguard masayı uzağa itip, Jack'in koruma içgüdüsüyle kızın üzerinde yatan kıvrılmış gövdesini gördü.

Harvey eldivenini çıkarıp, nabzını ölçmek için Lu'nun boynuna dokunurken, "Oksijen ve sedye!" diye bağırdı. Saatine baktı. "Yaşıyor ama şimdilik. Üzerini örtüp, onu mümkün olduğu kadar çabuk buradan çıkarın."

Howie, Jack'in yanındaki enkazın üzerinde diz çöküp, beton parçalarını sanki kanepesinin üzerindeki istenmeyen yastıklarmış gibi atarken, "Her şey yolunda dostum, seni bulduk," dedi. "Seni bu pislikten hemen çıkaracağız."

Jack tam manasıyla kendinde sayılmazdı, konuşamayacak derecede şokta ve şaşkındı.

Aniden arkadaşının yaralı elini fark eden Howie, "Lanet olsun! Bu çok kötü!" dedi. "Sağlık görevlileri! Burada birine ihtiyacımız var, çabuk, lanet olsun çabuk!"

Karanlıkta bir yerden sakin bir ses, "Geliyor!" diye karşılık verdi. Baret ışığı Howie'nin gözlerini kamaştırıp, onu kısa bir an için körleştirdi, sonra Batı sahili aksanıyla konuşan Pat O'Brien'ın sesini duydu. "Onu görüyorum. Geri çekil, oraya girmeme izin ver."

Howie kenara çekilirken, görünmeyen tuğla ve briketlerin üzerinde bileği burkulunca tökezledi.

Howie işaret ederek, "Çok kötü kanıyor," dedi. "Eline bak, sağ eline."

O'Brien ışığı yere doğrulttu ve ne yapacağını anlaması için bir kez bakması yetti. Omzundaki sırt çantasını indirdi, lateks eldivenlerini taktı ve kesiğin büyüklüğünü, şeklini ve ciddiyetini görebilmek için antiseptik bir tamponla yarayı çabucak sildi.

O'Brien, Jack'in elini avucunda çevirip, ne kadar kan kaybetmiş olabileceğini kestirmeye çalışırken, "Arkadaşın iyi, şu bölgede kanama var dostum," dedim. Çantayı tekrar karıştırıp, hızla sargı bezi, steril sprey ve dikiş takımı çıkardı. Kesik hâlâ kanıyordu ve ayrıca kum ve tozla dolmuştu. O'Brien, kesiği steril spreyle mümkün olduğunca temizledi, küçük parmağıyla çıkarabildiği kadar parça topladı ve sonra iğne iplikle dikmeye başladı. ESU eğitimi dikiş atmayı kapsamıyordu ama Anneler Kulübünün savaş kategorisi olsaydı O'Brien'ın bu ödülü kazanma şansı oldukça yüksekti.

Kızı sedyeye koyup, koluna serum takarlarken, Jack'in gözleri ona odaklanmıştı. Holiday Inn'de gördüğü kâbusu hatırladı, kızı kurtardığını ve odanın tıpkı burası gibi sağlık görevlileri ve polislerle dolu olduğunu görmüştü. Hafızasının derinlerini eşeledi ve diğer kâbuslardan kesitler çıkardı; karanlık bir odanın görüntüleri, bir otopsi sahnesi, su boruları ve yerdeki kan... Tıpkı psikiyatristin söylediği gibi, bilinçaltı yıllardır dinlenmemişti, hâlâ suç mahalli ve psikolojik profil üzerinde düşündürüyor, kafa dağıtıcı şeyleri unutmaya ve davaya dönmeye zorluyordu.

O'Brien, "Buraya bir ve sedye gönderin," diye odada bağırdı.

Howie birkaç metre uzaktan, "O iyi mi?" diye seslendi.

O'Brien, "Öyle olmalı," dedi.

Jack boğuk bir sesle, "İyiyim," diyebildi.

O'Brien, Jack'in gözkapaklarını açıp, ışığını gözlerine tuttu ve büyümenin durumunu kontrol etti. "Evet, iyileşeceksin. Bir sürü kan kaybettin ama iri bir adam olduğun için hâlâ biraz var."

Jack sağlam elini kaldırıp, Howie'ye ona yaklaşmasını işaret etti. "Bak, buranın harap olduğunu görüyorum ama bulabildiklerini saklamalarını sağla. Elinden geldiği kadar çabuk suç aletlerini bul. Burası onun kurbanlarını kestiği yer. Bu lanet olası yeri rüyalarımda görmüştüm; bundan bir şeyler çıkarabilmemizi sağla." Howie güven verici bir şekilde omzuna vurdu ve enkaza baktı. Beyrut kadar kötü görünüyordu ama suç mahalli biriminin bir şeyler bulacağına emindi; hiçbir suçlu bütün kanıtları yok edemezdi.

Yanlarına gelen meslektaşları sedyeyi yerine yerleştirip, Jack'i üzerine kaldırmaya çalışırlarken O'Brien, Howie'yi bir kenara çekti. Sedyeyi taşıyanlara, "Birkaç aşı olması gerekiyor. Özellikle tetanoz," dedi. "Kanamayı kontrol edin, ben sadece parmakların etrafındaki derin kesikleri diktim, hastanede açıp, düzgünce temizlesinler."

Sedye taşıyanlar başlarını sallayıp, Jack'i bel seviyesindeki sedyeye kaldırdılar ve kapıya yöneldiler. ESU paltosuna sarılmış Lu Zagalsky, yakınlardaki golf alanında bekleyen helikoptere yetiştiriliyordu. Sağlık görevlileri damar içine hidrasyon vermişlerdi ve ekibin arasında kadının yaşama şansının yüksek olduğu konuşuluyordu; ama doktorların böbrek yetmezliği gibi kalıcı bir sakatlık olup olmayacağı hakkında kesin bir şey söyleyebilmesi için yirmi dört saat geçmesi gerekiyordu.

Jack'i dışarı çıkardıklarında kendine gelmişti. Güneş ışığından gözlerini kıstı ve temiz havayı yavaşça içine çekti. Howie'nin yanında olduğunu gördü ve eliyle yaklaşmasını işaret etti. "Nancy, Zack, onlar..." Sesi onu boğar gibi olmuştu.

Howie onun yerine cümlesini tamamladı. "İyiler, ikisi de çok iyi."

"Peki BRK?"

Howie gülümsedi. "Dodo kuşu kadar ölü. Bütün ayrıntıları bilmiyorum ama aziz bir ruh onu öldürmüş."

Jack, "Yazık," dedi.

Howie kaşlarını çatarak, "Yazık mı?" diye sordu.

"Evet, çok yazık. Onun beş yıl boyunca idam sırasında beklediğini görmek istiyordum. Sonra da patlamış mısırla ön sıraya oturup, o pisliğin kızardığını seyretmek istiyordum."

Orsetta yardım almadan güçlükle ayakta durabiliyordu ama yine de Örümcek'in delik deşik olmuş cesedine, Nancy'yi ve Zack'le birlikte Siena'daki hastaneye gitmeden önce tekme atmayı başardı.

Sağlık görevlileri Orsetta'nın kanayan omzunu helikopterde kontrol altına aldılar ve Nancy'ye Lidocaine'in etkisinden kurtulması için saf oksijen verdiler. Nancy kısa bir süre sonra Jack'in hayatta ve iyi olduğunu anlayabilecek kadar kendine gelmişti. Toskana'nın kırlık vadileri alçaktan uçan helikopterin altında düşsel bir güzellikte uzanırken, bütün yolculuğu Zack'e sımsıkı sarılarak geçirdi. İkisi de hiç konuşmadı. Beyni hâlâ olanları anlamak için mücadele ediyor, ama önündeki en büyük mücadelenin, oğlunun bugünkü travmayı atlatmasına yardım etmek olacağını iyi biliyordu. Helikopter alçalıp, yere inerlerken midesi bulandı. Kocasının sesini duymak ve ne durumda olduğunu öğrenmek için sabırsızlanıyordu. Ve onun iyi olduğuna şüphesi kalmadığında, bugünün 8 Temmuz Pazar olduğunu hatırlatmak için de sabırsızlanıyordu. Evlilik yıldönümlerini...

Ama bu kaprisi yapmak için beklemesi gerektiğini biliyordu. Şimdilik telefonu bile yoktu. Telefonu hâlâ Amerika'nın en korkulan seri katilinin ölü bedeninin yanındaki dehlizlerin kanlı karanlığında yatıyordu.

SONSÖZ

Üç Ay Sonra

Beni yok edemeyen şey, beni daha güçlü yapar.

Friedrich Nietzsche

San Quirico D'Orcia, Toskana.

Burada yaşadıkları üç buçuk yıldan beri ilk kez La Casa Strada'da turistler ve yabancılar yoktu. Bu bütün odalarının tamamıyla dolu olmadığı anlamına gelmiyordu.

Kutlama partisi Nancy'nin fikriydi.

Hava hâlâ içkilerin Val D'Orcia'nın tarihi ve dalgalı güzelliğine bakan terasta içilmesine elverecek kadar sıcaktı. Pek çok konuk bir arada durmuş, karşılarında onları kutsayan huzur ve güzelliğin tadını çıkarıyordu. Massimo, Orsetta, Benito ve Roberto Roma'dan gelmişlerdi. Garson kız onlara Toskana'nın en güzel şaraplarını servis ederken hep bir ağızdan makineli tüfek hızında İtalyanca konuşuyorlardı. Terry McLeod yeniden davet edilmişti, ayrıca bu sefer ayrıcalıklı muamele görmek için yalan söylemesi ya da sahtekârlık yapması gerekmiyordu.

Nancy, onu rahatsız eden tek bölgeye doğru bir baktı. Adli ekipler bahçelerinden ayrılır ayrılmaz Bay Capello'yu, onun peyzaj mimarlarını ve ekipmanlarını getirtmişti. Dehlizlerin girişini Manhattan'ı kaplamaya yetecek kadar hazır karışım betonla kapattırmıştı ama kapatılan mezar yeri hâlâ tüylerini ürpertiyordu.

Artık evi bir suç mahalli değildi. Ve bir zamanlar olduğunu da hatırlamayı hiç istemiyordu.

Nancy, akşam yemeğinin ne zaman hazır olacağını öğrenmek için mutfağı kontrol etmeye giderken Jack'in kolunu bıraktı. Paolo, tabii ki Jack'in favori yemeği olan *Zabaoine*'le biten altı çeşitli özel bir ziyafet hazırlıyordu. Kızaran domuz etinin aroması sonbahar havasına karışıyor, bekleyen misafirlerin iştahını açıyordu.

Howie, sürekli olarak yerel şarapları reddetmiş ve bunun yerine adam başına düşen tüm biraları içmişti. Yalnız gelmişti ama Carrie'yle noele kadar tekrar birleşmeyi umut ediyordu.

FBI Bölge Ofisi Direktörü Joey Marsh tüm randevularını iptal etmiş ve orada olmak için Atlantik'i geçmişti. Güneşli terasta birbirlerini selamlarken, Jack acemice sol elini uzattı. Sağ eli hâlâ sarılıydı ve bıçak yarasından kaynaklanan sinir hasarını iyileştirmek için fizyoterapi görmesi gerekecekti.

Sohbet ederlerken Marsh, "Hâlâ acıyor mu?" diye sordu.

Jack parmaklarının ucunu kıpırdatarak, "Bazen," dedi. "Ama gururum kadar değil."

Marsh soran gözlerle ona baktı. "Ne demek istiyorsun?"

"Doğruyu söylemek gerekirse, BRK'nın stratejisini anlayamadığım için hâlâ kendimi suçluyorum. Eğer anlamış olsaydım, hepimizi bunca acıdan kurtarırdım." Nancy'nin yakında olmadığından emin olmak için etrafına bakındı; bu konu hakkında konuşmaması için kesin talimat almıştı. "BRK, Kearney olayını sahneledi çünkü bir süredir öldürmüyordu ve onu unutacağımızdan korkuyordu. Sarah'nın cesedinin bulunmasının yirminci yıldönümünü seçerken bu olayı ona bağlayacağımızı biliyordu ama emin olmak için kafatasının bulunduğu paketin üzerine benim ismimi yazdı." Marsh yanlarından geçen garson kızın sunduğu tepsiden içki alırken Jack sustu. "BRK, olayın FBI soruşturmasını yeniden canlandıracağını ve onu yeniden sahneye çıkaracağını düşündü. Tıpkı, Livorno'da öldürürse, bunun, İtalyanların gelip, beni otelde zaman geçirmeyi bırakmaya ve polis davasına katılmaya ikna etmesine olanak sağlayacağını düşündüğü gibi." Jack, başıyla İtalyan dedektiflerden oluşan grubu işaret etti. "Orsetta haklıydı, ben odadaki fildim, sadece bunu anlayamadım."

Marsh kaşlarını çattı. "Sen fil miydin?"

Jack gülümsedi. "Evet, ben Amerika, İtalya, Sarah Kearney, BRK ve Barbuggiani arasındaki büyük bağlantıydım, sadece bunu anlayamadım. İnsanlar bana BRK davasını kişisel algılamamamı söylüyordu, ama durum farklıymış."

Marsh başını sallayıp, aldığı beyaz şaraptan bir yudum içti. "Halbuki, geçmişe baktığımızda, bu son olayın tamamıyla kişisel olduğunu anlıyoruz. BRK, seni New York'a getirmeye, seni babanın eski evinde öldürmeye ve aynı zamanda korumasız ailene saldırmaya niyetliydi."

"Kesinlikle. Büyük şov İtalya'da olacakken, hepimizi Amerika'da koşuşturdu." Jack, seri katilin ölü sayısına yenileri eklemeye ne kadar yaklaştığını düşününce, yüzünü ekşitti. "Ayrıca, bu hasta herifin tüm bunları planlamaktan ne kadar zevk aldığını da unutmayalım. Bu cinayetleri gerçekleştirmeyi yıllardır hayal etmiş olmalı ve sanırım Sarah'nın yıldönümü onu hayalini gerçekleştirmeye teşvik etti."

Nancy, Jack'in Marsh'la olan sohbetini onaylamayan bakışlarla, "Neredeyse hazır," diye seslendi.

Carlo sessizce patronuna doğru ilerledi ve sadece en iyi şeflerin becerebileceği kadar temkinli bir şekilde kulağına fısıldadı. Nancy başını salladı ve garson kızlara herkesin bardağını doldurmasını söyledi.

Nancy, insanların dikkatini çekmek için sesini yükselterek, "Bayanlar baylar," dedi, "Jack ve ben buraya geldiğiniz için hepinize teşekkür ederiz. Hepinizin kalbimizde özel bir yeri olduğunu sanırım biliyorsunuz. Ama bardaklarımızı kaldırıp, hepimizin çok şükür sağlıklı ve hayatta oluşu şerefine içmeden önce, en özel konuğumuza çok sıcak bir karşılama yapmanızı istiyorum." Nancy otelin arkasına doğru elini salladı.

Bütün herkes arkaya döndü.

Terasın altında koltuk değnekleriyle yavaşça yürüyen Ludmila Zagalsky göründü. Yüzünde çok geniş ve çok mutlu bir gülümseme vardı.

Uzun boylu, nazikçe gülümseyen genç bir Çeçen delikanlısı onun elini tutmuş yarım adım arkasından geliyordu.

Alkışlar durduktan sonra, Joey Marsh sesinin duyulmadığından emin olunca, elini evsahibinin omzuna koydu. "Jack, bunu sana doğrudan söyleyeceğim, seni yeniden ekipte istiyorum. Amerika'da ancak senin yardımınla çözebileceğimiz bir olay var."

YAZAR HAKKINDA

Michael Morley, 1957 yılında Manchester'da dünyaya geldi ve kimsesiz olduğu için çocuk bakımevlerinde büyüdü. İlk kez Bury Times Gazetecilik Grubu'nda stajyer gazeteci olarak işe başladı ve meslek hayatında hızla yükseldi.

Eski bir televizyon sunucusu, yapımcısı ve yönetmeni olan Michael Morley, şimdilerde uluslararası bir televizyon şirketinin kıdemli yönetici müdürüdür. *Murder in the Mind* (Beyindeki Katil) gibi Dennis Nilsen'i konu alan birçok ödüllü belgeselin yapımcısıdır. Morley, FBI'ın Quantico'daki Davranış Bilimi Birimi'ni sık sık ziyaret etmiş ve FBI ajanlarının saha çalışmalarını izlemiştir. Ayrıca birçok ünlü seri katille söyleşiler yapmıştır.

Morley evli ve üç çocuk babasıdır; ailesiyle birlikte Hollanda ve Derbyshire'daki evlerinde yaşamaktadır.

Bu kitaptaki tüm olaylar ve kişiler kurmacadır. Gerçek hayattaki dedektifler, katiller ve olaylarla yakından uzaktan ilgisi yoktur.

 F: 25

Michael Morley

Michael Morley profilcileri şöyle tanımlıyor.

Tanıdığım en iyi psikoloji profilcileri mesleklerinde uzman olan, yetenekli, alçakgönüllü ve çok dengeli insanlardır. Açık fikirli, gözlemleri şaşırtıcı derecede gelişmiş gerçek dâhilerdir. En kötüleri ise kişisel ün kazanmak uğruna kendilerini zorlu profil davalarına adayan büyük egolu insanlardır.

Kişilik profilini çıkarma ya da bazen suçlu profilciliği denilen şey kristal küre falcılığı değildir. Profilciler bir suç mahalline bakar bakmaz size katilin kim olduğunu söyleyemez. Ama iyi bir profilci minicik ipuçlarından bir profil oluşturup -suçlunun karakteristik noktalarının kabataslak bir tanımını yapar= soruşturmacıların tüm kaynaklarını doğru yere odaklamalarına yardımcı olur.

Profilcilik, her suçlunun her şeyi kendi özel yöntemlerine göre yaptığını anlamakla başlar. Örneğin, tembel bir ayyaş, bir suç ya da cinayet işlerse bunu tembelce yapar. Büyük bir olasılıkla işleyeceği suçu ya da cinayeti planlamamıştır. Muhtemelen karşısına bir fırsat çıkmıştır ya da dumanlı kafasının etkisiyle ne yaptığını bilmez haldedir. Ve böylece çevresine üç polisiye dizisine konu olacak kadar ipucu bırakır. Diğer yandan bir proje koordinatörü cinayet işlerse, bunu en ince ayrıntısına dek planlar. Hiç kuşkusuz önce kurbanı seçer ve tasarladığı planı uygular. Suç mahallinde ise adli tıbbın işine yarayacak birkaç küçük ipucu bırakır. Suç mahalline gelen profilci bu ipuçlarından üstünkörü birkaç sonuç çıkarabilir. Adli tıbbın işine yarar bir ipucu olmadığından işlenen suçtan ne tür bir suçlunun sorumlu olduğunu deşifre etmeye çalışırlar.

Bu gerçekten çok basit bir açıklamadır, ama suçlu profilciliğinin temelini oluşturur. Kurbanın yaşı, ırkı ve cinsiyeti profilci için önemli noktalardır. Tabii bu arada kurbanın nasıl öldürüldüğü de hesaba katılmalıdır.

Örümcek

Cinsel taciz cinayetleri ile intikam cinayetleri arasında fark vardır. Arkadan saldırıyla önden saldırı farklı ilişkileri gösterir. İyi bir profilci tüm bu ipuçlarını göz önünde tutarak (tabii buna benzer birçok ipucunu) suçlunun profilini belirler. Ve çıkarılan bu profille muhtemel zanlılar belirlenir.

Ayrıca bu incelemeler, belirli bir zanlının olmadığı vakalarda soruşturmacıların ve polis güçlerinin nerelere odaklanmaları gerektiğine yardımcı olur. Genellikle kişilik profilciliği, istatistiksel profilcilik, coğrafi profilcilik ile el ele yürür ve böylece soruşturmacılara suçlular hakkında geniş bilgi verir.

Emniyet güçlerinin çoğu coğrafi profilciliğe hâlâ kuşkuyla bakmaktadırlar, ama bulmacanın tüm parçalarını bir araya getirmeye yardımcı olan bu gerçeğe gün geçtikçe daha sıcak bakılmaktadır.

DENNIS NILSEN İLE GÖRÜŞME

Seri katil Dennis Nilsen ile bundan on yıl kadar önce İngiltere'de tutuklu bulunduğu hapishanede tanıştığım zaman en az on beş kişiyi öldürmüştü. Gözlerimin içine bakarak, "Cesetler çürüdüler, ama ben hâlâ o insanlarla ruhsal bir iletişim içindeyim... onlar benim bir parçam," dedi.

1992 yılının eylül ayında Psikolog Paul Britton ile birlikte Nilsen'in tutuklu bulunduğu Wright Adası'ndaki sıkı güvenlik önlemlerinin alındığı Albany Hapishanesi'nde söyleşi yaptım. Bir mahkûmla söyleşi yapmak için televizyon kameralarının hapishaneye girmesine İngiltere'de ilk kez izin verilmişti. Amerika'da ise basınla söyleşi yapmak en ağır suçlunun bile en temel hakkıdır. Ama İngiltere'de durum böyle değildir. Söyleşi çok aydınlatıcı olduğu kadar aynı zamanda tarihi idi.

Birincisi, insanın kanını donduran, insanlıktan uzak gerçeklerdir. Dennis Nilsen en az on beş kişiyi elleriyle boğup öldüren seri bir katildi. Mastürbasyon yaparak bazı cesetlerinin üstüne boşaldıktan sonra onları yıkayıp, giydirmiş, onlarla sohbet edip birlikte televizyon seyretmiş. Ve onları Londra'daci evinin döşemesinin altına gömmüş. Ve de sonunda onları küçük parçalara doğrayarak bir tencerede kaynatmış. Cesetlerin bazı yanık parçalarını evinin arka bahçesine gömmüş ve onlardan geri kalanları ise lağım çukuruna atmış.

Uluslararası televizyonlarda gösterime girecek *Murder in Mind* adlı kişilik profilciliğini anlatan bir belgesel hazırlarken, Nilsen beni adeta büyüledi, yaptığı insanlık dışı eylemlerden ziyade, böyle şeyleri yapmasının nedenleri aklımı kurcaladı.

Nilsen öyle sıradan bir seri katil değildi (tabii böyle bir şey gerçekten varsa) o bir nekrofiliydi. Ve bu tür katilleri ele geçirmek çok zordur. Çünkü cinayeti işledikten sonra kurbanlarının cesetlerini haftalarca hatta aylarca saklarlar ve polisler soruşturma sırasında yeterli ipucu bulamazlar. Nilsen'in iş hayatı da çok ilginçti. Kayıtlara bakıldığında yetkili pozisyonlarda bulunduğu görülüyordu; orduda aşçılık yapmıştı. İngiliz sivil kamu hizmetlerinde yönetici, ünlü bir ticari kurumda temsilcilik hatta şartlı tahliye edilen mahkûmları göz altında tutan polis memuluğu bile yapmıştı. Dış görünümü insanları öldürmekten çok kendini onlara yardıma adamış gibiydi.

Profesyonel yaşamında Dennis uzun süre eşcinsel olduğunu da gizlemeyi başarmıştı. On beş yaşından yirmi yedi yaşına dek tam on iki yıl orduda görev yapmış ve eşcinseller hakkında yapılan açık saçık şakalara diğer maço askerlerle birlikte gülmüştü.

Bir insanın kendi zaaflarını bu denli baskı altında tutabilmesi içindeki vahşi güdülere gem vurabilmesi oldukça şaşırtıcı. Burada iki şey birbiriyle bağlantılı mı? Zeki, disiplinli kendini kamu yararına adamış biri, nasıl birdenbire bir canavara dönüşebiliyor? Yıllarca homoseksüelliğini gizlemesi dahā sonraki yaşantısında daha karanlık sırlarını gizlemesini kolaylaştırdı mı?

Nilsen'i ilk önce İngiliz Yazar Brian Masters'ın sayesinde tanıdım. Masters *Killing for Company* adlı Nilsen hakkındaki kitabını yazarken onu defalarca hapishanede ziyaret etmiş. Masters kitabı yayınlandıktan sonra hâlâ Nilsen'i neden sürekli ziyaret ettiğini açıkladı. "Onu ziyaret etmek zorundayım. Onun karakteri ve de dünyanın onu nasıl tanıdığı beni hiç ilgilendirmiyor. Bütün dünya ister onu sevsin ister nefret etsin benim umurumda bile değil. Bana çok büyük yardımı dokunduğu için onu ziyaret etmeye devam ediyorum. Sanırım etik olarak ona teşekkür borçluyum. "Şey bana yaptığın yardımlar için çok teşekkür ederim. Şimdi artık burada çürüyebilirsin," demeyi çok isterim.

Bu arada prensip olarak güvenden söz ederken, Nilsen'in evine getirdiği genç erkeklerin güvenini asla sarsmadığını da belirtmek gerekir.

Nilsen'i uzun süredir tanıyan Masters, magazin yazarlarının ona yapıştırdıkları "canavar" yaftasının arkasındaki adamın gerçek yüzünü görebilmişti. Ama aralarındaki ilişki zaman zaman da sınanıyordu. Özellikle katil o korkunç kara mizah yönünü ortaya çıkardığı zaman. Bir seferinde Masters ona Nilsen'in yaşam hakkında bir film yapmak için işbirliği teklif etmişti. Nilsen bunu kabul etmiş ve peşinden jenerikte, "Alfabetik sıraya göre rol alanlar yerine, alfabetik sıraya göre yok olanlar," diye yazılmasını önermişti.

Deli mi yoksa kötü mü? Sonunda Masters'a bunu sordum. Bana tahmin ettiğim yanıtı verdi. "Bana göre ruhu deli ama aklı değil, bunu en iyi böyle açıklayabilirim. Plan yapabiliyor, yaptığı planı uygulayıp meyvelerini topluyor. Çok kesin ve düzgün konuşuyor; hatta komik bir adam sık sık şaka yapıyor."

Ben birkaç ay Dennis Nilsen'le yazıştım ve tam iki gün birlikteydik. Masters gibi ben de ondan çok etkilendim. Hani yolda korkunç bir kaza görünce bakmak istemezsiniz, ama yine kendinize engel olamayıp bakarsınız, işte bu da onun gibi bir şeydi. Gördüğünüz şeyin size şok etkisi ya da mide bulantısı yapacağını bildiğiniz halde merakınıza yenik düşüyorsunuz.

"Ruhu deli." Nilsen'in yaşam öyküsünü araştırırken Atlantik'in iki kıyısındaki psikologlara defalarca danıştım. Nilsen'e mektuplar yazdım ve onun hakkında topladığım belgeler derinleştikçe bu iki kelime adeta belleğime kazındı. Aylarca yaptığım yoğun görüşmelerden sonra İngiliz İçişleri Bakanlığı'ndan izin aldım ve Nilsen ile söyleşi yapmak üzere Albany'ye gittim.

Araştırmalarım sırasında yasal olarak İngiltere'de ilk profilci unvanını kazanan Psikolog Paul Britton ile tanıştım. Paul'ün Bostock'un yakalanmasında polise büyük yardımları dokunmuş ve İngiltere'de ilk kez kişilik profilciliği polis tarafından uygulanmış.

Britton Nelson söyleşisinden bana yardım etmeyi sevinçle kabul etti. Polis Müdürleri Heyeti'ne danışmanlık yapıyordu. FBI'ın oluşturduğu veri sistemi gibi suçlularla yapılan söyleşilerden oluşan bir veri tabanı kurmak istiyordu. Nilsen hakkında tüm bildiklerini ona anlattım. Hapishaneden bana yolladığı mektupları, Brian Masters ile yaptığım görüşmelerde tuttuğum küçük notları, mahkeme tutanaklarından ve diğer kaynaklardan edindiğim tüm bilgileri ona verdim. Ben Nilsen'i kameraya çekerken bir psikoloğun da ona sorular yöneltmesi iyi bir resimdi. Ben de arada sırada gerekli olduğunu düşündüğüm soruları sorabildim.

Yanımda benim film ekibindenmiş gibi davranan iki polis yetkilisi ve Britton ile sıkı korunan hapishaneye ulaştık. Her şey plana uygun yürüdü. İçeriye girdikten sonra dokuz adet kapı engelini aştık ve Nilsen'in tutuklu bulunduğu ayrı bölüme ulaştık. Londra'daki ünlü Wormwood Scrubs'da saldırıya uğramış yüzü gözü adeta parçalanmıştı. O günden beri özel gözetim altında tutuluyordu.

Beyaz bir tişört ve solmuş kot pantolonla bizi karşılayan Nilsen kendisine Den, diye hitap etmemizi istedi.

En ufacık bir tedirginlik göstermeden büyük bir güvenle ellerimizi sıktı. Ve sabırsızca, "Kim kim? Ben kiminle konuşuyorum?" diye sordu. Ben yanımdakileri onunla tanıştırdım ve bugünkü görüşmede ona yalnızca sorular soracağımızı, bu arada ertesi günkü film çekimi için hazırlık yapacağımızı anlattım. Birkaç dakika düş kırıklığı yaşadı ve asabileşti. Kısa süre sonra Nilsen'in en sevdiği konunun yine Nilsen olduğunu anladık. Hiçbir teşvike gerek duymadan Londra'daki ünlü ceza mahkemesindeki duruşmadaki anılarını anlatmaya başladı. "Old Bairley'de yer yerinden

oynadı. Olağanüstü bir durumdu. Zaten ben her zaman olağanüstü davranırım. Gerçekten eşi az bulunur bir hayvanım. Sürüden çok farklıyımdır."
Ertesi gün onun gerçekten ne denli eşi az bulunur biri olduğunu anladık.

Dennis Nilsen mahallesindeki The Cricklewood Arms adlı barında kafayı iyice çekip sarhoş olduktan sonra ilk cinayetini işlediğini açıkladı.

İrlandalı bir genç olan ilk kurbanını birlikte evine gitmeye ikna ettikten sonra iki sarhoş kendilerini yatakta bulmuşlar. Ama aralarında cinsel bir ilişki olmamış. Ertesi sabah Nilsen uyanınca yanındaki yabancıya karşı güçlü bir sevgi hissetmiş. Çocukluğunda kız ve erkek kardeşine yaptığı gibi genç adamın vücudunu yavaş yavaş okşamış. Ve sonra bir anda yatak arkadaşını adamın kravatıyla boğmaya karar vermiş. Ve hemen kravatın ilmeğini adamın boynuna geçirmiş. Genç adam boğulur gibi sesler çıkararak uyanmış ve debelenmeye başlamış. Nilsen de kravatın ucundan tutarak boğulmakta olan adamı yataktan aşağıya çekip yerde sürüklemeye başlamış. Adam eşyalara çarparak yerde debelenmeye devam etmiş ve sonunda ölümcül bir sessizliğe bürünmüş. Fakat Nilsen yabancının ölüp ölmediğinden emin olamamış. Cinayet onun için çok yeni bir durummuş, bu konuda hiçbir deneyimi olmayan bir amatörmüş. Adamın öldüğünden emin olabilmek için bir kovaya su doldurup cesedin başını suya sokmuş ve hava kabarcıkları görmediğine emin olana dek cesedin başını suyun içinde tutmuş. "Adamı öldürdükten sonra başımın içinde sürekli bir uğultu hissettim. Adamın görüntüsü kafamın içinde uğulduyordu," dedi. Nilsen ısrarla cinayeti planlamadığını, öldürmek fikrini bir anda düşündüğünü ve bunu fırsat bilerek fanteziyi gerçeğe çevirdiğini söyledi.

İkinci iş olarak cesedi ortadan kaldırması gerekiyordu.

Örümcek

Nilsen cesedi yerden kaldırıp omzuna atmış ve onu banyoya götürürken gözü aynadaki görüntüsüne takılmış: "Çok güçlü bir adamın görüntüsüydü; onu omzumda taşırken çok güçlü görünüyordum." Sahneyi gözünüzde canlandırırsanız -bir adamın değerini taşıması- genellikle birinin bir kahraman tarafından kurtarıldığını gösterir. Nilsen'in aklında bu sahne birbirine karışmıştı. Hem kahraman hem de kötü adamdı.

Söyleşi süresince Nilsen sigaranın birini söndürüp diğerini yaktı ve devamlı çakmağıyla oynadı. Ve anlatmaya devam etti. Cinayeti işledikten sonra cesedi yıkamaya karar vermişti. "Onu niye yıkadığımı gerçekten bilmiyorum. Sanırım fantezim için onun en iyi haliyle görünmesini istedim. Çok komik ama o anda kendimi onun yerine koydum. Aklımda hem o hem de kendim olduğuma inanmıştım." Bundan sonra Nilsen'in anlattıkları çok çarpıcıydı. "O adamı pasif duruma sokmak için içimde karşı koyamayacağım bir dürtü hissettim. O anda onun ölmüş olduğunu düşünemiyordum. Zaten onun bir insan olduğunu dahi düşünemiyordum. Kısacası, Nilsen tüm potansiyel kurbanlarının bir obje olduklarını düşünmüş. Bu nedenle olası bir vicdan azabı ya da gerçek bir suçluluk veya pişmanlık duymamış. Ayrıca çok ilginçtir ki bazı polis memurlarını nefretle anıp onları kötü ve sapık olarak tanımlıyordu.

Nilsen bize yatak odasındaki çekmecede sakladığı yepyeni iç çamaşırlarını cesede nasıl giydirdiğini açıkladı. "Müthiş bir heyecan hissettim. Ona yaptıklarımı onun da bana yaptığını hayal ettim. Onun ben olmasını istedim. Cinayetten dört saat sonra içindeki heyecan kabardıkça kabarmış ve cesetle anal seks ilişkisine girişmiş ama bu deneyim düş kırıklığıyla sonuçlanmış: "Onun vücudunun soğukluğundan ereksiyonumu yitirdim. Hem yaptığım şey doğru değildi. Onun imajını zedeliyordu. Bu noktada ağır ağır derin soluklar aldığımı fark ettim. Aklım bu ham bilgileri algılayıp bir anlam vermeye çalışıyordu. Bir yandan Nilsen'i nazik ve yardımsever olarak tanımlarken bir yandan da onun bir insanı boğup sonra da cesediyle seks ilişkisine giriştiği gerçeğini kabul etmeye çalışıyordum.

Sonunda Nilsen cesetten ne zaman kurtulmaya karar verdiğini anlatmaya başladı. Basit bir plan yaptığını söyledi. Onu elektrikli bıçakla küçük parçalara doğramaya karar vermişti. Sonra parçalara ayırdığı cesedi tencerede kaynatıp etlerini didikleyerek onu bir yerlere atacaktı. Eski bir ordu aşçısı olduğundan bu işi kolaylıkla yapabilecek donanıma sahipti. Ama anlaşıldığı kadarıyla işi yüzüne gözüne bulaştırmıştı. "Elektrikli bir bıçak ve büyük bir tencere aldım. On iki sterline aldığım bıçak hiçbir işe yaramadı. Bir süre sonra onu ofisteki çalışan kızlardan birine verdim. Midemi en çok neyin bulandırdığına emin değilim. Cesedi parçalara ayırdığını hayalimde canlandırmam mı yoksa kurbanını doğradığı bıçağı seve seve hiçbir şeyden haberi olmayan mesai arkadaşına vermesi mi beni hasta etmişti.

Nilsen ile geçirdiğim o iki gün öğrendiklerim beni sürekli şoka uğrattı. FBI'ın Quantico ofisine yaptığım ziyaretlerde gördüklerimi ve duyduklarımı şimdi daha iyi algılayabiliyordum. Nilsen hiçbir şeyi gizlemeden ve anlattıklarının hepsinin gerçekleri yansıttığına inanıyorum, kurbanlarından, kendi ailesinden, çocukluğundan ve sevgilisinden söz etti. Sonunda kamerayı kapatıp beyaz tişörtüne iliştirdiğim küçük mikrofonu çıkarttım.